二見文庫

赤と白とロイヤルブルー

ケイシー・マクイストン／林　啓恵＝訳

赤と白とロイヤルブルー

登場人物紹介

アレックス・クレアモント＝ディアス	アメリカ合衆国の大統領の長男。 大学生
ヘンリー	英国の王子
ジューン・クレアモント＝ディアス	アレックスの姉
ノーラ・ホラーラン	アレックスの親友。 アメリカ合衆国の副大統領の孫
エレン・クレアモント＝ディアス	アレックスの母親。 アメリカ合衆国初の女性大統領
オスカー・ディアス	アレックスの父親。エレンの元夫。 上院議員
レオ	エレンの再婚相手
フィリップ	ヘンリーの兄
ラファエル・ルナ	コロラド州選出の上院議員
ジェフリー・リチャーズ	共和党の大統領候補
ビアトリス	ヘンリーの姉
キャサリン	ヘンリーの母親
アーサー・フォックス	ヘンリーの父親。故人
パーシー・オコンジョ	通称ペズ。ヘンリーの親友。 大企業の後継者
カッシアス（キャッシュ）	エレンのシークレットサービス
エイミー・チェン	エレンのシークレットサービス
シャーン・スリヴァスタヴァ	ヘンリーの侍従
ザハラ	大統領次席補佐官

1

ホワイトハウス最上階のバルコニーの角、ちょうどサンルームの端にあたる部分に、少しだけゆるんだ羽目板がある。適度な力かげんで叩《たた》くと、その羽目板の裏側に刻み込まれたメッセージを読むことができる。鍵の先端か、そうでなければウエストウイングから拝借したペーパーナイフででも彫ったのかもしれない。

歴代大統領一家の秘史に――ごくかぎられたゴシップ製造器ことメディアには、ほとんどの事柄について禁を犯せば死を覚悟するほどの慎重さが求められる――その文字を彫った人物の名前は記されていない。ひとつ言えるのは、大胆にもホワイトハウスに傷をつけられる人物がいるとしたら、大統領の息子か娘しかいないことだ。ジャック・フォード（第三十八代大統領ジョン・フォードの息子）が犯人だという人もいる。ジミ・ヘンドリックスのレコードをコレクションしていた彼は、深夜、バルコニーに通じるスキップフロアの自室から外に出てタバコを吸っていた。太いリボンを髪につけていた若きルーシ・ジョンソン（第三十六代大統領リンドン・ジョンソンの娘）説もある。だが、問題は誰がやったかではない。文字はそこにあり、それを発見できる才覚のある者のひそかな呪文となっている。

アレックスはホワイトハウスで暮らすようになった最初の週に発見した。見つけた経緯は誰にも話していない。そこにはこう書かれている。

ルール一、捕まってはならない。

通常、二階のウエストベッドルームとイーストベッドルームは、大統領一家が使うことになっている。もともとはモンロー政権時代、ラファイエット侯爵が滞在時に使用するための広くて豪華な寝室だったが、その後、ふたつに分割された。いまはアレックスがトリーティールーム向かいの東の部屋、ジューンがエレベーターの隣の西の部屋を使っている。

テキサスでの子ども時代も、ふたりの部屋は、いまと同じように廊下をはさんだ向かいにあった。当時は壁にべたべた飾られたものから、ジューンがそのとき入れ込んでいるものがわかった。十二歳のときは、水彩画。十五歳のときには、太陰暦のカレンダーと水晶の一覧表。十六歳になると、〈アトランティック・マンスリー〉の切り抜き、テキサス大学オースティン校のペナント、女性活動家のグロリア・スタイネム、作家のゾラ・ニール・ハーストン、そして公民権活動家のドロレス・ウエルタの刊行物からの引用句。

　アレックスの部屋はずっと同じで、ラクロスのトロフィーとか、高校時代には大学レベルの早期履修課題などが、少しずつ着実に詰め込まれていった。そうしたものは、いまも故郷のあの家で埃《ほこり》をかぶっている。アレックスはワシントンDCへ移った日からずっと、その家の鍵に鎖を通して、人目につかないよう首にかけている。

　廊下の向かいにあるいまのジューンの部屋は、なにからなにまで明るい白と淡いピンクとミントグリーンだらけで、部屋の写真が〈ヴォーグ〉に載った。ホワイトハウスのどこかの部屋で見つけた古き良き六〇年代のインテリア雑誌に着想を得た内装だ。アレックスの寝室は赤ん坊だったキャロライン・ケネディが使い、のちにナンシー・レーガンの執務室となった。ナンシーは浄化のためにその部屋でセージを燃やしていたはずだ、とジューンは言う。アレックスは、ソファの上に左右対称、格子状に飾られた草原のイラストを残しつつ、壁はサーシャ・オバマのときのピンク色から濃い青色に塗り替えた。

　少なくともこの数十年は、大統領の子弟も十八歳を過ぎると公邸で暮らさないのが慣例になっていたけれど、アレックスは母が宣誓をしたあの一月からジョージタウン大学での生活をはじめた。彼がワンルームを借りれば、その分、警備の手や費用がかかるから、このほうが合理的だ。ジューンは同じ年の秋にテキサス大学オースティン校を卒業するとすぐに移ってきた。本人の口から聞いたことはないものの、アレックスを見張るためであるのは知っている。アレックスが身近で起きる活動に興奮するであろうことを誰よりも心得ているのがジューンだ。実際、一度ならず、体を張ってアレックスをウエストウイングから引きずりだした。

　ドアを閉めて自分の部屋にいれば、人目を気にすることなく、部屋の片隅に置いたプレーヤーでホール・アンド・オーツのレコードをかけて、かつての父と同じように『リッチ・ガール』を口ずさんでいられる。世間的には使っていないことになっている読書用の眼鏡をかけることもできるし、カラフルな付箋を使って綿密な学習参考書を作ることもできる。その資格がないままに近代史上最年少の議員になるつもりはないにしろ、水面下でけんめいな努力を続けていることをひけらかす必要もない。そんなことがばれたら、セクシーな有名人という評判ががた落ちになる。

「ねえ」ドアの向こうから声がしたので、アレックスがノートパソコンから顔を上げると、ジューンが部屋に入ってくる。ｉＰｈｏｎｅ二台と複数の雑誌を小脇に抱え、皿を手にしたジューンは、足でドアを閉める。

「きょうはなにをくすねてきた？」アレックスは姉のためにベッドの上の書類をどける。

「ドーナッツの詰め合わせ」ジューンがベッドによじ登る。細身のスカートに、つま先が尖《とが》ったピンクのフラットシューズという格好だ。来週のファッションコラムが目に浮かぶ。ジューンの本日のコーディネート写真。冒頭には、スポンサーから、キャリア・ガール向けのフラットシューズの広告。

　きょう一日、ジューンはなにをしてたんだっけ？　〈ワシントン・ポスト〉のコラムがどうのと言ってたような。それとも自分のブログ用の写真撮影？　いや、両方かな？　アレックスはその手のことを覚えていられたためしがない。

　ジューンは雑誌の束をベッドカバーの上に投げだし、早くも熱心に読み耽《ふけ》っている。

「偉大なるアメリカのゴシップ業界の存続に貢献してるわけ？」

「そのためにジャーナリズムの学位を取ったのよ」ジューンが答える。

「今週のお勧めは？」アレックスはドーナッツに手を伸ばす。

「どうかな。〈イン・タッチ・ウィークリー〉によると……わたしはフランス人モデルと交際中なんだって」

「そうなの？」

「だったらいいけど」ジューンはページをめくる。「あらら、それにあんたはお尻の穴のまわりの皮膚の脱色をしてるそうよ」

「事実だ」アレックスはスプリンクルがちりばめられたチョコレートドーナッツをもぐもぐやりながら答える。

「そうでしょうとも」ジューンは顔も上げない。その雑誌にざっと目を通して積みあげた山の底に突っ込み、〈ピープル〉に移る。気のないようすでぱらぱらとページをめくる。〈ピープル〉に書いてあるのは広報担当チームたちが流した話だけ。味もそっけもない。「今週はわたしたちの記事はほとんどない……へえ、わたしがクロスワードパズルのヒントになってる」

　大衆紙やゴシップ誌に載った自分たちの記事を読むのが、ジューンの暇つぶしだ。母はそれをおもしろがったり、いらだったりし、アレックスはジューンに自分の記事のハイライトを読ませて悦に入っている。ほとんどは完全なでっちあげか、ホワイトハウスの広報担当チームが提供した読むにも値しない記事だが、ときにはきわめて異常でたちの悪い噂《うわさ》を防ぐのに役立つこともある。もし自分で選ぶなら、インターネット上で日々増えていくアレックスを題材としたファンの創作物が読みたい。なかには、圧倒的魅力と信じがたいスタミナを持つ超パワフルなアレックスの物語もあるのに、いくら賄賂をちらつかせても、ジューンはけんもほろろに断って読みあげてくれない。

「〈USウィークリー〉を読んで」アレックスはうながす。

「ええと……」ジューンが雑誌の山から探す。「へえ、見て。表紙にわたしたちが載ってる」

　ジューンがちらりとこちらに向けた表紙の隅にふたりの写真が掲載されている。髪をアップにしたジューンと、ほろ酔いかげんでも整ったあごの線と黒っぽい巻き毛でハンサムなアレックス。その下に黄色い太字で〝大統領の子どもたち、ニューヨークでの奔放な夜〟とある。

「ほんと、あれは奔放な夜だった」アレックスは革製の背の高いヘッドボードに寄りかかり、ずり落ちた眼鏡を押しあげる。「延々としゃべりつづける基調演説者がふたり。シュリンプカクテルと、炭素排出量に関する一時間半のスピーチ。それにまさるセクシーさがあるだろうか」

「記事によると、あんたは〝謎の褐色の髪の女性〟と密会したんだって」ジューンが読みあげる。「〝催しのあと、大統領の娘はスターが集まるパーティ会場へリムジンで直行したが、みんなのあこがれ、二十一歳のアレックスは急ぎ会場を出たのち、こっそりWホテルに入り込むと、プレジデンシャル・スイートで謎の褐色の髪の女性と落ちあい、午前四時ごろホテルをあとにした。ホテル内部の情報源によれば、その部屋からはひと晩じゅう、嬌声《きょうせい》が聞こえていたという。また、ちまたに渦巻く噂によると、褐色の髪の女性は誰あろう……ノーラ・ホラーラン。マイク・ホラーラン副大統領の二十二歳の孫娘にして、〝ホワイトハウス三人組〟の三番手のようだ。ふたりのロマンスが再燃したのだろうか？〟」

「やった！」アレックスが歓声をあげ、ジューンがうめく。「一カ月以内だ！　さあ、五十ドル払ってくれ」

「待って。相手はノーラだったの？」

　アレックスは記憶をたどる。先週、シャンパンのボトルを片手にノーラの部屋を訪ねた。はるかむかし、選挙遊説中のあっさり終わったふたりの行為は、どうせ避けられないことをさっさと終わらせるためのものだった。十七歳と十八歳、どこへ行っても自分が一番賢いと自負していたふたりは、最初からそうなる運命だった。あの日を境にアレックスはノーラのほうが百パーセント賢いと認めるしかなくなり、賢い彼女はそれきりアレックスとデートしていない。

　マスコミが放っておかないのはアレックスのせいじゃない。現代版のケネディ家扱いして、ふたりが交際していると思いたがる。だから、ときおりノーラとふたり、ホテルの部屋で飲みながらテレビで『ザ・ホワイトハウス』を観《み》て、しつこいマスコミのために、外まで聞こえるような大きなうめき声をあげても責められる筋合いはない。望ましくない状況をふたりの娯楽に変えているだけなのだから。

ついでに姉のジューンまで騙《だま》せたのだから、言うことなし。

「かもね」アレックスはのんびりした南部訛《なま》りで答える。

ジューンがアレックスを雑誌で叩く。まるでおぞましいゴキブリみたいに。「卑怯《ひきょう》者！」

「賭けは賭けだよ。一カ月以内に新たな噂話が出れば五十ドルだったよね。ちなみに、ぼくが使ってる送金アプリは〈ベンモ〉だから」

「払うもんですか」ジューンが息巻く。「あしたノーラに会ったら殺してやる。ところであんたはなにを着るの？」

「なんの話？」

「結婚式」

「誰の？」

「もう。ロイヤル・ウエディングよ。イギリスの。いま見せたほぼ全部の雑誌に載ってるんだけど」

ジューンがもう一度、〈USウィークリー〉を掲げる。こんどは、ばかでかい活字で書かれた目玉記事が目に入る。〝フィリップ王子が誓いの言葉を！〟そして、気取った笑みを浮かべた印象の薄いイギリスの王位継承者と、やはり目立たないブロンドの婚約者の写真。

アレックスはショックとばかりにドーナッツを取り落とす。「今週末だっけ？」

「アレックス、午前中に出発よ。しかも式の前に公式行事がふたつ予定されてる。ザハラがあんたの尻を叩いてないなんて信じらんない」

「まずいな」アレックスはうめく。「メモしといたんだけど。うっかりしてた」

「あらら、五十ドルのためにわたしの親友と共謀してマスコミを利用したせい？」

「いや、レポートのせいだよ。うがちすぎだって」アレックスは芝居がかったしぐさで書類の山を示す。「今週はローマの政治思想にかかりきりでさ。それに、知ってのとおり、ノーラはぼくたちふたりの親友だ」

「そんな講義なんかあるはずないわ。それに、今年最大の世界的イベントをわざと忘れるなんて、そんなこと、できる？　いくら宿敵に会いたくないからって」

「ジューン、ぼくはアメリカ合衆国大統領の息子で、ヘンリー王子はただの大英帝国の看板息子だ。〝宿敵〟なんて、気安く言わないでくれる？」アレックスはつぎのドーナッツを手に取り、考え込むような顔で口を動かす。「〝宿敵〟といったら同レベルのライバルだからね。ところがあっちは自分の写真でマスターベーションしてるに違いない、思いあがった近親交配の産物でしかない」

「言うわね」

「ぼく個人の見解だけど」

「まあね、彼を好きになる必要はないの。楽しそうなふりして、彼のお兄さんの結婚式で国際問題を引き起こさなければそれでいい」

「バグ（偉ぶっている人の意味）、ぼくがいつ楽しそうでない顔をした？」アレックスが苦痛に満ちた作り笑いをしてみせると、ジューンが不愉快そうな顔になる。ざまあみろ。

「ふん。それはともかく、どんな服装をすればいいか、わかってるわね？」

「ああ、先月、ぼくが選んでザハラからオーケーをもらった。ぼくだって野獣じゃないからね」

「わたしはまだ迷ってる」ジューンが身を乗りだして、彼の抗議の声などおかまいなしにノートパソコンを横取りする。「栗色《くりいろ》のと、レースがついてるのと、どっちがいいと思う？」

「そりゃレースさ。イギリスだよ。ところで、なんでぼくを落第させようとすんだよ？」パソコンに手を伸ばしたけれど、たちまちその手を払われる。「インスタグラムかなんかで情報収集すれば？　最低だな」

「うるさいわね。いま、観るものを選んでるところなの。うぇ、これから観る映画リストに『終わりで始まりの4日間』が入ってる。へえ、二〇〇四年のインディペンデント映画ってどんな？」

「姉さんなんか大嫌いだ」

「ふん、わかってるわよ」

窓の外では風が庭の芝生を吹き渡り、リンデンバウムの葉を揺らしている。部屋の隅でターンテーブルに載せたレコードの曲が終わり、静かな雑音だけが残っている。アレックスはベッドからおりてレコードを裏返し、『ロンドン・ラック・アンド・ラブ』に針をセットする。

正直に言おう。アレックスは母の就任から三年たったいまでも、プライベートジェットに乗るたびにわくわくする。

こんなふうに旅行をする機会はあまりないけれど、今回みたいなチャンスがあるときは、プライベートジェットで飛んでいるという事実が頭から離れない。アレックスが生まれたのは、テキサスのヒル・カントリーだ。シングルマザーに育てられた母と、メキシコ移民の子である父のあいだに生まれ、みんなとても貧乏だった。いまも贅沢《ぜいたく》な旅行は、贅沢と感じる。

十五年前、母がはじめて下院議員に立候補したとき、オースティンの地方紙は母に〝テキサス州ロメタの穴馬〟というあだ名を進呈した。母はフォートフッドの陰に隠れた小さな故郷の町を逃げだし、ダイナーで夜勤をしながらロースクールを卒業。三十歳のときには最高裁判所で人種差別訴訟の弁護をしていた。まさかイラク戦争のさなかに、こんな女性がテキサス州から登場するとは、誰が予想しただろう。母は赤みがかったブロンドにハイヒールをはき、才気煥発《かんぱつ》な民主党員にして、異人種で構成された家族の出身だった。

そんなふうだから、背もたれの高い革製シートにもたれて足を上げ、ピスタチオナッツをつまみながら大西洋上を飛んでいるアレックスが、いまだに現実感を持てないのも当然だろう。向かいの席のノーラはうつむいて額に褐色の巻き毛を垂らし、〈ニューヨーク・タイムズ〉のクロスワードパズルに取り組んでいる。その隣ではシークレットサービスの巨漢、カッシアス——愛称キャッシュ——が大きな手に同紙を持ち、ノーラと競っている。アレックスのノートパソコンにはローマの政治思想のレポートが表示され、入力を待つカーソルが点滅しているが、心に引っかかったなにかのせいで、大西洋を横断するあいだ勉強に集中できない。

　エイミーという、母のお気に入りのシークレットサービスは、通路をへだてた先の席に座っている。海軍特殊部隊出身のエイミーは、何人もの男を殺してきたとワシントンDC界隈《かいわい》でささやかれている強者《つわもの》だ。彼女は隣のソファに手芸道具にしているチタンでできた防弾仕様のケースを開いて置き、黙々とナプキンに花の図案を刺している。アレックスはその刺繍《ししゅう》針とよく似た針でエイミーが人の膝頭を突き刺すのを見たことがある。

　残るは、アレックスの隣に座っているジューン。片肘をついて、機内に持ち込んだ〈ピープル〉の記事に熱中している。ジューンは毎度、突拍子もないものを機内の読みものに選ぶ。前回はぼろぼろになった中国語の会話集。その前はウィラ・キャザーの『大司教に死来る』だった。

「なんの記事を読んでるの？」アレックスは尋ねる。

　ジューンが雑誌の向きを変え、見開きページのタイトルを見せる。〝狂気のロイヤル・ウエディング！〟アレックスはうめく。ウィラ・キャザーの上を行く趣味の悪さといえよう。

「なによ」ジューンが言う。「はじめてのロイヤル・ウエディングに備えてるのに」

「高校の卒業ダンスパーティ《プロム》に行っただろ？　あれといっしょさ。ただし会場は地獄で、お行儀のよさが必須だけどね」

「ケーキだけで七万五千ドルもかけたなんて、信じられる？」

「気の滅《めい》入る話だね」

「それに、ヘンリー王子はお相手なしで結婚式に出席するつもりらしいって、みんな大騒ぎよ。記事によると、王子は」ジューンはおどけてイギリス風の発音をまねる。「〝先月はベルギーの王女と付き合っていたという噂だが、いまはどうなっているのか、王子の恋愛事情のフォロワーは考えあぐねている〟」

　アレックスは鼻でせせら笑う。ロイヤルファミリーのくだらない恋愛事情をしゃにむにフォローする人たちが大勢いるとは、まともじゃない。ただし、ヘンリーの発言が気になるのは理解できるけれど。少なくとも、彼には個性がある。

「ヨーロッパ女性はついに、彼の魅力がせいぜい濡《ぬ》れた毛糸玉程度だと気づいたのかもね」アレックスは言ってみる。

　ノーラがクロスワードパズルを置く。先に解き終わったのだ。キャッシュがそれを見て悪態をつく。「だったらあなたが彼をダンスに誘う？」

　あきれたとばかりに天を仰いだアレックスの脳裏に、突然、舞踏室をくるくるまわる自分の姿が浮かぶ。ヘンリーはその耳元に、クロケットやらキツネ狩りやら、くだらない話を甘い調子でささやく。そんな想像に胸がむかむかしてくる。

「あいつの夢のなかでもあり得ない」

「あらま」ノーラが言う。「赤くなっちゃって」

「いいかい」アレックスは語る。「ロイヤル・ウエディングも、ロイヤル・ウエディングをする王子もくだらないし、そもそも王子を存在させる帝国主義がくだらない。全部まるごとくだらないカメだ」

「それがあんたがＴＥＤで発信したいこと？」ジューンがちゃかす。「アメリカも大量殺戮《さつりく》帝国なんだけど、それをわかってる？」

「わかってるよ、ジューン。でもぼくたちには公然と君主制を続けないだけの慎みがある」アレックスはピスタチオナッツをジューンに投げつける。

　ホワイトハウスに新規雇用される人たちは、アレックスとジューンについていくつか事前に説明を受ける。ジューンがピーナッツ・アレルギーであること。アレックスがたびたび真夜中にコーヒーを頼むこと。ジューンが大学時代に付き合っていた相手はカリフォルニアに引っ越して別れたが、いまもただひとり、直接、彼女に手紙を送ってくること。そしてアレックスには、イギリスの最年少の王子と長年にわたる確執があること。

　いや、確執じゃない……そうじゃなくて、ライバル関係でもない。ちくちく刺されるような、なんともおちつかない不快感を覚えるのだ。そのことを思うと、アレックスの手のひらはじわっと汗ばむ。

　大衆紙は——そして世間は——のっけからアレックスをヘンリー王子と同等の存在と見なした。アメリカで王族にもっとも近い存在といったら、ホワイトハウス三人組だというわけだ。かんべんしてもらいたい。アレックスのイメージは、なんといってもカリスマ性を備えた天才、思わずにやりとしてしまうウイットがあり、取材のたびに思慮深い意見を述べ、十八歳で〈GQ〉の表紙を飾った人物。対するヘンリーのイメージは、穏やかな笑顔、お上品な騎士道精神、いわゆる慈善的なふるまいと、まさに絵に描いたようなうつろなプリンス・チャーミングだ。ヘンリーの役柄のほうがうんと演じやすい、とアレックスは思っている。

　ひょっとしたら、事実上はライバル関係にあるのかもしれない。どうでもいいけど。

「さて、マサチューセッツ工科《MIT》大学の申し子よ」アレックスはノーラに尋ねる。「今回の確率はどうなんだ？」

「ええと」ノーラがにやりとして、考えるふりをする。「リスク評価。ＦＳＯＴＵＳは自制できず自滅し、五百人以上の民間人死傷者をもたらす。ヘンリー王子が理想の恋人と見なされる確率は九十八パーセント。アレックスが永久にイギリス入国禁止になる確率は七十八パーセント」ＦＳＯＴＵＳというのは、ファースト・サン・オブ・ザ・ユナイテッド・ステーツの略語で、〝合衆国大統領の息子〟の意味だ。

「わたしの予想よりはましな数字ね」ジューンが口を出す。

大笑いするアレックスを乗せて飛行機はなおも飛ぶ。

その日のロンドンはみものだった。バッキンガム宮殿周辺の通りからはじまって、街じゅうがユニオンジャックを肩からかけたり頭上で小旗を振ったりする人でごった返し、至るところでロイヤル・ウエディングの記念品が売られている。チョコレートバーから下着まで、あらゆるものに貼りつけられたフィリップ王子と花嫁の顔写真。こんなにくだらないことに、これほどの数の人が熱中していることが、アレックスには信じられない。いつかアレックスやジューンが結婚したとしても、ホワイトハウスの前にここまでの人が集まらないのは確実だし、集まってもらいたいとも思わない。

永遠に続くかのような結婚式。でも、なかなかいい式なのは認める。アレックスも人並みに恋愛には関心があるし、結婚の価値だって認めている。ただ花嫁のマーサが高位の貴族の娘で、フィリップが王子だというだけのことだ。そこにあるのは仕事の取引程度のセクシーさで情熱にもドラマにも欠けている。アレックスとしては、シェイクスピア風の恋愛物語のほうがずっと好ましい。

バッキンガム宮殿の晩餐会《ばんさんかい》会場でジューンとノーラにはさまれて座っていると、数年前の感覚がよみがえり、神経が高ぶって、そわそわしてくる。アレックスはノーラから細いグラスに入ったシャンパンを手渡され、ありがたく受け取る。

「ふたりとも、シシャクってなんだか知ってる？」尋ねるジューンは、キュウリのサンドイッチをぱくついている。「そう名乗る人に五人くらい会ったの。言われたら、したり顔でお行儀よくほほ笑むしかないんだけど。アレックス、比較国際政治関係学だかなんだかの講義を受けてたわよね。あの人たちってなんなの？」

「それって、バンパイアが迷えるセックスの虜《とりこ》軍団を作って、独自の上部組織にしたとき、できたやつじゃないかな」

「そうでしょうとも」ノーラはテーブルのナプキンを複雑な形に折っている。黒いマニキュアを塗った爪がシャンデリアの明かりを受けて煌《きら》めく。

「わたしもシシャクならよかった」ジューンが言う。「迷えるセックス軍団がいればメールの整理をしてもらえるから」

「セックス軍団に政治的なやりとりをうまくさばけるだろうか？」とアレックス。

ノーラのナプキンが鳥らしき形を取りはじめている。「やってみたらおもしろいとは思うけど。哀れでふしだらなメールばかりになりそう」ノーラは喉をせばめて、ハスキーな声を出そうとする。「ああ、お願い、野獣みたいにわたしを——布地のサンプルを検討するランチ・ミーティングに連れてって！」

「異様だけど、うまくいくかも」とアレックス。

「ふたりともどうかしてる」ジューンが静かに言う。

アレックスが言い返そうとすると、三人のテーブルに宮殿の接客係が忽然《こつぜん》と現れる。まるで悪趣味なかつらをつけた陰気で愚鈍な幽霊みたいだ。

「ミス・クレアモント＝ディアス」レジナルドとかバーソロミューとか、いかにもそんな名前をしていそうな顔の接客係が、お辞儀をする。かつらがジューンの皿の上に転げ落ちないとは奇跡だ。アレックスとジューンはこっそりといぶかしげな視線を交わす。「ヘンリー殿下が、よろしければダンスをごいっしょにとおっしゃっています」

ジューンの口が開きかけのまま固まり、小さな母音だけが漏れる。ノーラがにやりとする。

「謹んでお受けします」ノーラが代わりに答える。「殿下からひと晩付き合ってほしいと言われたいと、彼女もしきりに言ってたんですよ」

「わたし――」ジューンが言いかけてやめ、唇に笑みをたたえつつ、視線でノーラをばっさり切る。「もちろん。喜んで」

「けっこうです」レジナルドだかバーソロミューだかは向きを変え、背後を示す。

そこにおわすは、いつもながらさわやかなヘンリーだ。古典的なハンサムで、あつらえた三つ揃《ぞろ》えのスーツに身を包んでいる。ブロンドと高い頬骨、温かみを感じさせる穏やかな口元。生来の一分の隙もない姿勢でそこに立っている。まるで、ある日バッキンガム宮殿の美しい花壇からまっすぐの完全な形で出現したかのような佇《たたず》まいではないか。

ヘンリーから視線を向けられると、アレックスの胸にいらだちに似たなにかがきざす。アドレナリンが放出されたのかもしれない。ヘンリーとはこの一年ほど、話をしていない。その顔はいまも腹立たしいほど端整だ。

ヘンリーはアレックスに向かっておざなりな会釈をする。そこらにいる客のひとりにすぎないと言わんばかりに。ヘンリーが先だったとはいえ、十代のころはどちらが先に〈ヴォーグ〉に載るかで、競いあった相手なのに。アレックスは怒りをたぎらせながら目をしばたたき、ヘンリーがあごの線のくっきりしたまぬけ面をジューンに向けるのを目で追う。

「やあ、ジューン」ヘンリーは頬を赤らめるジューンに紳士然と手を差しだす。ノーラはわざとうっとりした表情を作る。「ワルツは踊れますか？」

「あの……少し動けばコツをつかめると思います」ジューンはおずおずと彼の手を取る。ヘンリーにからかわれているのではないかと疑っているようだが、実際そうだったらヘンリーのユーモアのセンスを買いかぶりすぎだ。ヘンリーはジューンを踊っている貴族たちのところへ導く。

「で、こうなるわけ？」アレックスはナプキンで折ったノーラの鳥をにらみつける。

「結局ヘンリーはぼくにはなにも言わず、姉さんを口説くことにしたわけか？」

「あら、坊や」ノーラが手を伸ばしてアレックスの手をさする。「なんでも自分を中心に考えるなんて、かわいいわね」

「実際そうだから」

「せいぜい、がんばって」

アレックスは踊る人たちを見る。ジューンはヘンリーのリードでフロアをくるくるまわっている。ああ、むかつく。ジューンがお行儀よく控えめなほほ笑みを浮かべているのに、ヘンリーはずっとその背後を見ている。ジューンには非の打ち所がない。そのジューンに目を向けたって罰はあたらないのに。

「彼はほんとにジューンを気に入ってるのかな？」

ノーラが肩をすくめる。「どうだろ。王族って変わってるから。儀礼上のお誘いかもしれないし――あら、ほら見て」

王室フォトグラファーがすっと入ってきて、踊るふたりをカメラにおさめる。アレックスはその写真が来週の〈ピープル〉に売りつけられるのを知っている。つまり、そういうことか？　注目を惹《ひ》くために、大統領の娘を使ってくだらない恋愛の噂をばらまく魂胆だな？　まるごと一週間、ヘンリーの話題でニュースを独占されるなど、たまったものじゃない。

「ヘンリーはこういうことが得意みたいね」ノーラが評する。

アレックスはウエイターを呼び止める。披露パーティの残りの時間は、せっせと飲むにかぎる。

誰にも話していないし、話すつもりもないけれど、はじめてヘンリーを見たのは十二歳のときだ。そして、それを思いだすのは、酒を飲んだときだけだ。

それまでもニュースでは目にしていたに違いないけれど、ちゃんと見たのははじめてだった。当時十五歳になったばかりだったジューンは、誕生祝いのお金の一部を使ってティーン向けの騒々しくてけばけばしい雑誌を買った。下劣なタブロイド紙やゴシップ雑誌好きは、早くもそのころはじまっていたということだ。雑誌の中央にポスターが綴《と》じ込まれ、外して学校のロッカーに飾れるようになっていた。爪で慎重にステープラーの針をこじ開ければ、破らずに取り外せるのだ。その一枚、真ん中にあったのが少年の写真だった。

豊かなブロンド、大きくて青い瞳、親しみのある笑み、肩にかついだクリケットのバット。隠し撮りだったのだろう。幸せな太陽のように輝かしい自信は天性のものだ。ページの下の端にピンクと青の文字で〝ヘンリー王子〟と書いてあった。

いまもアレックスには自分がその写真のどこにそれほど惹かれたのかわからないけれど、ジューンの部屋に忍び込んでは、写真のページを開いて少年の髪に触れたものだ。一心に思い描いたら、その手触りがわかるような気がして。両親が政治家として偉くなるにつれ、やがては自分も世間に知られる存在になると考えるようになった。そしてときどき、あの写真を思いだしては、ヘンリー王子のなにげない自信を見習いたいと考えた。

(ステープラーの針を爪でこじ開けて、写真のページを自分の部屋に持っていこうと考えたこともあるけれど、実行はしなかった。ジューンたち女の子と違って爪が短いので、うまくできなかったのだ)

だが、その後はじめてヘンリーと対面したとき――最初にヘンリーからよそよそしく冷淡な言葉をかけられたとき――自分の思い違いを悟った。あの写真に写っていた開けっぴろげでかわいらしい少年の姿は、本物ではなかった。実際のヘンリーは端整で、超然としていて、物憂げで、内向的だ。じつはタブロイド紙でつねにアレックスの比較対象となり、アレックスが自分でもくらべてしまう相手であるヘンリーは、自分のことをアレックスやアレックスのような人間より上等だと思っている人物だった。いまとなっては、そんな彼にあこがれたこと自体が信じられない。

アレックスはときどきそんな物思いに耽りつつ飲みつづけ、その合間に人々に交じってヨーロッパの美しい貴族の女性たちと踊る。

つま先でくるりと回転してダンスの相手と離れたそのとき、ケーキとシャンパンタワーのそばに立つ長身が目に入る。またしてもヘンリー王子。グラス片手に、ダンスフロアで踊るフィリップ王子と花嫁を眺めている。いつものように慇懃《いんぎん》無礼でどこかうわの空、ひとりだけ別世界にいるようだ。アレックスはそんな王子にひと泡吹かせてやりたくなる。

途中でウエイターが掲げているトレーからワイングラスをつかみ、人混みを縫って進む。

「きみがこういうことをするときは」アレックスはそっと近寄る。「シャンパンタワーはひとつじゃなく、ふたつにしなよ。シャンパンタワーがひとつしかない結婚式なんてみっともないからね」

「アレックス」いかにも貴族然とした、いまいましいアクセントだ。ここまで近づくとジャケットの下のベストに凝った金色のボタンが数えきれないほどならんでいるのがわかる。ああ、おぞましい。「ぼくがそんな喜びに浴することがあるかどうか」

「きょうの慶事を喜んでるみたいだね」アレックスは笑う。

「いかにも記念すべき日だ」ヘンリーがうなずく。彼のほほ笑みは一点の曇りもなく、まぶしい輝きを放っている。紙幣に印刷されるにふさわしい笑顔。

なにが腹立たしいといって、ヘンリーもこちらを嫌っている――お互い生来の敵対関係なのだから、そうに決まっている――ことぐらい、腹立たしいことはない。だが、それをあからさまにはしたくない。政治の世界では大嫌いな人に愛想よくすることもあり、その必要性はしかと心得ている。とはいえ、一度でもいいから、ヘンリーには宮殿の土産物売り場にならぶ小さなゼンマイ仕掛けのおもちゃのようにではなく、人間らしいふるまいをしてもらいたい。

あまりに完璧すぎて、ついちょっかいを出したくなる。

「いやにならない？」アレックスは尋ねる。「自分だけが特別みたいな態度を取ることに？」

ヘンリーがアレックスに顔を向ける。「なにが言いたいか、わからないな」

「きみは人目につかないところを選んでカメラに自分を追わせ、注目を浴びるのが嫌いだとばかりにうろついてる。でも、ほんとは注目されるのが嫌いじゃない。よりによってぼくの姉とダンスをしたんだから」アレックスは続ける。「きみのその態度ときたら、こんなところにいるような人間じゃないと思ってるみたいだ。そんなことしてて疲れない？」

「ぼくは……そう単純な話ではないが」ヘンリーがいちおうの反論を試みる。

「へえ」

「ああ」ヘンリーが険しい表情になる。「酔っているね」

「思ったことを言っただけだ」アレックスはわざと親しげに肘をヘンリーの肩に載せるが、思ったほど簡単ではない。むかつくことにヘンリーのほうが十センチほど背が高い。「たまには、楽しんでるつもりになってみたらいい」

　ヘンリーが悲しげに笑う。「水に切り換えたらどうだ、アレックス？」

「そう？」アレックスは言う。そもそもヘンリーをとっちめてやりたいと思ったのも、自分がいたずらっぽくて天使のような目つきをしているのも、ワインのせいなのかもしれない。ふと湧いてきたそんな思いを脇に押しやる。「気にさわった？　悪いけど、ぼくはみんなみたいにきみに夢中じゃないからね。きみは戸惑ってるだろうけど」

「それはどうだろう」ヘンリーは言う。「きみこそぼくに夢中なんじゃないか」

　アレックスはぽかんと口を開ける。目の前のヘンリーは片方の口角をきざっぽく上げ、見ようによっては意地悪そうでさえある。

「ふと思っただけだ」ヘンリーが儀礼的に言う。「きみは気づいているだろうか？　ぼくはこれまで自分からきみに近づいたことはないし、会話をするときはつねに徹底して礼儀を重んじてきた。それなのにほら、きみはまたしてもぼくを見つけだした」ヘンリーはシャンパンをひと口飲む。「ただのぼくの見解だが」

「なに言ってるんだ？　そうじゃない、ぼくは——」アレックスは口ごもる。「そっちこそ——」

「楽しんでくれ、アレックス」ヘンリーはあっさり背を向けて、立ち去ろうとする。

ヘンリーに捨て台詞《ぜりふ》を吐かれたと思ったとたん、アレックスはカッとなり、とっさに手を伸ばして彼の肩をつかんで引っ張る。

ヘンリーが不意に振り向き、こんどはアレックスを押しやろうとする。一瞬ヘンリーの目をぎらつかせた本物の彼らしさに、アレックスは胸を突かれる。

つぎに気づいたときには足がもつれ、近くのテーブルに後ろざまに倒れかかる。八段重ねの巨大なウエディングケーキが飾られているテーブルだと気づいたときには、すでに遅し。姿勢を立てなおそうとヘンリーの腕をつかんだものの、ふたりそろってバランスを崩し、ともにケーキスタンドに衝突する。

目の前でスローモーションのようにゆっくりとケーキが傾き、ぐらついて、大きく揺れ、そしてついにひっくり返る。こうなったら防ぎようがない。ケーキは床にぶつかってつぶれ、白いバタークリームのなだれが起きる。七万五千ドルの甘い悪夢の到来だ。

会場は鼓動が止まったかと思うほどの静けさに包まれる。アレックスとヘンリーははずみで転び、豪華なラグに横たわるケーキの残骸の上に倒れ込む。ヘンリーの腕はアレックスにつかまれたまま、ヘンリーが手にしていたシャンパンがふたりにかかり、グラスが粉々に砕ける。アレックスは血が滲《にじ》んでいるヘンリーの頬骨を視界の隅にとらえる。

糖衣とシャンパンにまみれて天井を見あげながらアレックスの脳裏をよぎったのは、これで少なくともヘンリーとジューンのダンスは、このロイヤル・ウエディングの最大のニュースにはならないということだ。

続いて思ったのは、母さんに惨殺される、ということ。

隣でヘンリーがゆったりとつぶやいている。「くそっ、ひどいもんだ」

王子が悪態をつくのをはじめて聞いたな。アレックスがそんなことをぼんやり思っていると、どこからか、カメラのフラッシュが焚《た》かれる音がする。

2

ザハラは冷徹な舌打ちとともに、ウエストウイングの記者会見室のテーブルに山のような新聞をどさりと置く。

「今朝ここに来る途中で見かけたものだけよ。言うまでもないでしょうけど、わたしの家は、ここからたった二ブロックなんだけど」

アレックスは目の前の見出しを見つめる。

七万五千ドルの大転倒

バトルロイヤル――ヘンリー王子と大統領の息子、ロイヤル・ウエディングで大《おお》喧嘩《げんか》

ケーキ・スキャンダル――アレックス・クレアモント＝ディアス、第二次米英戦争の火種となる

どれにもケーキの上に仰向けに倒れたアレックスとヘンリーの写真が掲載されている。ヘンリーの気取ったスーツはぐしゃぐしゃにゆがんだバタークリームの花にまみれ、腕はアレックスにつかまれている。頬骨には赤くて細い切り傷。

「この会議、危機管理室で開かなくていいの？」アレックスは提案してみる。

向かいに座るザハラも母もおもしろがってくれない。大統領が読書用の眼鏡の上から射すくめるような視線を投げかけてくる。アレックスはぴたりと口を閉じる。

母の右腕である大統領次席補佐官のザハラが怖いわけじゃない。気むずかしい印象とは裏腹に、彼女にはどこかやさしいところがある。それより母がやりそうなことのほうがずっと怖い。アレックスとジューンは自分の気持ちを表現することをよしとして育てられてきた。だが、母が大統領になると、気持ちより国際関係が重視される生活になった。ただ、今回の場合どちらの選択肢がより悪い運命をもたらすのか、アレックスにはわからない。

「〝披露パーティに参加したさる情報源によると、ふたりが口論する姿が目撃された

数分後……ケーキの大惨事が起きたという〟」エレンは軽蔑もあらわに、手にした〈ザ・サン〉の記事を読みあげる。母がどうやって本日刊行されたイギリスのタブロイド紙を手に入れたのか、アレックスは考える気にもなれない。大統領母さんの仕事ぶりは謎だらけだ。「〝しかし、王室内部の情報提供者が本紙に明かしたところによると、ヘンリーと大統領の息子との確執はいまにはじまったことではない。ヘンリーと大統領の息子は、初対面のリオ・オリンピックのときから反目を続け、敵対心はつのる一方とされ、最近では、同じ部屋にいることすら耐えがたい状況になっていたという。アレックスがアメリカ流の手法——暴力的な口論——に訴えるのは、時間の問題だったようだ〟」

「足がもつれてテーブルに倒れ込んだだけなのに、それを〝暴力的な——〟」

「アレグザンダー」エレンの口調は不穏なほど平静だ。「黙って」アレックスは口を閉じる。

「〝ちまたで取り沙汰されているように〟」エレンが続ける。「〝この強い影響力のある息子たちの反目が、近年問題となっているエレン・クレアモント大統領政権とイギリス王室のあいだのいわゆる冷えきった距離感の一因となっているのだろうか〟」

　大統領は新聞を脇に置き、組んだ腕をテーブルに載せる。

「別の冗談があるなら聞かせて」エレンは言う。「この状況のどこが笑えるのか、説明してもらえるかしら」

アレックスは何度か口をぱくぱくさせる。

「最初は向こうなんだ」やっと言葉を発する。「ぼくは触れてなかった――ヘンリーのほうがぼくを押したんだ。それで、バランスを取ろうとしてつかんだら――」

「いいこと、くどいようだけど、マスコミはどちらが先だったかなんていっさい頓着してない」エレンが言う。「母親としては、あなたのせいでなければうれしいけれど、大統領として願うことがあるとしたらひとつだけ、ＣＩＡにあなたの死を偽装させて、息子の死が二期めの同情票につながることよ」

アレックスは奥歯を噛《か》みしめる。母とそのスタッフを怒らせるのは、これがはじめてではない。十代のころは、ワシントンＤＣで催されるなごやかな資金集めイベントで、母の同僚をつかまえては選挙に関する矛盾を突くのを楽しんでいたし、今回よりもっと恥ずかしいことをタブロイド紙に書き立てられたことも何度かある。けれど、ここまで深刻な国際的危機を招いたことはない。

「わたしにはいまこの問題にかかずらっている暇がないの。こうすることにするから」エレンは書類ケースからファイルを取りだす。色とりどりの付箋が貼りつけられた公文書らしき書類が綴じられていて、一番上の紙にはこう書いてある。〝合意事項〟

「わかった」アレックスはぼそりと言う。

「いいこと」エレンが言う。「あなたにはヘンリーと仲良くしてもらう。土曜日に発《た》って、イギリスで日曜日を過ごすのよ」

アレックスは目をぱちくりさせる。「ぼくの死を偽装する案には戻れない？」

「あとはザハラから説明してもらって」彼を無視してエレンが続ける。「わたしはこれから五百くらい会議があるの」席を立ち、ドアへ行きかけて、足を止める。自分の手にキスをして、その手でアレックスの頭に触れる。「このばか息子、愛してるわ」

エレンがコツコツとヒールを鳴らして廊下を立ち去り、いままで母が座っていた席にザハラが移る。しゃれじゃなく、アレックス殺害の手配をしたそうな顔をしている。ザハラは肩書きからいうと、母の政権スタッフのなかで影響力でも重要度でも一番とは言えない。けれど、ハワード大学を卒業した直後の、アレックスが五歳のときから、エレンの片腕だった。大統領一家の危機管理業務を安心して任せられる唯一の人物だ。

「いいから、しっかり聞いて」ザハラが言う。「堅苦しい王室関係者と、いけ好かない広報担当者と、いまいましい王子の侍従と、徹夜で協議して決めたことだから、一言一句この方針に従い、絶対に台無しにしないで。いいわね？」

いまだ個人的にはくだらないと思うけれど、アレックスはうなずく。ザハラは不信感むきだしの顔でこちらを見つつ、先を続ける。

「まず、ホワイトハウスとイギリス王室は、ロイヤル・ウエディングにおける一件は偶発的な事故であり、報道は誤解にもとづくものであるという共同声明を発表——」

「まさにそのとおり」

「——また、じかに顔を合わせる機会は少ないものの、あなたとヘンリー王子は、この数年、きわめて親しい友人関係にある、と」

「ぼくたちが、なんだって？」

「いいこと」ザハラは大型のステンレスの保温カップからコーヒーを飲む。「双方ともが好印象で今回の件を切り抜ける必要があって、それにはあの結婚式での小競り合いを親友同士のちょっとした災難みたいに見せるしかないの。わかったわね？　あなたは好きなだけあの王位継承者を嫌っていいし、日記に彼を題材にした下卑た詩を書いてもかまわない。でも、カメラの前では、王子の股間から太陽が輝いてるかのように、真に迫った演技をしてもらう」

「ヘンリーに会ったことある？」アレックスは口答えする。「どうやったらそんなことができるの？　あんなぼんくら相手に」

「わからない人ね。あなたの気持ちなんか二の次なの。いまの状況を鑑みて、あとはまぬけなあなたが、お母さんの再選から国民の関心をそらさないようにするしかない。来年、討論会でエレンに息子がアメリカとヨーロッパの関係を不安定にしようとした理由を説明させたい？」

　いや、それは避けたい。それに、いまはこんなことになっているけれど、心の奥では、本来の自分がもっと策略家なのを知っている。くだらない遺恨さえなければ、これぐらいの戦略、自分で思いつけたはずだ。

「というわけで、ヘンリーはあなたの新しい親友よ」ザハラは続ける。「ヘンリーと過ごす今週末は、笑顔でうなずいて、誰も怒らせないこと。ふたりでチャリティイベントに参加して、ふたりでいると楽しくてたまらないとマスコミに話す。もしヘンリーのことを尋ねられたら、プロムで踊る大切なダンス相手だと言わんばかりに褒めちぎって」

　ザハラが書類をよこす。項目の箇条書きに、アレックスにも作れたであろう、ご丁寧にも情報をずらっとならべた一覧表が添えられている。〈ヘンリー王子に関する覚え書き〉と銘打って。

「これを頭に叩き込んでおくのよ。嘘《うそ》を見破ろうとする人が現れたときに、どう答えればいいかわかるように」ザハラは言う。趣味の欄にはポロと競技ヨットとある。アレックスは燃えさかる炎に身を投じたくなる。

「向こうもぼくに関する一覧を持ってるの？」彼は力なく尋ねる。

「ええ。はっきり言って、その一覧作りはわたしの職業人生で最悪の仕事だった」ザハラはさらにもう一ページ、テーブルの向こうから差しだす。今週末すべきことが、こまごまと列挙されている。

少なくとも日に二度ソーシャルメディア《SNS》で情報発信。イギリス滞在における当日のハイライトを投稿。

『ITV・ディス・モーニング』にて五分間のインタビュー。台本に従うこと。

共同で顔見せ二回（フォトグラファー同席）。非公開の会見一回、公開の慈善活動一回。

「どうしてぼくが行かなきゃならないんだよ？　ぼくをあのくだらないケーキに突き飛ばしたのは向こうだ――彼こそこっちに来て、いっしょに『サタデー・ナイト・ライブ』とかに出演したらいいだろう？」

「ロイヤル・ウエディングをぶち壊したのはあなただし、あちらは七万五千ドルの損失をかぶってる」ザハラが答える。「それに、これから数カ月以内に公式晩餐会に招く段取りになってるわ。向こうだって、あなたと同じく、今回のことを喜んではいないのよ」

アレックスは鼻梁《びりょう》を揉《も》む。早くもストレスによる頭痛がはじまっている。「講義があるんだけど」

「ワシントン時間の日曜の夜には戻ってこられるから、日常には影響しないわ」

「つまり、この計画からはのがれられないってこと？」

「そのとおり」

アレックスは唇を引き結んだ。リストを作らなくては。

アレックスはオースティンに住んでいた子どものころ、自宅の窓下のベンチに置かれたすり切れたデニムのクッションの下に、ゆがんだ汚い字で書き込んだルーズリーフの紙をたくさん隠していた。アメリカにおける政府の役割を題材にしたとりとめのないレポート——Gの字が全部左右逆になっていた。英語からスペイン語に翻訳された記事。小学校の同級生の長所と短所の一覧表。そしてたくさんのリスト。リストは役に立つ。

ゆえに、今回の利点を挙げるのはいいことだ。

一、母にはいいニュースが必要だ。

二、国際関係に関する経歴がくそまみれでは、自分の将来のキャリアがあやぶまれる。

三、無料でヨーロッパ旅行ができる。

「わかった」アレックスはファイルを受け取る。「やるよ。楽しいとは思えないけど」

「ええ、楽しめないことを願ってる」

〝ホワイトハウス三人組〟という呼称は表向き、大統領就任式の直前に〈ピープル〉がアレックス、ジューン、ノーラにつけたことになっている。けれど、本当は、ホワイトハウスの広報担当チームがフォーカスグループ（六名程度の調査対象者を一箇所に集め、座談会形式で特定のテーマについて話しあう調査手法）を使って綿密に分析したうえで、直接〈ピープル〉に提示したものだ。これぞ政治——ハッシュタグまでが計算ずく。

クレアモント家以前だと、ケネディ家とクリントン家が大統領の子弟をマスコミから隠した。子どもたちのプライバシーを確保してむずかしい局面を乗りきり、自然な子ども時代を送らせた。オバマ家のサーシャとマリアは高校を卒業する前からマスコミに追いまわされて、こきおろされた。ホワイトハウス三人組は、同じ目に遭わされる前に逸話を作った。

大胆な新手法だった。カリスマ性のある魅力的で優秀で人気のあるミレニアル世代（一九八一年以降に生まれ、二〇〇〇年以降に成人を迎えた世代。デジタルの台頭をまのあたりにしてきた）の三人組——厳密に言うと、アレックスとノーラは初期のZ世代（ミレニアル世代の次世代。デジタルネイティブとも呼ばれる）になるけれど、マスコミ的にはそれではあまり受けがよくない。受けがよければ売れるし、かっこよければ売れる。オバマはかっこよかった。大統領一家はかっこいい存在になりうる——自分の力で有名になったのだから。最善とは言えないけれど効果は絶大よ、とアレックスの母はつねづね言っている。

かくして彼らはホワイトハウス三人組となったものの、こうしてホワイトハウスのエグゼクティヴ・レジデンス三階の音楽室にいるときは、ただのアレックスとジューンとノーラだ。ティーンエイジャーのときからおのずといっしょに過ごすことが多く、予備選挙中に大量摂取したエスプレッソのせいで発育を妨げられてきた。アレックスが盛りあげ役。ジューンはなだめ役。ノーラは隠しごとなく話をさせる役だ。

三人は定位置でくつろいでいる。ジューンはレコード棚のそばで脚を折り曲げて座り、パッツィー・クラインのカントリーミュージックをあさっている。床であぐらをかいているノーラは、赤ワインのボトルのコルクを抜こうと奮闘中。アレックスはソファに仰向けになって背もたれに足を載せ、つぎになにをしようか考えている。

〈ヘンリー王子に関する覚え書き〉に目を通す。頭に血がのぼるのがわかる。

ジューンとノーラはアレックスを無視し、他人を立ち入らせない親密さにくるまれている。ふたりの関係は深く、ほかの人、ときにはアレックスすら立ち入れないほどだ。ふたりのことは枝毛から人には言えない変な癖まで知っているけれど、それでもアレックスには理解不能な、そして理解するつもりもない、女同士の不思議なつながりがある。

「〈ワシントン・ポスト〉の仕事、気に入ってるのかと思ってた」ノーラが、ポンと小さな音をたててワインの栓を抜き、ボトルに直接口をつけてごくりと飲む。

「気に入ってたわ」ジューンが答える。「いまだって。でも、たいした仕事じゃないのよね。毎月一回の論説くらいしかないし、投稿しても半分は母さんの立場に近すぎるという理由で却下されて、それでなくとも政治的内容だったら提出する前に広報担当チームに読ませなきゃならない。だから、くだらないニュース記事から話題を選んでメールで提出することになる。送り先の人たちがキャリアを積みあげるのに有効な最高に重要なジャーナリズムの仕事をしているのをわかっていながら、それで手を打つしかないの」

「そっか……そりゃ、おもしろくないね」

ジューンがため息をつき、探していたレコードを見つけてジャケットから取りだす。

「問題はほかになにをしていいかわからないこと」

「得意なことをさせてもらえないってこと？」ノーラが尋ねる。

「なに言ってんの？　建物にさえ入れてもらえないって感じよ」ジューンは答えながらレコードを載せて針をセットする。「ライリーやレベッカならなんて言うかな？」

ノーラは首を傾けて笑う。「たぶんうちの両親なら、自分たちみたいにしろって言うね。ジャーナリズムを捨ててアロマセラピーに打ち込み、バーモントの大自然のなかにキャビンを買って、パチョリの香りのするＬ・Ｌ・ビーンのベストを六百着買い込めってこと」

「九〇年代にアップルに投資して、ばかみたいに金持ちになるっていうのが抜けてるわ」ジューンが指摘する。

「またそうやってこまかいことを」

ジューンは近づいてノーラのふわふわの巻き毛に手を置き、かがんで自分の手の甲にキスする。「自分でなんとかしなきゃね」

ノーラからワインボトルを手渡されて、ジューンはひと口飲む。アレックスは大げさなため息をつく。

「こんなくだらないことを覚えなきゃならないなんて信じらんないよ。中間試験が終わったばかりなのに」

「あのね、あんたは動いてるものすべてと闘う運命なの」ジューンは手の甲で口をぬぐう。「こんなお行儀の悪いことは、ふたりの前でしかしない。それに、彼と踊ったけど、なかなかすてきだったわよ。なんでそこまで嫌うのか、全然わからない」

「考えようによっては、すばらしいと思うけど」ノーラが言う。「かたき同士が国家間の緊張緩和のために和解を強いられるなんて、シェイクスピアみたいで」

「シェイクスピアなら、いっそ刺し殺されたいね」アレックスは言う。「この紙切れによれば、彼の好きな食べ物はマトンのパイだって。これ以上つまらない食べ物は思いつかない。まるで厚紙を切り抜いて作った人間みたいだ」

その一覧には、すでにアレックスが知っている事柄が列挙されている。各種ニュースに登場する王室の子弟情報や、読みたくもないウィキペディアのヘンリーのページに書いてあったヘンリーの家族関係も先刻承知している。兄はフィリップ、姉はビアトリス。オクスフォード大学でイギリス文学を学び、ピアノでクラシックを弾く。そのほかはくだらなすぎてインタビューで訊《き》かれるとも思えないけれど、ヘンリーに負けるわけにはいかない。

「そうだ、いいこと考えた」ノーラが言いだす。「ドリンク・ゲームをしよう」

「いいわね」ジューンが賛成する。「アレックスが正解するたびに飲む？」

「ぼくが正解するたびに飲むって、ゲロ吐きたいのか？」アレックスは混ぜっ返す。

「答えが正解だったら一杯。ヘンリー王子の事実が論理的、客観的に見てひどかったら二杯」ノーラは説明する。ジューンは早くもキャビネットからグラスをふたつ取りだして、ノーラに渡している。ノーラはふたつのグラスを満たし、ボトルは手元に置く。アレックスはソファからすべりおりて彼女の隣の床に座る。

「オーケー」ノーラがアレックスの手から覚え書きの用紙を奪う。「簡単なやつから。彼の両親は？　どうぞ」

　グラスを手に取ったアレックスの脳裏には、早くもヘンリーの両親の姿が浮かんでいる。キャサリン王女の鋭敏な青い瞳、アーサーの映画俳優らしいあご。

「母はキャサリン王女。メアリー女王の長女、イギリス史上はじめて博士号を取得した王女。専攻はイギリス文学」アレックスはすらすら答える。「父はアーサー・

フォックス。映画ならびに舞台で活躍したイギリスの俳優。代表作は八〇年代に演じたジェームズ・ボンド。二〇一五年に死去。ほら、ふたりとも飲んで」

　ふたりが飲み、ノーラが覚え書きをジューンにまわす。

「よし」ジューンが覚え書きに目を通している。むずかしい質問を探しているようだ。

「これはどう？　愛犬の名前は？」

「デヴィッド」アレックスは答える。「雄のビーグル犬。もちろん覚えてる。誰が犬にデヴィッドなんて名前をつけるかと思ったから。まるで税理士の名前だ。犬の税理士さん。さあ、飲んで」

「親友の名前、年齢、職業は？」ノーラが質問する。「もちろん、あなた以外の親友ってことだけど」

　アレックスはくそ食らえとばかりに中指を突き立てる。「パーシー・オコンジョ。通称ペズまたはペザ。バイオメディカルでアフリカをリードする、ナイジェリアの企業、オコンジョ・インダストリーの後継者。二十二歳、ロンドン在住。ヘンリーとはイートン校で出会った。非営利の人権団体オコンジョ財団を運営。飲んで」

「好きな本は？」

「ええと」アレックスはつぶやく。「うーん。くそっ。ええと。なんかこう――」

「残念、ミスター・クレアモント＝ディアス。不正解です」ジューンが言う。「ご参加、ありがとうございました。あなたの負けです」

「わかったよ、答えは？」

ジューンが一覧をちらりと見る。「この一覧によると……『大いなる遺産』？」

ノーラとアレックスが声をそろえてうめく。

「ほら、ぼくの言いたいこと、わかるだろ？」とアレックス。「この気取り屋はチャールズ・ディケンズを読んでるんだ……娯楽として」

「それは認める」ノーラが言う。「一杯ね！」

「でも、わたしが思うに――」ワインを飲むノーラを横目に、ジューンが話しだす。「なかなかいいやつじゃない！　たしかに見栄《みえ》っぱりではあるけど、『大いなる遺産』のテーマは〝身分より愛が大切、正義は金や権力に勝つ〟だから、きっとヘンリーは自分と――」アレックスは長々と大きなおならのような音をたてる。「あんたたちって、ほんと、救いがたいわね！　彼がいい人に見えてしょうがない！」

「それは姉さんがまぬけだから」アレックスは言い返す。「自分の種を守ろうとする本能さ」

「親切心から助けてあげてるんだけど」ジューンが言う。「こっちは締め切り間際なのよ」

「ねえ、ザハラはぼくに関する覚え書きになにを書いたのかな？」

「そうねえ」ノーラが歯の隙間から息を吸う。「夏季オリンピックで好きな競技は新体操とか――」

「べつに恥ずかしくないよ」

「好きなカーキパンツのブランドは〈ギャップ〉」

「いいかい、それがぼくの尻には一番フィットするんだ。〈J・クルー〉のは、変なしわが寄る。それにあれはカーキパンツじゃない。チノパンだよ。カーキは白人向けの色だ」

「アレルギー物質は、埃、〈タイド〉の洗剤、それから黙っていること」

「最初の妨害行動は九歳のとき。サンアントニオのシーワールドで〝クジラ目に対する非人道的訓練だ〟として、シャチのトレーナーを早期引退させようとする」

「いまもその主張は変わらない」

　屈託なくのけぞって大笑いするジューンに、あきれて天を仰ぐノーラ。そしてアレックスは、まあいいか、と思う。少なくとも、悪夢が終わればまたここに戻ってこられる。

アレックスが想像していたヘンリーの侍従は、燕尾服《えんびふく》に山高帽の恰幅《かっぷく》のいいイギリス人にして、セイウチのような口ひげをたくわえ、ヘンリーのためにせかせかと四輪馬車のドアの下にベルベットの足台を据える人物だった。

飛行場の滑走路でアレックスとそのシークレットサービスを出迎えたのは、それとはまるで異なる人物だ。仕立てのいいスーツを着こなす三十代とおぼしき背の高いインド人で、きれいに切りそろえたあごひげをたくわえた、どことなく不良っぽさのあるハンサムだ。襟には湯気がのぼるティーカップと輝くイギリス国旗のピンバッジが飾ってある。それならそれでいいけど。

「シークレットサービスのチェンさんですね」侍従がエイミーに片手を差しだす。

「空の旅はいかがでございましたか?」

エイミーがうなずく。「まさに一週間で三回めの大西洋横断らしい旅でした」

侍従が同情を込めて小さくほほ笑む。「滞在中、シークレットサービスのみなさまに使っていただくランドローバーをご用意しました」

エイミーがもう一度うなずいて握手した手を放すと、侍従はアレックスを見る。

「ミスター・クレアモント＝ディアス。またもやイギリスへようこそ。ヘンリー殿下の侍従を務めますシャーン・スリヴァスタヴァです」

　アレックスは手を取って握手する。なんだかヘンリーの父親が出ていたジェームズ・ボンド映画の登場人物になった気分だ。後ろで乗務員が荷物をおろしている。運ぶ先はスマートなアストンマーティンのスポーツカーときた。

「よろしく、シャーン。まさかこんな週末になるとは、思ってなかったよね？」

「予想外の事態ではありますが、さほど驚いておりませんよ、サー」シャーンは神秘的なほほ笑みとともに、あっさりと答える。

　彼はジャケットから小型のタブレットを取りだすと、くるりと背を向けて、待っている車のほうへ歩く。アレックスは一瞬、言葉もなくその背中を見つめ、すぐにわれに返る。かっこいいし、長い脚で歩く姿が颯爽《さっそう》としているのは確かだけれど、王子のスケジュール管理を仕事とする成人男性に見とれている場合ではない。アレックスは小さく首を振り、小走りにあとを追って、後部座席に乗り込む。シャーンがバックミラーの位置を調整する。

「それでは」シャーンが言う。「お泊まりいただくのは、ケンジントン宮殿のゲストルームです。明朝九時に『ディス・モーニング』のインタビュー――スタジオにて写真撮影が予定されています。午後は小児ガン患者と交流、それがすんだら自由の地へお戻りいただけます」

「わかった」それぐらいなら我慢できる、とつけ加えなかったのは、ひとえに礼儀を重んじてのことだ。

「まずは」シャーンが続ける。「厩舎《きゆうしや》にいらっしゃる殿下をお迎えに上がります。そこに王室フォトグラファーがいて、あなたをわが国にお迎えする殿下の写真を撮影いたしますので、うれしそうな顔をなさってください」

　そうでしょうとも。殿下には、車で送り迎えしてもらわなければならない厩舎がある。考えていたような週末にはならないかもしれないと一瞬、思ったけれど、どうやら早とちりだったようだ。

「目の前の座席のポケットに」シャーンが振り向く。「ご署名いただきたい書類がございます。そちらの弁護士にはすでに承諾を得てあります」シャーンが高そうな黒い万年筆を差しだす。

　一枚めの冒頭に〝機密保持契約書〟とある。アレックスは最後――少なくとも十五ページはある――までめくって、小さく口笛を吹く。

「いつも……こんなことをやってるのか？」

「標準プロトコルです」シャーンが答える。「価値ある王室の評判を危険にさらすわけにはまいりません」

本契約書における〝機密情報〟とは、以下に掲げる内容とする。

一、ゲストに対し、ヘンリー殿下および王族に関する情報を〝機密情報〟とする。

二、ヘンリー殿下の個人資産と見なされるすべての所有物および金融情報。

三、バッキンガム宮殿やケンジントン宮殿など、王族が居住する建築物およびそれに含まれる個人の動産に関する詳細情報。

四、公文書、公式談話、公認伝記作家による公表がなされていない、ヘンリー殿下の私生活またはその一部と見なされる情報。ゲストとヘンリー殿下の個人的関係を含む。

五、ヘンリー殿下が個人所有する電子デバイス上の情報。

なんとまあ……大げさな。まるで、人狩りを娯楽にしている大富豪から手渡されそうな書類だ。いったい全体、地球上でもっとも健全で底なしに退屈な公人が、なにを隠さなければならないというのだろう？　今回、呼ばれたのが自分を陥れる罠《わな》でないことを祈りたい。

ただし、機密保持契約自体は知らないものではないので、署名した。今回の退屈な旅のあれこれを暴露するつもりなどもとよりないが、ジューンやノーラには話すかもしれない。

十五分後、厩舎に到着し、アレックスのシークレットサービスも追って到着する。当然のことだろうが、王室の厩舎は凝った造りで手入れが行き届いている。アレックスがテキサス州北部で見てきた古い牧場とは大違いだ。シャーンに先導されて馬場の脇まで歩き、エイミーとそのチームが編隊を組んで十歩離れてあとに続く。

アレックスは白く塗られた柵に肘を載せ、こんな服装ではラフすぎるかもしれないという、突然湧いてきたくだらない不安を押さえつける。いつものカジュアルな写真撮影なら、このチノパンとボタンダウンのシャツでぴったりだが、長らくこういうことをしてきてはじめて、自分が恐ろしく場違いに感じる。飛行機に乗っているあいだに見るも無残なありさまになっていないだろうか？

とはいえ、ポロの練習を終えた直後のヘンリーのほうがよく見えるとも思えない。きっと汗にまみれて、ぐちゃぐちゃだろう。

まるでタイミングを見計らったかのように、馬場のカーブの部分に、白馬にまたがったヘンリーがギャロップで現れる。

どう見たって、汗まみれでもなければ、ぐちゃぐちゃでもない。それどころか、映画の一場面のように、広く空を染めるまばゆい夕日に照らされ、ぱりっとした黒いジャケットと乗馬ズボンに身を包み、ズボンの裾を革のロングブーツに入れている。一分の隙もないその姿は、おとぎ話の王子さまそのものだ。ヘンリーが手袋をはめた手でストラップを外してヘルメットを脱ぐと、乱れた髪が現れる。まるでわざとその形にしたかのように魅力的だ。

「ゲロを吐きそうだ」ヘンリーが聞こえる距離まで近づくと、アレックスは言う。

「やあ、アレックス」とヘンリー。むかつくことに、いまのヘンリーはいつもよりさらに一メートル近く高いところにいる。「どうやら……しらふのようだね」

「あなたさまのためだけに、殿下」アレックスはわざと大仰なお辞儀をする。ヘンリーの声がちょっぴり冷たいことがうれしい。ようやくうわべを飾るのをやめたか。

「それはご親切に」ヘンリーは答えると、長い脚を振りあげて軽やかに馬から降り、手袋を脱いで、アレックスに片手を差しだす。そこへ身なりのいい厩務員がまるで地面から生えてきたように忽然と現れ、手綱を引いて馬を連れていく。こんなに憎たらしい気分になったことは、かつてない。

「ばかげてる」アレックスはヘンリーの手を握る。やわらかい肌。王室に仕えるお手入れ係が、毎日、角質を削って保湿しているのだろう。柵の向こう側に王室フォトグラファーが見えたので、アレックスは誇らしげにほほ笑み、歯の隙間から言う。「早いところ終わらせよう」

「水責めにされたほうがましだ」ヘンリーが笑顔を返す。すぐ近くでカメラのシャッター音がする。ヘンリーの目は、アレックスが殴りつけてやりたくなるほど大きくて青くて穏やかだ。「きみの国らしいやり口だ」

アレックスは顔を仰向けてわざと気前よく笑う。「くそ食らえ」

「あいにく、その時間がない」ヘンリーがアレックスの手を離したところへ、シャーンが戻ってくる。

「殿下」シャーンがヘンリーに会釈する。アレックスはあきれ顔にならないように気を引きしめる。「必要な写真を撮れたようですので、よろしければ、お車へ移動なさってください」

ヘンリーがアレックスを見てまたもやほほ笑む。腹の内を探れない目をしている。

「では、行こうか？」

はじめて訪れた場所なのに、ケンジントン宮殿のゲストルームはどこか懐かしい。

シャーンの指示を受けた接客係に案内されて部屋まで行くと、金糸で作られたカバーがかかった豪華な彫刻が施されたベッドに旅行バッグが置いてある。ホワイトハウスの部屋の多くもここと同じで、塵《ちり》ひとつなく保ってあっても、歴史の重みが蜘蛛《くも》の巣のようにはびこっているせいで、幽霊屋敷のような雰囲気がある。だからアレックスも幽霊と寝るのには慣れっこだけれど、この懐かしさはそれとは違う。

ずっと前の記憶、両親が別れたころのことがよみがえる。そろって弁護士である両親は、中華料理のテイクアウトを注文するにも法的拘束力のある文書を作らずにいられないたぐいの夫婦だったので、七年生に上がる前の夏休みは、取り決めどおり自宅とロサンゼルス近郊にある父親の新居を行き来するはめになった。長期的な取り決めができるまでの措置だった。

父の家は谷間にあって、しゃれていた。青く澄んだプールがあり、裏庭に面した壁は強化ガラス張りだった。アレックスはそこに行くと眠れなくなった。真夜中、急ごしらえの寝室を抜けだし、冷凍庫から〈ヘラドス〉のアイスクリームを取りだして、プールの青い光に照らされながら裸足《はだし》のままキッチンで容器から直接食べた。

ここにも似たものを感じる。なんというか——なじみのない場所で真夜中に目を覚まし、そこでうまくやっていかなければならないという気分になるような。

　アレックスはゲスト用の棟にあるキッチンへ行ってみる。天井が高くて、カウンターはぴかぴかの大理石だ。キッチンに用意しておいてもらいたいもののリストを提出しておいたが、急なことで〈ヘラドス〉は入手できなかったのだろう。冷凍庫にあるコーン入りのアイスクリームはすべてイギリスのブランドだ。

「どんな感じ？」スマートフォンのスピーカーからノーラのキンキン声がする。画面の彼女は髪をアップにして、窓辺にずらりとならんだ観葉植物の世話をしている。

「変だよ」アレックスは鼻からずり落ちた眼鏡を押しあげる。「なにからなにまで博物館みたいだ。見せてあげるわけにはいかないみたいだけど」

「へえ」ノーラが眉を上げ下げする。「秘密めいてて、すてきじゃない」

「やめてくれよ。どっちかって言うと、ぞっとする。大量の機密保持契約書に署名させられてさ。そのうち落とし戸から落とされて地下牢《ろう》で拷問を受けさせられそう」

「きっと彼には隠し子がいるのよ」ノーラが言う。「じゃなきゃ、ゲイか。もしくはゲイの隠し子がいるか」

「侍従が彼の背中に電池を入れてるところをぼくが目撃するのに備えてるのかもね。とにかく退屈だ。そっちはどう？　少なくともぼくよりはずっとましな生活だと思うけど」

「そうねえ」ノーラが答える。「統計学者のネイト・シルヴァーが、新しいコラムの宣伝メールをひっきりなしに送ってきてる。新しいカーテンを買った。そして、大学院の重点研究のテーマを統計学かデータサイエンスに絞り込んだ」

「どっちもジョージ・ワシントン大学の話だよね」アレックスはカウンターにひょいと腰かけて、足をぶらつかせる。「ぼくをワシントンＤＣに残して、ＭＩＴに戻るとか、許さないから」

「まだ決めてない。でも、驚かせて悪いけど、あなたには無関係よ」ノーラが言う。

「いままでだって、あなたに無関係なことも話したでしょ？」

「ああ、不思議だったけどね。で、ワシントンＤＣに君臨するデータサイエンスの帝王、ネイト・シルヴァーを玉座から引きずりおろすつもりなの？」

　ノーラが笑う。「いいえ、わたしがしたいのは、今後二十五年に起きることを正確に把握できるだけのデータをこっそり蓄積して整理すること。そうしたら、郊外の高台に超高級な家を買って、変人の隠遁者《いんとんしゃ》になってやる。ベランダで双眼鏡をのぞいて、データどおりにものごとが起きるようすを眺めて暮らすのよ」

　笑いかけたとき、廊下からかすかな音がして、アレックスは黙り込む。小さな足音が近づいてくる。この宮殿にはビアトリス王女も暮らしている。ヘンリーも。だが、王室警護官《PPO》やアレックスのシークレットサービスもこの階で休んでいる。だから――。

「ちょっと待ってて」アレックスは送話口を押さえる。

廊下の明かりがつき、キッチンに入ってきたのは、ヘンリー王子その人だ。

寝ぼけまなこで、よれよれで、肩をすぼめてあくびをしている。アレックスの前に立った王子は、スーツではなく、赤紫がかった灰色のＴシャツとチェック柄のパジャマのズボンという格好だ。髪はくしゃくしゃで、耳栓をして、足にはなにもはいていない。びっくりするほど人間らしい。

王子はカウンターに腰かけているアレックスを見て、ぴたりと止まる。アレックスは王子を見つめ返し、手のなかで「誰か来たの――」というノーラのくぐもった声を聞きながら、通話を切る。

ヘンリーが耳栓を抜く。背筋が徐々に伸びていくが、顔は面食らってぼうっとしたままだ。

「やあ」かすれた声。「悪い。ああ、ちょっと。〈コルネット〉を」

彼はぼそぼそ言いながら、冷蔵庫のほうを手で示す。

「なんだって？」

王子は冷蔵庫に近づき、コーン入りアイスの箱を取りだして、箱に書かれた〈コルネット〉という文字をアレックスに見せる。「自分のを切らしてしまった。きみの冷蔵庫に用意されているのを知っていたから」

「ゲストが泊まるたび、ゲストのキッチンに侵入するのか？」アレックスは尋ねる。

「眠れないときだけ」ヘンリーが答える。「つまりいつも。きみが起きているとは思わなかった」

　王子はアレックスを見つめ、箱を開けてアイスをひとつもらう許可を待っている。いやだと言ってやろうか？　王子を拒否するスリルを味わえるかもしれない。だがヘンリーもふだん眠れないと聞いて、俄然、興味が湧いてくる。アレックスはうなずく。

　アレックスはヘンリーがアイスクリームを手に立ち去るのを待つ。だが、ヘンリーはアレックスを見返して尋ねる。

「あした、なにを話すか練習したかい？」

「ああ」アレックスはそっけなく即答する。いままでヘンリーの発言に興味を惹かれなかったのはそのせいか。「プロなのはきみだけじゃない」

「そういう意味では――」ヘンリーが口ごもる。「ただ、いっしょに練習したらどうかと思ったんだが？」

「そんな必要あるかな？」

「役に立つと思った」そうだろうとも。これまでヘンリーが公の場でしてきたことはすべて、王室のカビ臭い部屋でひっそり練習されたことなのだろう。

アレックスはカウンターから飛びおり、スマートフォンの画面に指をすべらせてロックを解除する。「見て」

そして写真を撮る。大理石のカウンターに〈コルネット〉の箱、その隣に置かれたヘンリーの手、太い印章指輪。端に少しだけパジャマが写っている。アレックスはインスタグラムを開いて写真をフィルター加工する。

「〝時差ぼけの特効薬〟」アレックスは平板な声で言いながらコメントを入力する。「〝@ヘンリー王子と食べる真夜中のアイスクリームにまさるものなし〟位置情報はケンジントン宮殿。よし、投稿」スマートフォンを掲げて、ヘンリーにみせる。たちまち〝いいね〟やコメントが殺到する。「世のなかには考え抜く価値があるものもたくさんあるけど、これはそうじゃない」アレックスは顔をしかめてヘンリーが手に持つアイスクリームを見る。

「そうかもしれないが」ヘンリーは同調しかねると言いたげだ。

「もういいかい？」アレックスは言う。「電話中だったんだ」

ヘンリーはまばたきし、また腕組みして防御的な姿勢になる。「もちろん。きみの邪魔はしない」

ヘンリーはキッチンから立ち去り際、ドアのところで考え込むように立ち止まる。

「きみが眼鏡をかけるとは知らなかった」ぽつりと言う。

ひとりキッチンに取り残されたアレックスの前で、カウンターの上の〈コルネット〉の箱が汗をかいている。

インタビューを受けるスタジオまでは悪路だけれど、車に乗っている時間は短い。胸がむかむかするのは、たぶん神経質になっているからだ。けれどアレックスは、なにもかもを朝食のパンに塗ったスプレッドのせいだと思うことにする。トーストした白いパンに味気ない豆を載せて食べるとは、なんておかしな国だろう。メキシコ系の血のせいか、テキサスの血のせいかわからないけれど、むやみに腹が立つ。

隣に座るヘンリーは、世話係やスタイリストの大群に取り囲まれている。目のこまかい櫛《くし》で髪を整える人。話の要点を記したメモ帳を掲げる人。襟を直す人。助手席のシャーンが瓶から黄色い錠剤を取りだしてヘンリーに渡し、受け取ったヘンリーはすぐに口に入れて、水なしで呑《の》む。なにを呑んでいるのか、気にする必要もないし、気にしたいとも思わない。

車列はスタジオの正面に停《と》まり、車のドアが開くと、約束どおり、カメラを構える人々や王室のファンが列をなしている。アレックスを振り向いたヘンリーは、口元と目元が少しゆがんでいる。

「殿下が先です。続いてどうぞ」シャーンがアレックスに言い、少しかしいでイヤホンに触れる。アレックスはふたつ息を吸い、アメリカを代表する魅力的なメガワット級の笑顔をこしらえる。

「どうぞ、殿下」アレックスはウインクしてサングラスをかける。「国民がお待ちですよ」

ヘンリーは咳払《せきばら》いをして朝の光のなかに出ると、愛想よく群衆に手を振る。フラッシュが焚かれ、写真を撮る人々が叫ぶ。見物人のなかにいた青い髪をした若い女性は、手作りのポスターを掲げている。ギラギラ光る大きな文字で〝わたしとヤッて、ヘンリー王子!〟と書かれているそのポスターは、五秒もしないうちに警護官のひとりの手で処分される。

続いてアレックスも車から降りる。悠々とヘンリーの隣にならび、彼の肩に手をかける。

「ぼくを好きなふりをして!」アレックスは陽気に言う。ヘンリーは百万ある言葉のどれを選ぼうか迷っているような顔でこちらを見て、そのうちに首を傾けると、ごく自然な笑い声をあげ、同じようにアレックスの肩を抱く。「では、行こうか」

『ディス・モーニング』の司会者は、身悶《みもだ》えしたくなるほど典型的なイギリス人だ。午後のティーパーティに着るようなワンピース姿のドティーという中年女性と、週末にはどなって庭のネズミを追い払っていそうなスチューという名前の男性のふたり組。アレックスは楽屋で導入部分を見ながら、額のストレス性ニキビをメイク係に隠してもらう。さあ、いよいよはじまる。左側一メートルほど離れたところで、王室のスタイリストから身繕いの最終チェックを受けているヘンリーのことは、気にしない。きょう一日、ヘンリーを無視できるのはこれが最後の機会だ。

ただちにヘンリーが歩きだし、すぐあとにアレックスが続く。アレックスは先にドティーと握手して、駆け引き用の笑顔を浮かべる。連邦議会の多くの女性議員と少なくない数の男性議員が、この笑みを前にして秘すべきことを口にしてきた。ドティーははにかんだ笑い声を漏らしながら、アレックスの頬にキスをする。観客からは万雷の拍手が寄せられる。

小道具のソファの隣に、ヘンリーが非の打ち所のない姿勢で腰をおろす。アレックスは彼にほほ笑みかけ、くつろいでいるふりをする。ところが案外それがむずかしい。

舞台のライトのせいで、カメラに映るヘンリーがとてもさわやかでハンサムなことに突如、気づいてしまう。ヘンリーは、ボタンダウンのシャツの上に青いセーターを着て、髪はいかにもやわらかそうだ。

それならそれでいい。ヘンリーはむかつくほど魅力的だ。客観的に見たって、いつもそうだ。悪いことじゃない。

それで、ドティーからの質問をうっかり聞き落としそうになる。

「麗しの古き良きイギリスのご感想は、アレックス？」ドティーが笑いを求めているのはまちがいない。アレックスは無理に笑顔を作る。

「ええ、ドティー、麗しの国ですね」アレックスは答える。「母が大統領になって以来、何度か来ていますが、この国の歴史とビールの品揃えには、来るたびに度肝を抜かれます」合図に合わせて観客がどっと笑い、アレックスは小さく肩をすくめる。

「それにもちろん、彼に会うのも楽しみです」

ヘンリーのほうを見て、こぶしを突きだす。ヘンリーは少しためらってから、国に対する反逆罪だと言わんばかりに、ぎこちなくこぶしを合わせる。

アレックスは、これまでたくさんの大統領の子どもたちが十八歳になると同時にそこから逃げだしてきたのを知りつつも、政治の世界を目指している。国民のためになりたいという、心からの思いに後押しされてのことだ。

権力はすばらしく、注目を浴びるのも楽しいが、要は国民——国民がすべてだ。アレックスには、多くのことに対して問題意識をもちすぎる傾向がある。たとえば医療費を払えない人はいないのか、誰でも愛する人と結婚できるのか、学校で銃撃に遭わないかなどなど。いまの彼の関心は、王立マーズデン病院の小児ガンの子どもたちには、読む本がたっぷりあるかだ。

アレックスとヘンリーと、ふたりを警護する集団でフロアは埋めつくされ、看護師はあわてふためき、あちこちで握手が交わされる。アレックスはこぶしを握りしめないように——けんめいに——努めている。くだらない写真撮影のために、多数のチューブをつなげられた髪のない男の子といっしょにロボットのように機械的にほほ笑んでいるヘンリーを見ていると、この国のばかばかしさに叫びだしたくなる。

だが、公務なのだからと気持ちを切り替え、子どもたちに意識を集中する。ほとんどの子はアレックスが何者なのか知らないが、ヘンリーが率先して大統領の息子だと紹介すると、子どもたちからホワイトハウスのことや、アリアナ・グランデを知っているかと質問攻めに遭う。アレックスは笑顔で子どもたちに向きあう。持参したいくつもの重い箱から本を取りだし、子どもたちのベッドに座って読んで聞かせ、その姿をフォトグラファーが追う。

いつしかヘンリーの姿を見失い、アレックスが面会していた子どもの患者がうとうとしだす。そのときカーテンの向こうからくぐもったヘンリーの声が聞こえてくる。

床を踏む足音に耳を澄ます――フォトグラファーはいないようだ。ヘンリーだけか。

アレックスは、カーテンの端にある壁際の椅子にそっと近づく。座って首を伸ばすと、カーテンの向こうがどうにかのぞき込める。

壁の掲示によれば、患者はクローデットという名の白血病の女の子だ。ヘンリーはその子に話しかけている。女の子の黒い肌は灰色がかっていて、頭に巻いた鮮やかなオレンジ色のスカーフに『スター・ウォーズ』に登場する反乱同盟スターバードのシンボルが描かれている。

どうせ所在なくそのへんをうろついているだけだろうと思っていたヘンリーは、女の子の横に膝をついて、笑顔でその子の手を取っている。

「……『スター・ウォーズ』が好きなんだね？」ヘンリーが女の子の頭のスカーフのマークを指さして尋ねる。アレックスが聞いたことのない温かみのある低い声だ。

「そうなの、大好き」クローデットがしゃべりだす。「大きくなったらレイア姫みたいになりたいな。だって、すごく頭がよくて強くて、ハン・ソロとキスするんだよ」

王子の前でキスという言葉を口にした女の子は、ほんのり頬を染めながら、王子と目を合わせている。いつしかアレックスはさらに首を伸ばして、ヘンリーの反応に注目している。事前に渡された資料に『スター・ウォーズ』に関する記述はなかったはずだ。

「そうだね」ヘンリーが密談するように女の子に身を寄せる。「いい考えだと思うよ」

クローデットがくすくす笑う。「あなたは誰が好きなの？」

「うーん」ヘンリーは考え込むふりをする。「ルークかな。勇敢で頼りになるし、最強のジェダイだからね。どこの出身でも、どんな家系でも関係ない——自分らしく生きればすばらしい人になれることは、彼を見ればわかる」

「さあ、ミス・クローデット」看護師がカーテンを開けて現れ、明るく声をかける。ヘンリーがぱっと立ちあがり、つられてアレックスまで椅子から転げ落ちそうになる。咳払いしながら立ちあがり、あえてヘンリーから目をそらした。「おふたりとも、どうぞお帰りください。クローデットは治療の時間です」

「ミス・ベス、ヘンリーがあたしたち、お友だちだって！」クローデットはいまにも泣きだしそうだ。「ここにいてもらう！」

「失礼ですよ！」看護師のベスが舌打ちしてたしなめる。「殿下にそんな口をきいて。お許しください、殿下」

「謝らなくていいんだよ」ヘンリーが言う。「反乱同盟の指揮官は王室より地位が上だからね」彼がクローデットにウインクして敬礼すると、女の子の緊張が見るからにゆるむ。

「感心したよ」いっしょに病室を出ながら、アレックスは声をかける。ヘンリーがいぶかしげに片方の眉を吊《つ》りあげたので、補足する。「感心じゃないな。驚いたんだ」

「なにに？」

「ほら、きみに本物の感情があったこと」

ヘンリーが笑顔になりかけたとき、立てつづけに三つのことが起きる。
一、廊下の向こう側で叫び声。
二、はっとするほど大きい、銃声のような破裂音。
三、キャッシュがヘンリーとアレックスの腕をつかんで、手近なドアのなかに押し込む。
「うずくまっていてください」キャッシュは低い声で言い置くと、ふたりを残してドアを閉める。

急に真っ暗になったせいで、アレックスはモップとヘンリーの脚につまずき、ふたりして乱雑に置かれていたブリキのおまるに倒れ込む。顔から突っ込んだのがヘンリーで、アレックスはその上からのしかかる形になる。

「まったく」くぐもったヘンリーの声が、かすかに反響する。おまるのなかに顔が入っているのだろうか。いい気味だ。

「ねえ」ヘンリーの髪に顔をうずめてアレックスは言う。「こんなことになるのは、いいかげん、やめにしないと」

「ぜひともやめてもらいたいものだ」

「きみのせいだろ！」

「これがどうしてぼくのせいになるんだ？」ヘンリーが非難の声をあげる。

「ぼくは母親の仕事関係で公の場に出ても、これまでは一度も襲われそうになったことがない。ところが、ろくでもない王族に同行したとたん――」

「口を閉じてくれないか。ふたりとも殺される」

「殺されるもんか。キャッシュがドアをふさいでる。それにきっとなんでもないさ」

「ならばせめて、ぼくの上からおりてくれ」

「指図するのはやめろよ！　ぼくはきみの臣民じゃない！」

「まったく、なんてことだ」ヘンリーがうめいて力いっぱい床を押し、体を横に向けて、アレックスを床に振り落とす。気がつけばアレックスは、ヘンリーの脇腹と、業務用強力床磨きらしきにおいのする棚にはさまれている。

「どいてもらえませんかね、殿下」アレックスは小声で頼み、肩でヘンリーの肩を押す。「いちゃつきたくないんで」

「これでも精いっぱいよけている」とヘンリー。「動く余地がないんだ」

外で何人かの人の声やあわただしい足音がする——危険が去ったようすはない。

「だったら」アレックスは言う。「できるだけ居心地よくするしかない」

ヘンリーがこわばったため息をつく。「妙案だ」

ヘンリーが隣で動くのがわかる。いつもの防御的な姿勢を取ろうと腕組みして、片足をモップバケツの上に載せて横たわる。

「言っておくが」ヘンリーが言う。「ぼくだってこれまで命を狙われたことはない」

「へえ、じゃあ、おめでとう」アレックスは言い返す。「ついに正式に狙われたってわけだ」

「そうとも、夢見てきたとおりのことが起きた。備品室に閉じ込められ、きみの肘であばら骨を突かれている」ヘンリーも負けていない。しかも、アレックスを殴りつけたそうな口調だ。これまでで一番好ましいヘンリーの態度だったので、アレックスは衝動に任せて彼の脇腹に肘鉄砲を食らわせる。

ヘンリーはくぐもった悲鳴を漏らすや、アレックスのシャツをつかんで横に引っ張り、半分のしかかって片方の腿でアレックスを押さえつける。リノリウムの床にぶつかった頭がずきずきするというのに、アレックスは自然と唇をゆるめて笑顔になる。

「闘争心がないわけじゃないんだな」アレックスは腰を押しあげてヘンリーを振り落とそうとしたが、彼のほうが上背があって力も強い。しかも襟をむんずとつかまれている。

「気がすんだか？」ヘンリーが喉を締めつけられたような声で言う。「そろそろ、みじめったらしい人生を自分で危険にさらすのをやめてもらえないか？」

「へえ、気にしてくれるのか。きょうはきみの人としての深みをつくづく思い知らされたよ、スイートハート」

ヘンリーは息をついて、アレックスからおりる。「死の危険に瀕《ひん》してまでそんな大口を叩くとは、信じがたいやつだ」

なにより奇妙なのはヘンリーの主張が正しいことだ。

きょうはヘンリーに無縁だと思っていたものをつぎつぎと見せられている。たとえば、ちょっとした闘争心。知性。他人に対する関心。正直に言って、戸惑いを覚えずにいられない。アレックスには人を読む能力がある。どの民主党議員になにを言えば議案についていろいろ聞きだせるかわかるし、ザハラがいつニコチンガムを切らしているかも、どんな目つきでノーラを見れば噂が流れるかもわかる。

王子に生まれついた男にそんな自分の特技の裏をかかれるのは、しゃくにさわる。それでも、この丁々発止のやりとりは楽しい。

アレックスは横たわったまま待つ。ドアの外で足音がする。いたずらに時間が過ぎていく。

「で」アレックスは挑発してみる。「『スター・ウォーズ』だって?」

刺々《とげとげ》しさを抑えてなにげなさを装ったのに、いつもの癖で詰問口調になる。

「そうとも、アレックス」ヘンリーがいたずらっぽく答える。「信じがたいだろうが、いくら王室の子でもティーパーティだけで大きくなるわけじゃない」

「気取った身のこなしの訓練とポロのジュニア・リーグで大半が過ぎるんだと思ってたよ」

ヘンリーがむっつりと押し黙る。「それも……あるかもしれない」

「じゃあ、なにかい? ポップカルチャーに詳しいのに、知らないふりをしてるのか」アレックスは言う。「もしくはポップカルチャーについては口にしてはいけないことになってるか。高貴な人には似つかわしくないから。もしくは、上品だと国民に思わせたいから語らないことにしているか。どれなんだ？」

「ぼくの精神分析をしているのか？」ヘンリーは問いただす。「王室のゲストとしてあるまじき行為だぞ」

「なんでそこまで必死に自分ではない人物を演じてるのか理解しようとしてるんだ。さっきの女の子には、すばらしさとは自分らしく生きることだと言ってたのにさ」

「きみがなにを言いたいのかわからない。また、ぼくがそう言ったとしても、きみとはなんの関係もないと思うが」少し気分を害した口調だ。

「そうかな？　ぼくには公式にきみの親友のふりをする義務がある。きみがこの状況についてじっくり考えたかどうか知らないけど、たぶんこれは今週末だけで終わらない」その言葉で、アレックスの二の腕をつかむヘンリーの指に力が入る。「今回こんなふうに過ごしておいてその先会わなければ、嘘つきだと思われるからね。本人たちがどんなにいやがっても、ぼくたちはお互いにのがれられなくなった。だから、ぼくにはきみがどうするつもりか前もって教えてもらう権利がある。不意打ちされて痛い目に遭う前にね」

「だったらまずは……」ヘンリーがこちらを向いて鋭く細めた目でアレックスを見る。ここまで近いと、くっきりした貴族らしい鼻のシルエットしか見えない。「……なぜそうもぼくを嫌うのか、はっきり聞かせてもらおうか？」

「本気でその話をしたいのか？」

「たぶん」

腕組みしたアレックスは、ヘンリーの癖をまねたことに気づいて、腕をほどく。

「オリンピックのとき、ぼくに対してひどいことをしたのを覚えてないんだな？」

アレックスはこまかな部分まで鮮明に覚えていた。当時十八歳だったアレックスは、夏季オリンピックの派遣団としてジューンとノーラとともにリオへ行き、その週末、写真撮影に応じつつ、〝次世代の国際協力〟というイメージを売り込んだ。そのあいだ、アレックスはほとんどの時間をカイピリーニャを飲んではオリンピック会場の裏手で吐くというくり返しのうちに過ごした。そしてヘンリーとの最初の出会いは、彼の防寒着にイギリス国旗が描かれていたことまで、しっかり覚えている。

ヘンリーがため息をつく。「きみがぼくをテムズ川に突き落としてやると脅したときか？」

「違う」アレックスは言う。「飛び込みの決勝で、きみが底意地悪くぼくを見くだしたときだ。本当に覚えてないのか？」

「どうだったかな？」

アレックスはにらみつける。「ぼくが自己紹介しようと近づいたら、きみはさも不快そうにぼくをにらんだ。そして握手を終えるや、近くにいた警護官に『追い払ってくれ』と言ったんだ」

一瞬の沈黙。

「ああ」ヘンリーが咳払いする。「聞こえていたとは思わなかった」

「問題はそこじゃないだろ？」アレックスは言う。「いずれにしたって、あんなことを言うのは最低だ」

「そうだな……認める」

「ああ、そうだとも」

「それだけかい？」ヘンリーが尋ねる。「オリンピックのことだけなのか？」

「だから、それがはじまりなんだ」

ヘンリーはまた沈黙し、そのあと言う。「なにかが省かれているような気がする」

「ただ……」いまアレックスは備品室の床に転がり、イギリスの王子とともに危機が去るのを待っている。まるでリアルすぎる悪夢のなかにいるような週末だ。こんなときに自己規制などしていられない。「どうかな。ぼくたちは大変なことをさせられてる。でも、ぼくのほうがより大変なんだ。ぼくは初の女性大統領の息子だ。そして、母は白人だけど、見てのとおりぼくは違う。自然と世間の風当たりが強くなる。一方、きみはきみだ。なに不自由なく生まれついて、誰もがきみを理想のプリンス・チャーミングだと思ってる。つまり、きみを見てると、ぼくはつねに誰かと比較されていることを思い知らされる。ぼくがなにをして、人の二倍努力しようと、ぼくの出自は変わらないと」

　ヘンリーは押し黙っている。

「そうだね」ついにヘンリーがしゃべりだす。「ほかのことに対しては、ぼくにはどうすることもできない。ただ、あの日のぼくがひどいまねをしたことは確かだ。言い訳にもならないが、当時は父が亡くなって一年と少しの時期で、ひどく投げやりになっていた。申し訳ないことをした」

　ヘンリーの脇に置かれた片手が引きつったように動き、アレックスは一瞬、言葉を失う。

　ガン病棟。そうだ、ガン病棟を選んだのはヘンリーだ。彼に関する覚え書きにあったではないか。〝父は名高い俳優、アーサー・フォックス。二〇一五年、膵臓《すいぞう》ガンで死去〟葬儀はテレビ放映された。この二十四時間を思い返す。不眠。錠剤。公の場に出るときの、少しゆがんだ顔。これまでアレックスは、その顔を見て、彼がお高くとまっているのだと思っていた。

　アレックスにも多少はわかる。両親の離婚は愉快ではなかったし、好きでいい成績を取ろうと、くたくたになるまで勉強したわけでもない。アレックスはずいぶん前から気づいていた。自分はいい人間だろうかとか、世界を失望させるのではないかとか、そんなことに思いをめぐらせる人は多くない。まさかヘンリーが自分と似たようなことを感じているとは思ってもみなかった。

　ヘンリーがまた咳払いし、アレックスは動揺に似た衝動を覚える。アレックスは口を開く。「そうか、きみが完璧じゃないとわかってよかった」

　ヘンリーがあきれ顔で目をぐるりとまわす音が聞こえるような気がして、アレックスはほっとする。慣れ親しんだ敵愾心《てきがいしん》のほうがしっくりくる。

　会話が終わり、また沈黙がおりる。ドアの向こうからは音がしない。外の通りにサイレンの音もしない代わりに、ふたりを迎えに来る人もいない。

　そこで藪《やぶ》から棒にヘンリーが言う。「『ジェダイの帰還』」

一瞬の間。「え？」

「きみの質問への答えだ」とヘンリー。「そう、ぼくは『スター・ウォーズ』が好きで、なかでも気に入っているのが『ジェダイの帰還』だ」

「へえ」アレックスは言う。「でも、それはまちがってる」

ヘンリーがいらだち、小さくお上品に息を漏らす。ミントの香り。アレックスはまたもや肘鉄砲を食らわせたくなる。「自分が気に入っているものをまちがえるわけがないだろう？　ぼく個人としての事実だ」

「個人としての事実としてまちがってる。悪趣味だ」

「ならば、きみはどれが好きだ？　ぼくのどこがまちがっているのか、教えてくれ」

「いいよ。『帝国の逆襲』だ」

ヘンリーが軽蔑したように鼻を鳴らす。「悪くないが、暗すぎる」

「ああ、だからいいんだ」アレックスは主張する。「主題としてもっとも複雑だ。ハン・ソロとレイア姫のキスもある。ヨーダが現れる。ハン・ソロは最盛期。とんでもないランド・カルリジアンが登場。映画史上最高のひねりがある。それに引き換え『ジェダイの帰還』には、なにがある？　いまいちなイウォークか？」

「イウォークは象徴的存在だ」

「イウォークはつまらない」

「だが、森の月エンドアがある」

「こっちには、氷の惑星ホスがある。『帝国の逆襲』が三部作のなかでもっとも複雑さのある最高傑作と呼ばれるには理由がある」

「それは認める。だが、ハッピーエンドにもなんらかの価値があるんじゃないか？」

「さすが、キラキラ王子らしいお言葉」

「ぼくなりの意見だ。ぼくは『ジェダイの帰還』で問題が解決されるところが好きだ。全体がうまくまとまっている。きみは無視しようとしているが、あのシリーズに通じるテーマは希望、愛、そして……そう、そういったものすべてだ。『ジェダイの帰還』はそういうもののすばらしさを教えてくれる」

　ヘンリーが咳払いをする。アレックスが顔を動かしてもう一度彼を見ようとしたそのとき、ドアが開いて、キャッシュの巨大なシルエットが現れる。

「アラームの誤報でした」荒い息をついてキャッシュが言う。「たわけたガキどもが見舞いに花火を持ってきてましてね」キャッシュは仰向けに寝転んでいるふたりを見おろす。アレックスとヘンリーは突然、廊下の明るい光に照らされて、目をぱちくりさせる。「おくつろぎのごようすで」

「ああ、友情を深めてた」アレックスは手を伸ばし、キャッシュに引き起こしてもらう。

　ケンジントン宮殿の外に出ると、アレックスはヘンリーが手にしたスマートフォンを奪い、王子が抵抗したり、王室の所有物を冒瀆《ぼうとく》したとして王室警護官に攻撃を命じたりするといけないので、すばやく連絡先の未登録ページを開く。すでにアレックスを王室専用飛行場まで送る車が待機している。

「ほら」アレックスは言う。「ぼくの番号だ。こういうことを続けるなら、いちいちお付きの者を通すのは面倒だ。好きなときにメッセージを送って。それでうまくいく」

　ヘンリーはぽかんとした顔で、当惑げにこちらを見ている。いままでどうやって友だちを作ってきたのやら。

「わかった」ヘンリーがようやく答える。「ありがとう」

「体目的の電話はよせよ」

　アレックスが言うと、ヘンリーは喉を詰まらせて笑いだす。

3

アメリカより愛を込めて：ヘンリーとアレックス、友情を見せつける

新たなブロマンス発生警報？　大統領の息子とヘンリー王子の写真

写真：ロンドンで週末を過ごすアレックス

この週に入ってはじめて、アレックスはグーグルから来た通知を眺めながら、腹を立てずにいる。〈ピープル〉に独占情報として、毒にも薬にもならない言葉を流したのが功を奏したらしい。ヘンリーとの友情をとても〝大切に〟思っている。世界のリーダーの息子として〝人生の経験を共有〟している、などなど。実際にヘンリーと共有している人生の経験があるとしたら、たぶん、こんな発言など両国のあいだの大

海に漂わせ、海に沈めてしまいたいと望んでいることくらいなものなのだけれど。

とはいえ、もう母もアレックスの死を偽装したがっていないし、一時間に千を超える辛辣なツイートを受け取ることもなくなったから、これもひとつの勝利だろう。

アレックスはぽかんとした顔で自分に見とれている新入生をかわしてホールを出ると、キャンパスの東側へ向かいながら冷えきった残りのコーヒーを飲みほす。本日の最初の授業は、病的な興味と学術的関心が相まって受講を決めた選択科目〝マスメディアと大統領〟。ひどい時差ぼけで、大統領の破滅をもくろむマスコミをかわせそうにないこの状況を考えると、なんとも皮肉なめぐりあわせだ。

きょうの講義のテーマは、歴代大統領のセックス・スキャンダルだ。アレックスはノーラにメッセージを送る。〝二期めが終わるまでに、ぼくたちの誰かがセックス・スキャンダルに巻き込まれる確率は？〟

数秒後に返信あり。〝あなたの下半身事情が『フェイス・ザ・ネイション』の番組に再登場する確率九十四パーセント。ところで、これ見た？〟

リンクが張られている。『ディス・モーニング』のブログの記事で、アレックスとヘンリーのＧＩＦアニメーション画像だらけだ。こぶしを合わせるようす。いかにも本物らしい笑みを交わすふたり。秘密めいた仲間同士の目つき。その下には何百もの投稿コメント。どっちもハンサムとか、ふたりならぶと絶景とか。

なかには、〝ワオ。このふたりはもうヤッてる〟なんてコメントもある。

アレックスは大笑いしすぎてあやうく噴水に転げ落ちそうになる。


いつものようにダークセン上院議員会館のセキュリティを通ると、守衛にぎろりとにらまれる。マコーネル上院議員の部屋の名札にあった〝ミッチ〟という名前を〝性悪《ビッチ》〟と読めるように細工したのはアレックスではないかと疑いつつ、尻尾をつかめずにいるからだ。

ときにはキャッシュもアレックスの上院偵察任務に随行するとあって、アレックスが何時間か姿を消しても、誰もあわてていない。きょうのキャッシュはベンチに座り、ポッドキャストを確認している。誰よりもアレックスの奇妙な行動を大目に見てくれているのがキャッシュだ。

この会館のレイアウトは、父が最初に上院議員に当選したときから頭に入っている。ここで政策や議会運営の手続きに関する幅広い知識を仕入れ、本来ならいてはいけないここで午後を過ごし、父の助手のご機嫌を取ったり、ゴシップを集めたりしてきた。母は表向きは困ったような顔をしながら、あとでこっそりアレックスに情報を横流しさせている。

きょうはカリフォルニア州選出のオスカー・ディアス上院議員が銃規制について話をしているけれど、アレックスは五階のボタンを押す。

一番仲良くしている上院議員はラファエル・ルナ。コロラド州選出で、わずか三十九歳で初当選した無所属議員だ。アレックスの父はルナがまだ前途有望な弁護士だったころから、彼のことをかわいがってきた。その彼がいまや国政を担っているうえ、（A）補欠選挙に続いて本選挙に番狂わせで当選して上院議員の座を射止め、（B）連邦議会の美男美女五十人に選出されている。

二〇一八年の夏、アレックスはデンヴァーでルナの選挙活動を手伝った。ガソリンスタンドで買った〈スキットルズ〉のトロピカル味のキャンディをいっしょに食べたり、徹夜でプレスリリースの原稿を書いたりと、世間の常識に縛られない関係を築いてきた。いまもときどき、あの懐かしい手首の痛みが戻ってくるように感じることがある。

ルナは執務室にいた。読書用の角縁眼鏡をかけていても、いつもながらうっかり政治の世界に転がり込んだ映画スターのような風貌は変わらない。感情を映しだす褐色の瞳、きれいに整えられた無精ひげ、顔に陰影を与える頬骨。アレックスには前から気になっていることがある。ルナがラテン系にしてゲイだと公表していることで失った票を、その容姿でいくらか取り返せているのかどうかだ。

小さな音で流れているレコードの音楽は、アレックスがデンヴァーでも聴いていたお気に入り、マディ・ウォーターズのブルースだ。ルナは顔を上げてドアの前にいるアレックスに気づくと、乱雑に置かれた書類の山の上にペンを置いて、椅子の背にもたれる。

「なにやってんだ、小僧？」彼は猫でも見るように、アレックスを見る。

アレックスがポケットから〈スキットルズ〉の袋を取りだすと、ルナはたちまち笑顔になる。

「でかした」ルナはアレックスが吸い取り紙の上に置いたキャンディの袋をさっさと手に取り、アレックスのために、椅子をデスクの前まで蹴り飛ばす。

アレックスは腰をおろし、ルナが歯で袋を破るのを見る。「きょうはなにしてる？」

「もうわかってるだろ？　見せてはいけないはずの書類の数々がデスクに広がってる」たしかにわかる。去年と同じ医療保険制度改革法案——中間選挙で上院の多数派に至らなかったために失速したあれだ。「それで、おまえはなんでここにいる？」

「ふうん」アレックスは椅子の肘掛けに片脚を載せる。「秘めた動機がなければ、家族ぐるみの友人を訪ねちゃいけないなんて、つまんないね」

「ばかばかしい」

アレックスは自分の胸をぎゅっとつかんだ。「傷つくなあ」

「おまえの相手は疲れる」

「うれしいくせに」

「警備員を呼ぶぞ」

「いいよ」

「それより、おまえのささやかなヨーロッパ旅行について話せよ」ルナが鋭い視線をアレックスに向ける。「今年のクリスマスは、おまえと王子ふたり合同でプレゼントを贈ってくれるのかな？」

「あのさ」アレックスは話題を変える。「せっかく来たんだから、ひとつ質問していい？」

ルナが笑って椅子の背に寄りかかり、後頭部で手を組む。アレックスは一瞬、顔が紅潮するのを感じる。アドレナリンが放出された、つまり本題に入ったことを感じる。

ルナが答える。「いいとも」

「コナーについてなにか聞いてない？」アレックスは言う。「無党派議員の支持があれば役に立つ。コナーは力になってくれるだろうか？」

アレックスは肘掛けから垂らした足をぶらつかせながら、天気の話でもするように無邪気に尋ねる。デラウェア州選出のスタンリー・コナーは古老にして愛すべきいかれた無所属議員で、ミレニアル世代が多数属するソーシャルメディア・チームを擁している。そんな彼なら、接戦が予想される選挙戦のどこかで大きな力になる。それはどちらにもわかっている。

ルナはキャンディを舐《な》めながら言う。「コナーが支持してくれそうかどうかを知りたいのか？　それとも、支持を得るにはどこに手をまわせばいいかをおれが知ってるかどうかを訊きたいのか？」

「ラファエル、兄弟、相棒。ぼくは不適切なお願いをしたことはないよね」

ルナがため息をつき、椅子を回転させる。「コナーは自由契約選手だ。社会問題をもちだせば望む方向へ動かすことができるが、彼がおまえのお母さんの経済政策をどう思ってるかは、知ってのとおりだ。それに、コナーの投票記録はおれよりおまえのほうが詳しいはずだぞ、小僧。彼はどちらの陣営にもなびかない。根本的な税制改革案があれば、乗るかもしれないが」

「じゃあ、ぼくにわかってないことで、教えてもらえることはある？」

ルナがしたり顔で笑う。「リチャーズは、無党派議員たちに社会的に関連のない分野での大胆な改革を伴う中立的な綱領を提出すると約束している。その綱領の一部は、医療制度におけるコナーの立場と相容《あいい》れない。そのあたりからはじめたらどうか、と思うね。仮におれがおまえの計画に手を貸すとしたら、そうする」

「つまり、リチャーズ以外の共和党の候補者は追いかけるだけ無駄ってこと？」

「くそだ」ルナの口元が険しくなる。「考えてみろ。おまえの母親が、選ばれし右派ポピュリズムの救世主であるリチャーズ家の遺産相続人以外の候補者と対決する見込みがあるか？　十中八九ないね」

アレックスはほほ笑む。「あなたなしじゃ、ぼくは生きていけないよ、ラファエル」

ルナがあきれたように天を仰ぐ。「さあ、おまえの話に戻るぞ。話題を変えたことに気づいてないと思うか？　言っとくが、この執務室でおまえが国際問題を引き起こすまでどのくらいかかるか賭けて、おれが勝った」

「なんだよ、あなたは信用できると思ってたのに」アレックスは裏切られたとばかりに、わざとあえいでみせる。

「それで、どうなったんだ？」

「なにも。ヘンリーは……ただの知り合いだよ。ぼくたちはばかなことをしでかし、ぼくはそれを正さなければならなかった。しょうがないよね」

「わかった、わかった」ルナは両手を上げる。「それにしたって、魅力的な男だぞ」

　アレックスは顔をしかめる。「まあね、おとぎ話の王子が好みなら」

「好みでないやつがいるか？」

「ぼくは違う」

　ルナが問いかけるように眉を吊りあげる。「そうか」

「なんだよ？」

「去年の夏を思いだしてた」ルナが言う。「おまえが自分のデスクで、ヘンリー王子の呪いのブードゥー人形を作ってたこと、はっきり覚えてるぞ」

「作ってないよ」

「王子の写真を貼りつけたダーツの的だったかな？」

　アレックスは両足を肘掛けからおろして床につけ、むっとした顔で腕組みする。

「デスクに彼の顔写真が載った雑誌を置いてたことはある。そこにぼくの記事が掲載されてて、たまたま表紙が彼だったんだ」

「一時間は見つめてた」

「いいかげんなこと言うなよ」アレックスは言う。「名誉棄損だ」

「意志の力で彼の心に火をつけようとしてるみたいだったぞ」

「なにが言いたいの？」

「興味深いと思った」ルナが言う。「ボブ・ディランじゃないが、時代は変わる、あっという間に」

「やめてくれ」アレックスは言う。「これは……政治的な行為だ」

「へえ、そうか」

その話題を室内から追い払う勢いで、アレックスは犬のように首を振る。「それに、支持について話すためにここに来たのであって、ぼくのみっともない悪夢の渉外活動の話をするためじゃないよ」

「ああ」ルナがいたずらっぽく言う。「でも、家族ぐるみの友人を訪ねてきたんじゃなかったのかな？」

「もちろん、そうだけど」

「アレックス、金曜の午後だぞ。ほかにすることはないのか？　二十一歳だろ。ビアポン・ゲーム（テーブルの両端に置かれた水あるいはビールが入ったカップに、ピンポン玉をテーブルの両端から投げ入れあう競技）とかパーティの準備とか、なんでそういうことをしてないんだ？」

「それもする」嘘だ。「でも、こういうこともするんだ」

「おい、こっちは助言してやってるんだぞ。年長者として、自分とそっくりの若者に向かって」

「あなたは三十九だよね」

「肝臓は九十三だ」

「それはぼくのせいじゃない」

「あのデンヴァーでの深夜を思ったら、そうは言えない」

アレックスは笑う。「ほらね、だからぼくたちは友だちなんだよ」

「アレックス、ほかに友人を作れ」ルナが言う。「議会とは無関係の友人を」

「友だちならいるさ！　ジューンとノーラがいる」

「ああ、姉さんと、おまえ同類のスーパーコンピュータ・ガールだろ」ルナの口調はそっけない。「燃えつきないうちに、自分の時間を作らないとな、小僧。おまえを支えてくれるもっと大きな輪が必要だ」

「小僧呼ばわりはやめてよ」アレックスは抗議する。

「わかった」ルナがため息をつく。「もういいか？　そろそろ本物の仕事をしたい」

「はいはい」アレックスは椅子から立ちあがる。「ねえ、マクシーンは街にいる？」

「下院金融委員長のウォーターズか？」ルナはあきれ顔になる。「まったく、しょうがないやつだな」

アレックスは、政治の世界を振り返ったとき、歴史上もっとも複雑な過去をもつリチャーズ家の謎を解き明かしたいと考えている。

パソコンにべたべたと貼りつけた付箋のひとつには、〝ケネディ家＋ブッシュ家＋世襲の資金力をバックにしてシスのパワーをもつ悪のスーパーマン、ビザロの軍団＝リチャーズ家？〟と書いてある。その一文にこれまでにアレックスが調べあげたことが表されている。

おそらくいまの時点で、本選挙におき唯一、母の対抗馬になるであろうと目されているのが、ユタ州選出にして二十年近い上院議員歴があるジェフリー・リチャーズだ。つまり、長い選挙の歴史と多くの立法行為にかかわってきたわけで、すでにアレックスの母のチームはそこを徹底的に調べあげていた。アレックスの関心はより探りだすのが困難な事柄にある。リチャーズ司法長官、リチャーズ連邦判事の時代が何度もあったということは、なんだって隠すことができたということだ。

そのときデスクに積まれた書類の下でスマートフォンが鳴る。ジューンからのメッセージだ。〝夕食は？　顔を出しなさいよ〟ジューンのことは大好きだけれど——本当に、世界じゅうの誰より——いまは集中してゾーンに入ったみたいになっている。区切りのいいところで連絡しよう。そう、三十分もしたら。

アレックスはタブレットでリチャーズのインタビュー映像を見つめ、表情などの非言語的な手がかりに注目する。灰色の髪——かつらではない。輝く真っ白な歯——まるでサメみたい。がっしりしたアンクル・サムばりのあご。法案についていけしゃあしゃあと嘘をつくのだから、たいしたセールスマンぶりだ。アレックスはメモを取る。

一時間半後、またスマートフォンが鳴って、一九八六年に起きたリチャーズの叔父の脱税疑惑事件に没頭していたアレックスは現実に引き戻される。家族のグループチャットで、母からの投稿だ。ピザの絵文字。アレックスは開いていたページをブックマークに登録して上階に向かう。

家族そろって夕食をとる機会はめったにないけれど、ホワイトハウス内で起こるほかの事件にくらべると派手さには欠ける。母がピザを用意させ、三階のゲームルームで紙皿に載せたピザを食べながら、テキサスから送らせた〈シャイナー〉のビールを飲む。イヤホンをつけたがっしりしたスーツ姿の人たちが暗号名を使って〝ブラック・ベアからバナナペッパー多めにと注文あり〟などと言うのが聞こえてくるのが愉快ではある。

すでにジューンが長椅子でビールを飲んでいる。その姿を見るや、メッセージをもらったことを思いだして、アレックスは申し訳なくなる。

「ごめん、ぼくって最低だね」アレックスは謝る。

「言えてる」

「でも、結局のところ……いっしょに夕食をとることになったよね？」

「いいから、わたしのピザを取ってきて」ため息をついてジューンが言う。二〇一七年、オリーブをめぐる喧嘩をシークレットサービスが重大事と誤解してレジデンスが封鎖されそうになって以来、各自がピザを選ぶことになった。

「いいとも、バグ」アレックスはジューンのマルゲリータと、自分のペパロニとマッシュルームのピザを選びだす。

「やあ、アレックス」ピザを持って座ると、テレビの後ろあたりから声がする。

「やあ、レオ」アレックスは挨拶を返す。義理の父が配線をいじっている。たぶん配線をつなぎなおしているのだろう。義父はコミックの『アイアンマン』みたいに、ほとんどの電気機器をこんなふうにいじってばかりいる。大金持ちの変人発明家の習慣は、そう簡単には変わらない。なにをしているのか軽く尋ねようとしたら、母が颯爽と入ってくる。

「あなたたち、なんでわたしが大統領に立候補することを許したの？」エレンは力いっぱいスマートフォンの画面をタップしている。部屋の隅で蹴散らすようにハイヒールを脱ぎ、ついでにスマートフォンもそこに投げる。

「止めても無駄だとわかってたからさ」レオの声。彼は眼鏡をかけたひげ面をのぞかせて、つけ加える。「それに、きみがいなければ世界が崩れるからだ、あでやかなランのようなきみが」

　母は天を仰ぎつつも笑顔になる。ふたりはいつもこんな調子で、アレックスが十四歳のときに慈善イベントで出会って以来ずっとだ。当時の母は下院議長で、十以上の特許をもつレオは、女性の健康イニシアチブに大金を寄付していた。その母がいまでは大統領となり、レオは自分の会社を売却して、大統領の夫《ファースト・ジェントルマン》の務めを果たすことに専念している。

　エレンはスカートの後ろのファスナーを五センチほど下げる。きょうの仕事が終わった合図だ。そしてピザをひと切れ手に取る。

「さあ、いいわよ」彼女は顔をこするように手を動かす。大統領の顔を消して、母の顔をつける、という意味だ。「子どもたち、元気だった？」

「うん」アレックスとジューンは口いっぱいに食べ物を詰め込んだまま、声をそろえてもごもごと答える。

　エレンはため息をついてレオを見る。「マナーがなってないのは、わたしのせい？　まるでオポッサムのカップルだわ。女はすべてを望めないって、こういうこと？」

「ふたりは傑作だよ」レオがなだめる。

「じゃあ、いいことと悪いことを、ひとつずつ」エレンが言う。「さあ、話して」

　これは目がまわるほど忙しい時期、母が家族の日常を把握するために用いるシステムだ。アレックスは、極度に合理的であると同時に感情のコミュニケーションにひたむきな母に育てられた。熱心すぎる人生のコーチのようなものだ。アレックスにはじめて恋人ができたとき、母はパワーポイントを使ってプレゼンテーションを行った。

「うーん」ジューンがピザを呑み込む。「いいことね。そうだ！　ローナン・ファローがわたしが〈ニューヨーク・マガジン〉に書いた評論をツイートしてくれて、それをきっかけに、ツイッターで気のきいたやりとりをしてるの。彼に友だちになってもらおうという、長期計画の第一パートが進行中よ」

「その背後に、姉さんが自分の立場を悪用して彼の父親のウッディ・アレンを殺し、それを事故に見せかけようというさらなる長期計画があるのを悟られないようにね」アレックスは言う。「彼は怖ろしくか弱いから、ちょっと押しただけで――」

「何度言ったらわかるの。現職大統領の前で、殺人計画を話しあうのはやめて」母がさえぎる。「もっともらしく否認するしかなくなるんだから。いいかげんにしてちょうだい」

「それはともかく」ジューンが言う。「悪いことは、ええと……そうね、ウッディ・アレンがまだ生きてることかな。さあ、あんたの番よ、アレックス」

「いいことは」アレックスは言う。「講義の途中で教授に質疑を求めて、この前の試験の設問は誤解を招くものだったと認めさせたから、たぶんぼくの答えは正解になる。だって正しいんだから」ビールをぐいっと飲む。「悪いことは——母さん、二階の廊下の新しい絵を見たけど、わが家にジョージ・W・ブッシュのテリアの絵を飾るのを許した理由を教えて」

「超党派的姿勢の表れよ」とエレン。「みんなが親しみを感じるわ」

「自分の部屋に行くたびにその前を通らなきゃならないんだけど」アレックスは文句をつける。「あのビーズみたいな小さな目がぼくの動きを追ってくる」

「あの子はあの場から動きません」

アレックスはため息をつく。「わかったよ」

つぎはレオだ。例によって彼の悪いことは、いいことでもある。そしてエレンの番。

「そうね、わが国の国連大使がある仕事でしくじって、イスラエルについてばかげたことを言ったから、ネタニヤフに電話で直接、謝罪しなければならなくなったわ。でも、テルアビブは現在、午前二時なんで、それをあしたまで延ばして、子どもたちと夕食をとってる。それが、いいことよ」

アレックスは母に笑いかける。もう三年になるけれど、母の大統領としての苦労話を聞くと、いまでも畏敬の念が湧いてくることがある。会話はたわいない話題に移る。痛烈な批評や、内輪の冗談。めったにないことではあるけれど、それでも楽しい。

「ところで」エレンがピザをもうひと切れ、耳からかじりはじめる。「わたしが、母さんのバーで賭けビリヤードをしてたって、話したことあったかしら?」

ジューンが一瞬固まり、飲みかけていたビールが空中で浮いたままになる。「賭けビリヤード?」

「そうよ」エレンが話しだす。アレックスは目を丸くしているジューンと視線を交わす。「わたしが十六のころよ。当時、母さんはしけたバーを経営しててね。店名は〈ほろ酔いキュウカンチョウ《ティプシー・グラックル》〉。わたしは放課後、店で宿題をするのを許されてて、仲良しの用心棒がわたしを酔っ払いのおやじどもから守ってくれてた。数カ月もするとビリヤードの腕前が上がって常連と賭けをして勝てるくらいになったんだけど、からきしだめなふりをしてた。おかしな持ち方でキューを持ったり、ストライプなのかソリッドなのか忘れたふりをしたりしてね。それでまずはひと試合負けておいて、そのあと相手をダブルスコアか、もしくは一点も取らせずにやっつけて、二倍の賭け金をぶんどった」

「嘘だろ」口では言ったものの、アレックスの脳裏には、はっきりそのようすが浮かんでいる。母はとびきりビリヤードがうまいうえに、大変な策略家でもある。

「すべて事実だ」レオが言う。「エレンが酔っ払った白人のおやじどもを手玉に取るすべをどこで身につけたと思ってる？　有能な政治家の最重要スキルだぞ」

　アレックスの母は通り過ぎざま、えらの張った頬の両方にレオからキスを受けつつ、崇拝者のなかを進む女王のように歩いていくと、食べかけのピザを紙ナプキンに置き、棚からビリヤードのキューを一本、選びだす。

「なにはともあれ」とエレン。「大切なのは自分のスキルを知ることよ。そしてそれを用いて目的を達成するのに、早すぎるということはない」

「なるほど」アレックスは母と目を合わせ、お互い相手の腹を探りあう。

「そして……」母は腹に一物ありそうな口ぶりだ。「大統領選の再選活動の仕事も例外ではないわ」

　ジューンがピザを置く。「母さん、アレックスは大学の卒業もまだなのよ」

「そうだけど」アレックスは大急ぎで割って入る。こんな話が出るのをずっと待っていた。「職歴に空白ができなくていいよ」

「アレックスだけに言ってるんじゃないの」母が言う。「あなたたちふたりによ」

　ジューンの不安にゆがんだ顔が恐怖にゆがんだ顔に変わる。アレックスはジューンに向けて銃をぶっ放すしぐさをする。彼のピザからマッシュルームが飛び、ジューンの鼻の横にあたる。「ねえ、ねえ、それで？」

「ずっと考えてたことなの」エレンが言う。「今回はあなたたちみんなに――〝ホワイトハウス三人組〟についてよ」彼女は両手の二本の指で引用符の形を作ってその言葉を強調する。自分はその呼び名を認めているわけではないと言いたげだ。「ただのお飾りなのはもったいないわ。あなたたちにはそれ以上の価値がある。それぞれにスキルを持っていて、頭が切れて、才能もある。ただの代理人じゃなく、スタッフになれる」

「母さん――」ジューンが言いかける。

「どんな仕事をするの？」アレックスはさえぎる。

　エレンはひと休みして、ゆっくりピザに手を伸ばす。「アレックス、さすがは仕事事よ」

「そうこなくちゃ」アレックスは言う。「一部のフォーカスグループに気に入られるよう、がんばるよ。やらせて」

「アレックス――」ジューンがまた話そうとすると、こんどは母が口をはさむ。

「ジューンにはマスコミ関係を考えてるの」エレンは言う。「あなたはマスコミュニケーションの学位を持ってるから、担当は報道機関との日々の連絡、メッセージ作成、大衆の分析――」

「母さん、わたしには仕事があるんだけど」

「ああ、そうね。もちろんよ、シュガー。でもこれはフルタイムの仕事になるわ。コネができて、地位向上につながり、すばらしい仕事をしながら経験を積めるのよ」

「ねえ、わたし……」ジューンはピザの生地をちぎる。「そういう仕事をしたいって言った覚えはないんだけど。だって、簡単には引き受けられないわよ、母さん。それにいま選挙活動で報道関係にかかわったら、ジャーナリストになるチャンスが絶たれるんだけど、わかってる？　ジャーナリズムの中立性とかいろいろあるから。そうなったら、誰からも記事の依頼が来なくなるわ」

「ベイビーガール」エレンの顔に浮かんでいるのは、自分がこれから告げることに相手が怒る確率が五分五分だと自覚している表情だ。「あなたにはすばらしい才能があるし、熱心に働くのもわかってる。でもいつか現実を直視しなくちゃならない」

「なにが言いたいの？」

「つまり……いまのあなたが幸せなのかどうかわからないってこと」母は言う。「そろそろほかのことを試してみてもいいんじゃないかっていう、ただそれだけよ」

「わたしたちを巻き込まないで」ジューンが言う。「わたしは、そういうことをしたいんじゃない」

「ジューーーーーン」アレックスは椅子の肘掛けの上でのけぞって逆さからジューンを見る。「いいから、考えてみなって。ぼくはやるよ」ふたたび母に顔を向ける。

「ノーラにも仕事を勧めるの？」

エレンはうなずく。「あした、マイクのほうから分析の仕事を申し入れてもらうことになってるわ。ノーラが引き受けてくれるようなら、即刻はじめてもらう。でもあなたは、ミスター、はじめるのは卒業後よ」

「やったね、ホワイトハウス三人組が戦地に乗り込むんだ。すごいよ」アレックスがレオを見ると、彼はテレビをいじるのをやめて、うまそうにチージー・ブレッドにかぶりついている。「レオ、あなたも仕事を依頼されたの？」

「いいや」レオが答える。「これまでどおり、ファースト・ジェントルマンとしてのぼくの職務は、インテリアに気を配って、自分をかわいらしく見せることさ」

「あなたのインテリアのセンス、ずいぶんよくなったわ、ベイビー」エレンが皮肉をきかせて彼に軽くキスをする。「あのごわごわした黄麻布のランチョンマットなんて、惚《ほ》れぼれしちゃう」

「インテリアデザイナーには、ベルベットのほうが見栄えがすると言われたんだがね。なにを考えているんだか」

「彼女も気の毒に」

「わたしはこんなのいや」母が飾り物の梨の話に気を取られているあいだに、ジューンはアレックスに言う。「あんたは本気でその仕事をしたいの？」

「おもしろいじゃないか、ジューン」アレックスは言う。「ねえ、ぼくを見張りたいんなら、仕事を引き受けたらいいだろ？」

ジューンはアレックスを無視して、ピザに戻る。内面をうかがい知れない表情だ。

翌日、ザハラのオフィスのホワイトボードに、同じ形をした三色の付箋が貼られる。ホワイトボードに書かれたタイトルは〝選挙活動における役割――アレックス―ノーラージューン〟アレックスとノーラの名前の下の付箋には〝イエス〟とあり、ジューンの名前の下には、まぎれもないジューンの筆跡で〝ノー〟と書かれている。

最初のメッセージが来たとき、アレックスは政策の講義の最中で、ノートを取っていた。

〝きみにそっくりだ〟

写真が添付されている。『ジェダイの帰還』に登場する、小さくて腹立たしくて愛すべきリーダー、チャーパ村長のパソコン画像だ。

〝ちなみに、ヘンリーより〟

アレックスはあきれながら、その番号を連絡先に登録する。〝おまぬけ殿下〟という名前にして、うんちの絵文字を加える。

正直、返信するつもりもなかったのだけれど、一週間後、〈ピープル〉の表紙に〝ヘンリー王子、冬期休暇で南半球へ〟という見出しが載る。オーストラリアの浜辺で、趣味はいいが極端に布地が少ない紺色のトランクス型の水着を着て芸術的なポーズを取るヘンリーの写真を見て、手を動かさずにいられなくなる。

〝きみはほくろが多いな。近親婚のせいか？〟という文言に、その記事の写真を添付して送る。

ヘンリーの返信は二日後、〈デイリー・メール〉のツイートのスクリーンショットという形で届く。〝アレックス・クレアモント＝ディアス、父親になる？〟添えられたメッセージは、〝あんなに気をつけていたのにね、ダーリン〟だ。意表を突かれて思わず大笑いし、ザハラからジューンといっしょに受けていた週に一度の会議から追いだされる。

つまり、ヘンリーはおもしろくもなれるってことだ。アレックスは心のなかのファイルに記録する。

そのうちに、ヘンリーが好んでメッセージを送りつけてくるのは、王族特有の退屈に陥ったときだということがわかってくる。たとえば、お出ましの行き帰りとか、座りっぱなしで一族の所有地について報告を聞いているときとか。いま日焼けしたように見せるスプレーを吹きかけられている、という不満げなメッセージをもらったこともある。

ヘンリーを好きとは言わないまでも、ノリのいい軽い言葉の応酬は楽しい。おしゃべりな自分には彼の神経を鎮められないのはわかっている。ふだんはそんな自分を何層もの魅力の下に隠しているけれど、ヘンリーからどう思われても関係ないので、平気で出す。思う存分はめを外し、それに対してヘンリーは機知に富む痛烈な一撃を返してくる。

　そんなわけで、アレックスは退屈したり、ストレスを感じたりするとき、またはコーヒーが入るのを待ちながら、ヘンリーから送られてくるメッセージをチェックするようになった。自分が受けた最新のインタビューのなかの、おかしな発言に対する皮肉。イギリスとアメリカのビールに関するとりとめのない考察。『ハリー・ポッター』に出てくるスリザリン寮のスカーフを巻いたヘンリーの愛犬の写真（アレックスが〝ぼくが騙されるわけないだろ、ハッフルパフ寮の負け犬め〟と返信すると、ヘンリーは〝犬がスリザリンなのであって、自分ではない〟と送ってきた）。

　アレックスはメッセージやソーシャルメディアの投稿を通じてヘンリーの人生に対する理解を徐々に深めていく。シャーンによって綿密にスケジューリングされた人生。アレックスはそのシャーンのことが頭から離れなくなる。ヘンリーから〝シャーンがバイクを持っていると話したかな？〟とか、〝シャーンがポルトガルと電話している〟とかいうメッセージが来ると、ますます気になってしかたがない。

　そのうち、〈ヘンリー王子に関する覚え書き〉が完全な捏造《ねつぞう》か、あるいはとくに興味深い事柄を省略してあったのかが、わかってくる。ヘンリーの好物はマトンのパイではなく、宮殿から十分のところにある屋台の豆コロッケ《ファラフェル》であり、ギャップイヤー（大学入学前や就職前など、節目の時期に取る猶予期間）中のいまは世界じゅうで慈善活動に取り組んでいるとあるがそうした活動の半数は、親友のペズが行っているものだ。

　ヘンリーが神話に造詣が深く、きっかけさえ与えられれば二十以上の星座の配置をしゃべりまくることもわかった。ヨットの操舵《そうだ》についてもうんざりするほど詳しく聞かされ、こちらからは〝いいね〟のひとことしか返せなかった——それも、八時間後にだ。またヘンリー自身はめったに悪態をつかないけれど、アレックスが罵詈《ばり》雑言を極めても気にならないらしい。

　ヘンリーの姉のビアトリス——通称はビーだそうだ——はよく話題にのぼる。彼女もケンジントン宮殿に住んでいるからだろう。どうやらヘンリーは兄より彼女と仲がいいようだ。アレックスとヘンリーは、姉がいる試練や辛苦を互いにくらべる。

〝ビーも子どものころ、きみにドレスを着させようとした？〟

〝ジューンも、ディケンズに出てくるわんぱくな孤児みたいに、真夜中にこっそり冷蔵庫から、きみが残しといたカレーをくすねようとした？〟

　さらによく登場するのがペズだ。一風変わった興味深い人物なので、なんでそんな人がヘンリーの親友になったのか不思議でならない。なにしろヘンリーというのは、ブロックの設定をするぞと脅さないかぎり、バイロン卿《きょう》について延々と話しつづけるような男なのだ。ペズはつねに突拍子がない。マレーシアでベースジャンプをしたり、ラッパーのジェイ・Zとおぼしき人物と料理用バナナを食べたり、どぎついピンク色のグッチの鋲《びょう》付きジャケットを着てランチの席に現れたり。かと思えば、新規に非営利団体《NPO》を立ちあげたりする。きわめてとらえどころのない人物だ。

　ヘンリーがシークレットサービスによるジューンの暗号名がブルーボネットだと覚えているのがわかったとき、そしてノーラの薄気味の悪いほどの写真記憶について冗談を言ったとき、アレックスはヘンリーがふたりと知り合いであることに気づく。ふたりを一途《いちず》に守ってきたつもりでいたけれど、インターネット上で拡散するまでヘンリーとジューンが二〇〇五年版の『プライドと偏見』の映画をめぐってツイッターで交流していたことにまったく気づいていなかったのだから、笑ってしまう。

「その顔からして、ザハラからのメールじゃないね」肩越しにノーラがのぞくので、アレックスは肘で押しのける。「スマホを見るたび、にたにたしちゃって。誰とやりとりしてるの？」

「なんの話？　とくに誰でもないよ」

　アレックスの手のなかの画面にはヘンリーからのメッセージがある。〝フィリップと世界一退屈な会議中。もしぼくがネクタイで自分を絞め殺したら、新聞が嘘八百を書き立てないように、監督を頼む〟

「そっか、わかった」ノーラがまたアレックスのスマートフォンに手を伸ばす。

「ジャスティン・トルドー首相がフランス語で話してる動画をまた観てたのね？」

「そんなもん、観るかよ！」

「彼と去年、わが国の晩餐会で会ってから少なくとも二回は、あなたが動画を観てる場面を目撃したわよ。そうよ、観てたんでしょう？」アレックスはノーラを押しのける。「待って、いやだ、ひょっとしたらファンが創作したあなたの物語とか？　で、わたしには声をかけてくれなかったわけ？　こんどはどんな男と寝てるって？　こないだわたしがマクロンとの物語を送ったけど、読んだ？　死ぬほど笑えたわよ」

「やめなかったら、テイラー・スウィフトに電話して、きみが気を変えて、七月四日の独立記念日に彼女が開くパーティに行くことにしたって言ってやるぞ」

「それはやりすぎだと思うけど」

その夜遅く、アレックスは自分の部屋のデスクでひとりになってから返信する。

〝『ゲーム・オブ・スローンズ』に出てくるキャスタリーロックを取り戻すためには、どのいとことどのいとこを結婚させるのがいいかを決める会議だったのかい？〟

〝ふん。王室の財政についてだ。これから一生、悪夢のなかで〝投資利益率〟というフィリップの声にうなされそうだ〟

アレックスはあきれ顔で返信する。〝君主国の血塗られた財産の奪いあいに四苦八苦ってわけか〟

たちまちヘンリーの返信が届く。

〝実際、会議の要点はそこだった——ぼくは王室の財産の継承を辞退しようとしてきた。父がぼくたち子どもに潤沢な金を遺《のこ》してくれたから、自分が使う金は、何世紀にもわたる大量殺戮で蓄えた王室の財産ではなく、父の遺産でまかないたい。フィリップはぼくを未熟者扱いしている〟

アレックスは、そのメッセージを二度読んで、誤解がないことを確認する。

〝ちょっぴり感心したよ〟

画面に映ったそのメッセージをしばらく見つめる。自分がおかしなことを言っていそうで怖くなる。そこで首を振ってスマートフォンを置き、ロックまでかける。だが、思いなおしてふたたびスマートフォンを手に取り、ロックを解除する。ヘンリーからの返信メッセージのふきだしを見つめる。スマートフォンを置く。目をそむける。目を戻す。

〝『帝国の逆襲』のつまらなさを知らずして、『スター・ウォーズ』への生涯の愛をはぐくむべからず〟

ヘンリーがまちがいを思い知らせようとするのをやめてくれたら、ありがたいのだけれど。

アレックスはメッセージアプリを開いた。

おまぬけ殿下💩

二〇一九年一〇月三〇日、一：〇七ＰＭ

アレックス

あのネクタイはいただけない

おまぬけ殿下💩

どのネクタイ？

アレックス
さっききみが投稿したインスタの

おまぬけ殿下💩
灰色の無地のなにが悪い？

アレックス
そこだよ。たまには柄物も使って。あと、スマホを見るとき、しかめっ面はやめるべし。いまのその顔のことだ

おまぬけ殿下💩
柄物は〝主張〟と受け取られる。王族は服装で主張しないならわしだ

アレックス
インスタにアップしてみなよ

おまぬけ殿下💩
きみは、ぼくの人生の繊細な亀裂に入り込んだ、トゲのあるアザミだ

アレックス
そりゃどうも！

二〇一九年一一月一七日、一一：〇四AM

おまぬけ殿下💩
エレン・クレアモントの選挙キャンペーンのバッジが入った五キロの小包が届いた。
きみの顔入りだ。きみが考えたいたずらか？

アレックス
きみの服装が地味だからさ、サンシャイン

おまぬけ殿下💩
とんでもない選挙資金の運用の失敗が、きみには価値があるといいのだが。警護チームはてっきり爆弾だと思い込み、シャーンが警察犬を呼ぶところだったんだぞ

アレックス
ああ、価値があるとも。その話を聞いて、さらに価値が出た。シャーンによろしく。あのスイートなケツが懐かしいよ。ハグ&キス

おまぬけ殿下💩
伝えるものか

4

「それは公然の事実よ。あなたが知ったばかりなのは、わたしの問題じゃない」母はウエストウイングの廊下を駆け足で移動中だ。

「本気か？」アレックスは追いつこうと小走りになりながら、ほとんど叫んでいる。「感謝祭のたびに税金を使って、あの〈ウィラード〉の豪華なスイートルームにただの七面鳥を泊まらせてるんだよ？」

「そうよ、アレックス。ずっとそうしてきた——」

「税金の無駄遣いだ！」

「——そしていま、コーンブレッドとスタッフィングという名をした十八キロの七面鳥が、ペンシルヴェニア・アヴェニューを走る車列のなかにいる。いまさら七面鳥の置き場所を変える時間が、どこにあるの？」

間髪をいれずアレックスは返す。「ホワイトハウスに運べばいい」

「ホワイトハウスのどこに？　あなたのお尻に隠す？　あした、感謝祭の恒例行事として大統領のわたしが二羽の七面鳥に恩赦を与えるときまで、厳重に警備された歴史建造物であるホワイトハウスのどこに置いておくつもり？」

「ぼくの部屋に入れとけばいい。ぼくならかまわない」

　母は一笑に付す。「だめ」

「ホテルの部屋となにが違うんだ？　七面鳥をぼくの部屋に入れてよ、母さん」

「あなたの部屋には入れません」

「ぼくの部屋に入れてくれ」

「だめ」

「ぼくの部屋に入れて、ぼくの部屋に入れて、ぼくの部屋に――」

　その夜、先史時代から生きている獣《けだもの》の情け容赦のない冷酷な瞳を見つめるアレックスは、わずかな後悔を感じている。

〝こいつらは知ってる〟と、彼はヘンリーにメッセージを送る。〝この二羽は、ぼくのせいで五つ星の豪華な客室ではなく、ぼくの部屋のケージに押し込められたことを知ってる。背を向けたとたんに、ぼくの肉をついばむに違いない〟

　コーンブレッドは、ソファの隣に置かれた大きなケージのなかからうつろな黒い目で見つめ返してくる。農場の獣医が数時間ごとにようすを見に訪れ、アレックスはそのたびに、鳥が血に飢えていないかどうか確かめている。

続きの部屋からスタッフィングがまたもや不吉な鳴き声をあげる。

アレックスには、今夜じゅうにすませたい予定があった。そのつもりだったのだ。ところが、きのうの夜、ＣＮＮで共和党側の候補者による討論会のハイライトを放映していて、七面鳥にべらぼうな経費が使われていることを知ってしまった。予定では、試験に向けて草稿を書きあげ、そのあと母を説得して選挙活動の仕事をもらえるように、各ターゲット層の関心事をまとめたバインダーを読んで検討作業を行うつもりだった。

それなのに、自分が作った牢獄にとらわれて、恩赦の行事がはじまるまで七面鳥の子守をするはめになり、しかもいまさらながら、自分には大型の鳥類に対する強い恐怖心があることを思い知らされている。適当なソファを見つけてそこで寝ようと思ったけれど、自分が見張っているはずのあの地獄から来た悪魔が夜のうちにケージから逃げだして、互いに殺しあったらどうしよう？　〝ニュース速報――二羽の七面鳥の死骸、大統領の息子の寝室で発見。前代未聞の醜態、恩赦の行事中止に。大統領の息子は七面鳥殺しの悪魔崇拝者〟

〝写真を頼む〟励ますどころか、ヘンリーはそう返信してくる。

アレックスはベッドの端に腰をおろす。ヘンリーとのメッセージ交換がほぼ日課となっている。時差は関係ない。どちらも昼夜を問わず、とんでもない時間に起きているからだ。ヘンリーから午前七時にポロの練習の写真を送られてくる。すると即座に午前二時のアレックスから、ベッドにノートを山積みにして眼鏡をかけてコーヒーを手にした写真を送る。不思議なのは、ベッドにいるアレックスの自撮り写真にはヘンリーから返信がないことだ。ベッドで写した自撮りはどれも大笑いせずにいられないはずなのに。

アレックスは羽をばたつかせる七面鳥に怯《おび》えて身をすくめながら、コーンブレッドの写真を撮って送信ボタンを押す。

〝かわいい鳥だね〟とヘンリーから。

〝敵意むきだしの鳴き声が聞こえないから、そんなことが言えるんだよ〟

〝たしかに、この世でもっとも不気味な動物の声といえば七面鳥の鳴き声だからね〟

「あのさあ」電話がつながるといきなり、アレックスは言う。「自分の耳で聞いてみてよ。で、どうすればいいか教えて」

「アレックス？」電話の向こうのヘンリーは戸惑ったようなかすれ声だ。「本気か？

午前三時に七面鳥の声を聞かせるためにかけてきたのか？」

「ああ、そうだよ」コーンブレッドを見てアレックスは身をすくめる。「まったく、あいつらときたら、こっちの心の底まで見透かしてるみたいなんだ。コーンブレッドはぼくの罪を知ってるんだよ、ヘンリー。ぼくの過去の行状を知っていて、罪を償わせるためにやってきたんだ」

　電話の向こうで衣《きぬ》ずれの音がして、赤紫がかった灰色のパジャマを着たヘンリーの姿が頭に浮かぶ。ベッドで寝返りを打って、スタンドの明かりをつけたのかもしれない。「だったら、そのいまいましい鳴き声を聞かせてもらおうか」

「オーケー。覚悟しろよ」アレックスはスピーカーに切り換え、真剣な面持ちでスマートフォンを構える。

　なにも起きない。長い長い十秒。

「胸が張り裂けそうだね」スピーカーから甲高いヘンリーの声がする。

「これは――いや、そうじゃなくて」アレックスはむきになる。「さっきまでずっと鳴きまくってたのに」

「そうだろうとも」わざとらしいほど、やさしい声。

「待て、切らないで」アレックスは言う。「これから……一羽、捕まえて鳴かせる」

アレックスはベッドからおりて、コーンブレッドのケージに近づく。決死の覚悟が必要だが、どうしても証明してみせなければならない。こんなふうに板挟みになることがアレックスにはよくある。

「うーん」アレックスは言う。「七面鳥はどうやって鳴かせればいいんだろう？」

「鳴きまねをして」ヘンリーが言う。「そして鳴き声が返ってくるのを待つんだ」

アレックスは目をぱちくりさせる。「本気で言ってんの？」

「こちらでは春になると野生の七面鳥狩りをする」よく知っているかのような口ぶりだ。「七面鳥の気持ちになるのがコツだ」

「どうやったらなれるんだよ？」

「だったら」ヘンリーが指示する。「ぼくの指示に従って。まず七面鳥に近づくんだ。文字どおり、距離を詰めて」

アレックスはスマートフォンを持ったまま、注意深くケージに体を近づける。「いいよ」

「七面鳥と目を合わせて。できたかい？」

アレックスは聞こえてくる指示のとおりに動く。足を踏ん張り、膝をついて、コーンブレッドと目の高さを合わせる。ビーズのように小さくて黒い目と目が合うと、背筋がぞくっとする。殺し屋の目だ。「合わせたよ」

「よし、では目を合わせたまま」ヘンリーが言う。「七面鳥に心を寄せ、七面鳥の信頼を得る……友情をはぐくむ……」

「わかった……」

「マジョルカ島で七面鳥と過ごす夏の別荘を買う……」

「おいっ、なんだよ！」アレックスはどなり、ヘンリーは自分のくだらない悪ふざけに大爆笑する。アレックスが怒って手をばたつかせたせいで、びっくりしたコーンブレッドがけたたましい鳴き声をあげ、こんどはその声にびっくりしたアレックスの口から人間のものとは思えない悲鳴が飛びだす。「ほら！　これで聞こえたろ？」

「すまない、なんだって？」ヘンリーが言う。「耳が聞こえなくなってしまった」

「おまえ、ひどいやつだな」アレックスは言う。「七面鳥狩りなんか、ほんとにしたことあるのか？」

「アレックス、イギリスでは七面鳥の狩りは禁止されている」

アレックスはベッドに戻り、枕に顔をうずめる。「いっそコーンブレッドに殺されたい」

「ほら、わかったから、聞こえたよ。たしかに……ぞっとする鳴き声だ」ヘンリーが言う。「理解できたよ。こんな最中に頼りのジューンはどこにいるんだ？」

「ノーラと泊まりで女子会だって。助けを求めるメッセージを送ったら」アレックスは抑揚のない声で読みあげる。「〝ハハハハハハハハ、せいぜいがんばって〟だってさ。それに七面鳥とうんちの絵文字がついてた」

「もっともな反応だ」ヘンリーが言う。もったいぶってうなずいているさまが目に浮かぶ。「それで、これからどうする？　二羽の七面鳥を見張って寝ずの番かい？」

「知るかよ！　そうなるかもね！　だって、ほかにどうすりゃいいかわからないんだから！」

「ほかの場所で寝るわけにはいかないのか？　そこは百室くらい部屋があるんだろう？」

「まあね、でも、鳥が逃げたらどうする？『ジュラシック・パーク』で観たんだけど、鳥がラプトル系の恐竜の直系だって、知ってた？　科学的事実だよ。ラプトルがこの寝室にいるってことだよ、ヘンリー。それなのに別の場所で眠れるか？　七面鳥がケージから飛びだして、ぼくが目を閉じた瞬間に島を乗っ取るかもしれないのに？　いいよ、わかった、しょせんきみはむかつく白人ってことさ」

「いよいよきみの殺害を手配する必要があるらしい」とヘンリー。「きみは気配すら感じないだろう。うちの殺し屋はその手の訓練を積んでいる。実行するのは夜、屈辱的な事故に見せかけて」

「自己発情による窒息死？」

「トイレで心臓発作」

「そりゃ大変」

「警告はしたよ」

「きみならもっと個人的な方法で殺すかと思ってた。シルクの枕を顔に押しつけるとかさ。ゆっくりやさしく窒息死させるんだ。きみとぼく、ふたりきり。官能的に」

　ヘンリーが咳払いをする。

「それはともかく」アレックスはベッドにのぼる。「それならそれでいいよ。どうせあのいまいましい七面鳥どもに殺される」

「そんなことは――あれ、来たのか」電話の向こうでガサガサと音がして、ガウンをはおるような音、そして大きな鼻息。犬の鼻息に違いない。「よしよし、いい子だ。デヴィッドがよろしくと言っている」

「やあ、デヴィッド」

「こいつは――おい！　おまえのものじゃないぞ、ミスター・ウォーブルズ！　これはぼくのだ！」さらに遠くでガサガサという音が聞こえ、すねた猫の鳴き声。「だめだ、ミスター・ウォーブルズ、とんでもないやつだな！」

「ミスター・ウォーブルズって誰？」

「姉のばか猫だ」ヘンリーが答える。「体重が一トンもあるくせに、さらにぼくのジャファケーキを盗もうとしている。こいつとデヴィッドは仲がいいんだ」

「いまなにしてるんだ？」

「なにしてるって、眠ろうとしていたんだが」

「なるほど。で、ジャバ・ザ・ハットのケーキを食べてると。へえ」

「違う、ジャファケーキだ」ヘンリーが言う。「どうやら、錯乱したアメリカの原始人と二羽の七面鳥に一生つきまとわれることになりそうだ」

「それから？」

　ヘンリーがまた盛大にため息をつく。ヘンリーはアレックスのことでため息ばかりついている。まだ肺に空気が残っているとは驚きだ。「それから……笑わないでくれ」

「ああ、いいとも」アレックスは即答する。

「『ブリティッシュ　ベイクオフ』っていう料理番組を観ている」

「へえ、かわいいな。でも、べつに恥ずかしがることじゃない。それから？」

「ああ、その……角質を取るフェイスマスクをしている」ヘンリーが早口になる。

「やっぱりな、そんなことだろうと思った！」

「言うんじゃなかった」

「めっちゃ高い北欧製の高級スキンケアをしてるのは、わかってたんだ。ダイヤモンド入りとかいうアイクリームも使ってるんだろ？」

「まさか！」ヘンリーが不機嫌な声になる。アレックスは手の甲を口にあてて笑いをこらえる。「いいかい。ぼくはあした、公の場に出る。それをねちねち言われるとは心外だな」

「ねちねち言ってるわけじゃないさ。誰だって毛穴のケアは大事だ」アレックスは言う。「で、『ベイクオフ』が好きなんだね？」

「観ていると気分がおちつく」ヘンリーが説明する。「パステルカラーの世界にリラックスできる音楽、出演者の穏やかなやりとり。しかも、ビスケットにたくさんの種類があることがわかるんだよ、アレックス。いろいろとね。世界を悲惨だと感じるとき、たとえば七面鳥の大惨事からのがれられないときなどに、それをビスケットランドに持っていって消すことができるんだ」

「アメリカの料理コンテスト番組だと、そうはいかない。みんな汗だくで、音楽は大げさなヘヴィメタル、カメラワークもがんがん切り替わる」アレックスは言う。「『ベイクオフ』にくらべたら、アメリカの『チョップト』なんか、殺人鬼マンソンの録画テープみたいなもんさ」

「だからかもしれないね、ぼくたちがこんなに違うのは」ヘンリーが言い、アレックスは小さく笑う。

「ほんと」アレックスは言う。「きみにはびっくりだよ」

ヘンリーは押し黙ってから、尋ねる。「どんなふうに？」

「つまんない人間かと思ったら、全然だ」

「おお」ヘンリーが笑う。「それは光栄だ」

「人として深みがあるんだろうね」

「さては、まぬけなブロンド男だと思っていたな？」

「いや、たんにつまんないやつだと思ってた」とアレックス。「だって、愛犬にデヴィッドなんて名前をつけるやつだぞ」

「デヴィッド・ボウイにちなんだ」

「ええ――」アレックスは頭を振って言いなおす。「本当にそうなのか？　なんてこった。じゃあなんだってボウイにしなかったんだ？」

「少し鼻につくだろう？」ヘンリーが答える。「なんでもそうあからさまにするものじゃない」

「かもね」そこで、止める間もなく大あくびが出る。講義の前にひと走りしたので、今朝は七時から起きていた。七面鳥に命を絶たれなくとも、過労死しそうだ。

「アレックス」有無を言わさぬ口調だ。

「なに？」

「七面鳥がきみ相手に『ジュラシック・パーク』ごっこをすることはない。きみはコメディアンのサインフェルドじゃなくて、博士を演じたジェフ・ゴールドブラムだ。さあ、眠って」

アレックスは笑みを噛み殺す。笑うほどの冗談ではないけれど。「そっちこそ寝て」

「寝るよ」なぜかヘンリーの声に笑みを感じる。本当におかしな夜だ。「きみが電話を切ったらすぐにでも」

「わかったよ」アレックスは言う。「でも、また七面鳥が鳴きだしたらどうしよう？」

「ジューンの部屋で寝ればいいだろう、能なしくん」

「わかった」

「わかったか」ヘンリーが答える。

「わかった」もう一度言ったとき、電話で話すのがはじめてだったことにふと気がつく。だからヘンリーとの電話の切り方を考えたことがなかったのだ。どう切ったらいいんだろう？　途方に暮れつつ顔には笑みがあり、コーンブレッドは納得できないとばかりにこちらをにらんでいる。にらみたいのはこっちだぞ、相棒。

「わかった」ヘンリーがくり返す。「じゃ、おやすみ」

「いいね」アレックスはぎこちなく言う。「おやすみ」

電話を切り、手のなかのスマートフォンを見つめる。じっと見ていれば、この体にまとわりつくちりちりする感じの説明がつくかもしれない。

首を振ってその感覚を払い、枕やシーツやカバーをまとめて廊下をはさんだ向かいにあるジューンの部屋へ行き、高いベッドに上がる。やり残したことがある気がする。

そこでふたたびスマートフォンを取りだす。〝七面鳥の写真を送った。当然、そっちの動物たちの写真ももらえるよね？〟

一分半後。まさに宮殿にふさわしい白と金色のカバーにくるまれた巨大なベッドにいるヘンリーの写真が送られてくる。洗い立てらしいほんのりピンク色の顔。枕の片側にビーグル犬の頭、反対には、ジャファケーキの包み紙の隣で丸くなっている肥満体のシャム猫。ヘンリーの目の下にはくまがあるが、表情はゆったりと楽しそうで、片方の手を頭上の枕に預け、もう片方の手でスマートフォンを構えて自撮りしている。〝ぼくはこの状況を耐えている〟とコメントがある。〝こんどこそ、おやすみ〟

おまぬけ殿下💩
二〇一九年一二月八日、八：五三PM

アレックス
やあ、ボンド映画マラソン上映中。きみのお父さんって超かわいい

おまぬけ殿下💩
かんべんしてくれ

アレックスの両親には、息子がおかしな行動をすると、息子のことをそれぞれ相手の姓で呼ぶならわしがある。離婚する前からだ。いまもそれは変わらず、アレックスがマスコミ相手にしゃべりまくれば、母から執務室に呼びつけられて「しっかりして、ディアス」と叱られ、意固地になって身動きが取れなくなれば、父から「いいかげん

にあきらめろ、クレアモント」とたしなめられる。

　母はデスクに〈ワシントン・ポスト〉を置いてため息をついている。開かれたページに載っているのは、〝オスカー・ディアス議員、元妻クレアモント大統領との休暇でワシントンDC入り〟という記事だ。もはや、そういうことが奇妙でないことこそが奇妙と言っていい。父がカリフォルニアからクリスマスのためにやってくる。それ自体は問題ではないけれど、そのことを〈ポスト〉に書かれるとは。

　母の口は引き結ばれ、右手の指が二本、ひくついている。アレックスの父と過ごす直前になると、いつもこんなふうになる。

「あのさ」アレックスは本を手に、大統領執務室のソファでくつろいでいる。「誰かにタバコを持ってきてもらったら？」

「お黙り、ディアス」

　母はアレックスの父のためにリンカーン・ベッドルームを用意させているけれど、何度も気を変えて、そのたびに寝室のしつらえを元に戻させたり、飾りつけなおさせたりしている。万事心得ているレオは少しも動じず、きちんと整ったぴかぴかの装飾を褒めて、母をなだめている。アレックスが思うに、レオ以外に母との結婚生活を続けられる人はいない。げんに、実の父親には無理だった。

永遠の黙想家であるジューンは、そわそわしている。アレックスに言わせれば、家族がこうなったときは、ゆったり構えてなりゆきに任せ、必要なとき、あるいはおもしろそうだと思ったときだけ介入するしかない。けれどもジューンは、去年のように誰かが値がつけられないほど高価なアンティークを壊さないようにすることが、自分の責任だと思っている。

父はシークレットサービスを引き連れて騒々しく到着した。一分の隙もなくひげを整え、完璧な仕立てのスーツを着て。さっきあれほどやきもきしていたジューンは、みずからアンティークの花瓶を割りそうな勢いで父の腕に飛び込み、ほどなくふたりして一階のチョコレート店へ向かう。ジューンが〈アトランティック〉のオンライン版に投稿した記事についてとりとめなく話すオスカーの声が、角を曲がってだんだんに遠ざかっていく。そしてアレックスと母は顔を見あわせる。こんなふうに、アレックスの家族は筋書きどおりに行動することもある。

翌日には、オスカーが〝母さんに内緒でついてこい〟という目でアレックスをトルーマン・バルコニーに連れだす。

「メリー・クリスマス、息子《ミホ》よ」にこやかな笑顔を向けられたアレックスは笑いだし、片腕でぐいっと引き寄せられてもあらがわずに父の抱擁を受ける。いつもどおり、父は潮の香りと手入れのいい革の燻《いぶ》したようなにおいがする。むかし、母がよくシガーバーで暮らしているみたいと文句を言っていたのを思いだす。

「メリー・クリスマス、父さん」アレックスも挨拶を返す。

父は手すりの近くに椅子を引いて、ぴかぴかに磨かれたブーツの足を載せる。オスカー・ディアスは見晴らしのいい景色が好きなのだ。

アレックスも目前に広がった景色を眺める。雪をかぶった芝生、高くそびえるワシントン記念塔のくっきりした線、西側のアイゼンハウアー行政府ビル――トルーマンが嫌っていたビル――のぎざぎざしたフランス風マンサード屋根。父はポケットから葉巻を取りだして、長年続けているお決まりの丁寧な手順で端を切り、火をつける。ひと息吸って吐きだす。

「こんなことをしたら愚にもつかない連中がかんかんになるかもしれないな。それを思うと、笑いたくならないか？」オスカーは大きな身ぶりであたり一帯を示す。メキシコ人がふたり、国のお偉いさんがクロワッサンを食べる場所の手すりに足をかけている。

「笑いっぱなしだよ」

実際オスカーは笑い声をあげて、恥知らずな自分を楽しんでいる。父はアドレナリン依存症だ。山登りしかり、洞窟でのダイビングしかり。アレックスの母はいつも文句を言っていた。死と戯れているようなものだ。ひるがえって彼の仕事への取り組みは秩序立っていて正確だし、子どもに対しては鷹揚《おうよう》な父親だった。

うれしいことに、いまは高校生のころより頻繁に父と会っている。オスカーが一年のほとんどをワシントンDCで過ごしているからだ。そして国会の会期中は、ろくで《ロス・》なしども《バスタルドス》の会と称して、オスカー、アレックス、ラファエル・ルナの三人だけで、毎週オスカーの執務室で仕事終わりにビールを飲み、たわいのないおしゃべりをする。そしていまに至る両親の破滅の日々においても、お互いが近くにいるおかげでいっしょにクリスマスを過ごせるのはいいことだと思う。

それに月日がたつにつれて、家族全員がひとつ屋根の下で暮らしていたころをふと思いだして、懐かしむようになっている。

家族のために料理をするのはいつも父だった。アレックスの子ども時代は、鋳鉄製の鍋で胡椒《こしょう》とタマネギと肉を煮込んで作るカルディージョの香りとともにある。寄せ木の台の上には新鮮なトウモロコシ粉。母は罪深い喜びであるベーグルピザを焼こうとオーブンを開くたびに、しまわれている鍋やフライパンを見て、笑って文句を言っていた。母が冷蔵庫のバターケースを開くと、なかに手作りのサルサ・ベルデが入っていることもあった。かつてキッチンには笑いと、たくさんのおいしい食べ物と、大音量の音楽と、親戚たちがあふれ、宿題はキッチンのテーブルでしたものだ。けれどそのうち、どなり声のあとに無言の時間が長く続くようになった。アレックスとジューンは思春期に突入し、両親はそろって上院議員になり、アレックスは生徒会長、ラクロスチームの副キャプテン、プロムのキング、卒業生総代になり、そしてついにその場所はアレックスが好んで考えたい場所ではなくなってしまった。

父がホワイトハウスのレジデンスに泊まって三日、いまのところなにごともなく過ぎている。父がキッチンでふたりのコックと笑いあいながら、鍋に胡椒を大量に振り入れているのを見る。こんなことがもっとあればいいのに、と思える瞬間だ。

ザハラはクリスマス中に家族に会うため、ニューオーリンズへ戻ることになっている。大統領に背中を押されたうえに、エイミーから、ザハラの妹に生まれた赤ん坊のために編んだ着ぐるみを渡しに行かなければ針で刺すと脅されて、ようやくその気になったのだ。そんなわけで、クリスマスのディナーは、ザハラも参加できるようにクリスマスイブに設定された。深夜に大統領一家を呪うこともたびたびあるザハラだが、家族の一員であることに変わりはない。

「メリー・クリスマス、ザハラ！」家族用ダイニングルームの外の廊下で、アレックスは陽気に声をかける。ザハラは休日用に、着心地のよさそうな真っ赤なタートルネックを着ている。アレックスが着ているのは明るい緑のラメを編み込んだセーターで、彼が笑顔で袖の内側に仕込まれたボタンを押すと、脇の下にあるスピーカーから『もみの木』のメロディーが流れる。

「二日間、あなたと会わずにすむのが、楽しみでしかたない」言葉とは裏腹に、ザハラの声にはまぎれもない愛情がこもっている。

今年のディナーはこぢんまりとしている。というのも父の両親が旅行に行っているからで、輝く白と金色で飾られたテーブルにならぶのは六人分の食器だ。あまりになごやかな会話が続いていたので、アレックスは、いつもはこんな状態なわけではないということを忘れかける。

選挙の話題に入る、そのときまで。

「考えがあるんだ」オスカーはヒレ肉を丁寧に切りながら言う。「今回はおれも選挙活動に加わったらどうだろう？」

テーブルの反対側でエレンがフォークを置く。「なんですって？」

「ほら」オスカーは肉を嚙みながら肩をすくめる。「おれが遊説するんだよ。きみの代理として」

「冗談よね？」

オスカーがクロスのかかったテーブルに、なんてこったと言わんばかりの小さな音をたててフォークとナイフを置く。アレックスは向かいのジューンに視線を投げる。

「そんなに悪いアイディアかい？」オスカーが尋ねる。

「オスカー、その話は前回、終わったはずよ」エレンはたちまち辛辣な口調になる。

「女は嫌われるけど、母や妻は好かれる。みんな家族が好きなの。元の夫を連れまわしたって、わたしが離婚したことを有権者に思いださせるだけよ。絶対にだめ」

オスカーは渋い顔で小さく笑い声を漏らす。「つまり、彼がこの子たちの父親のふりをするわけか？」

「オスカー」レオが口を開く。「わたしは一度も――」

「そういう問題じゃないでしょ」エレンがさえぎる。

「きみの支持率を上げる助けになるはずだ」オスカーは食いさがる。「おれには高い支持率があるんだ、エレン。大統領としてきみが得ている以上の」

「ほら、はじまった」アレックスは隣のレオに話しかける。レオはこんなときもいやな顔ひとつしない。

「もう検討ずみなのよ、オスカー！　わかる？」エレンの声がだんだん大きく高くなる。彼女はテーブルに両手をつく。「離婚したことを思いださせれば無党派層が離れると、データに出てるの！」

「きみが離婚したことなど、みんなとっくに知ってる！」

「アレックスの支持率は高いわ！」エレンの叫び声でアレックスとジューンは顔をしかめる。「ジューンの支持率も高い！」

「この子たちは数字じゃない！」

「ばかばかしい、わかってるわよ」エレンが吐きだすように言う。「そんなこと言ってないでしょ！」

「きみはときに子どもたちを数字扱いしてるんじゃないか？」

「よくもそんなことを。あなただって、選挙に立候補するたび、臆面もなく子どもの話題を持ちだすくせに！」エレンは空を切るように手を横に払う。「この子たちがただのクレアモントだったら、あなたはそこまでの運に恵まれなかったわ。そのほうがずっと複雑じゃなかった。とにかく、この子たちはクレアモントで通ってるの！」

「誰もわたしたちの名前なんか気にしてないわ！」ジューンが甲高い声で口を出す。

「ジューン」エレンがきつい声でたしなめる。

父はなおも言いつのる。「きみを手伝いたいんだ、エレン！」

「あなたの助けがなくたって、選挙には勝つわ、オスカー！」エレンがテーブルをばしっと叩いたので、皿がかたかた鳴る。「上院議員になるときも必要なかったし、最初に大統領になったときも必要なかった。いまだってそうよ！」

「きみがいま置かれている状況を真摯に考えてみろ！　今回、対立候補がフェアに戦うと思うか？　オバマで八年、そしていまはきみだぞ？　やつらは怒ってる、エレン。リチャーズは血に飢えてる！　相応の準備が必要だ！」

「準備するわよ！　わたしが誰の助けもなく、ぼんやりしてるとでも思ってるの？　わたしは合衆国大統領なのよ！　のこのこやってきたあなたに――あなたに――」

「上から目線で説教？」ザハラが助け船を出す。

「上から目線で説教される筋合いはないわ！」エレンは叫び、目をむいてテーブルの向こうのオスカーに指を突きつける。「わたしの大統領選よ！」

　オスカーがナプキンを叩きつける。「相変らず頑固だな！」

「最低な男ね！」

「母さん！」ジューンが鋭い声で言う。

「まったく、なんなんだよ？」なにか言おうと決めるより先に、アレックスは叫ぶ。

「一回くらい、おとなしく食事ができないのかよ？　わかってんの、クリスマスだって？　国を動かす役目を担ってるふたりが、なにしてんだ。おちつけっての」

　アレックスは椅子を引いて、ダイニングルームを出る。芝居がかったまねなのは自覚しているけれど、知ったことじゃない。乱暴に自室のドアを閉め、くだらないセーターを脱いで壁に投げつけると、気が滅入る調子外れな音がする。

　短気じゃないとは言わないが……ふだん、家族のことで腹を立てることはない。家族と向きあおうという気がそもそもないのが主な理由だけれど。

　タンスから着古したラクロスのTシャツを引っ張りだす。振り返ってクローゼットの鏡に映った自分を見ると、両親のことを気に病み、自分の状況を変えられず途方に暮れていた十代のころの自分がいる。しかもいまのアレックスには、気をまぎらわせてくれる早期履修プログラムもない。

　スマートフォンに手が伸びる。自分のこととなると、アレックスの頭には、わずか二パターンしかない。ひとりで忙しくするか、誰かといっしょに考えごとをするかだ。でもバーモントでハヌカを祝っているノーラを煩わせるのは悪いし、高校時代の親友のリアムとは、ワシントンに来てから疎遠になっている。

　残るは……。

「こんなはめに陥るとは、いったいぼくがなにをしたというんだ？」低くて眠そうなヘンリーの声。背後にかかっているのは、クリスマスキャロルの『ウェンセスラスはよい王さま』のようだ。

「やあ、ええと、ごめん。遅いし、クリスマスイブだってわかってたんだけど。そりゃそうだよね、当然、家族でなにかしてるし。いまごろ気づくなんて。なんで前もって気づかなかったんだろう。そうか、だからぼくは友だちができないんだな。いやなやつだから。悪かった。ただ、ええと――」

「アレックス、いいから」ヘンリーが口をはさむ。「いいよ、こっちは三時半で、みんな寝ている。ビー以外は。挨拶してあげて、ビー」

「どうも、アレックス！」笑いを含んだ明るい声が聞こえてくる。「ヘンリーはクリスマスの杖《つえ》形キャンディを見るといつもわくわくしちゃって――」

「そういうのはいいから」ヘンリーの声が戻り、ビーに枕を押しつけたのか、くぐもった音がする。「それで、どうしたんだ？」

「すまない」アレックスはいっきに話しはじめる。「こんなの異常だし、きみはお姉さんといて、いろいろあるのにさ。でも、ええと、こっちじゃ起きてて電話できそうな人がいないっていうのか？　もちろん、ぼくたちが、その、本当の友だちじゃないのはわかってるし、こんなことを話すのもおかしいんだけど、クリスマスで父さんが来たんだ。父さんと母さんは、同じ部屋に一時間以上いっしょにいると、赤ちゃんアザラシをめぐって争うイタチザメみたいに大喧嘩になる。だけど、べつにどうでもいいはずなんだ。だって、もう離婚してるんだから。それなのになぜかぼくはいらついて、でも一度くらい喧嘩せずに、ふつうの休暇を過ごしてもらいたくて。わかるだろ？」

長い沈黙ののち、ヘンリーが言う。「ちょっと待って。ビー、しばらくいいかな？　しいっ。いいよ、ビスケットは持ってって。よし、話を聞こう」

アレックスは息を吐く。われながらなにをしているのだろうと思いながら、とつとつと話しだす。

まずは離婚のことから。ぎくしゃくした騒乱の数年間。ボーイスカウトのキャンプから帰ってきて、父のものがないことに気づいたあの日。〈ヘラドス〉アイスクリームを食べずにいられなかった夜が続いたこと。気まずいはずなのに、ヘンリーに話しても居心地の悪さを感じない。これまでもヘンリーに対して自分を飾ろうとしたことはない。最初は、正直言って、彼にどう思われようとかまわなかったからだが、いまはそれがふたりの当たり前になっている。もしかしたら、勉強がきついと文句を言うことと、こんな話題で本音をぶちまけることは、分けて考えるべきなのかもしれない。

でも、違わなかった。

気がつくと一時間たっている。もう一度、ディナーの席でのできごとを振り返って話を締めくくると、ヘンリーが言う。「きみは最善のことをしたようだ」

言おうとしたことがアレックスの頭から消える。

つまり……すばらしいと言われることはよくあるが、最善のことをしたと言われることはあまりない。

答えを思いつかないうちに、ドアに小さなノックの音が三回した――ジューンだ。

「ああ――それじゃ、ありがとう。そろそろ切るよ」アレックスは小声で言う。

ジューンがそっとドアを開ける。

「アレックス――」

「ほんと、うん、ありがとう」このことはジューンに説明したくない。「メリー・クリスマス。おやすみ」

電話を切り、スマートフォンを投げる。ジューンがベッドに座る。ピンクのバスローブを着て、シャワーを浴びたらしく髪が濡れている。

「ねえ、大丈夫？」ジューンが言う。

「うん、大丈夫。ごめん、自分でもよくわからなくて。怒るつもりなんかなかったんだけど。ここのところずっと……なんだろう、その……調子が悪くて」

「いいのよ」ジューンが肩にかかった髪を払いのけ、水滴がアレックスにかかる。「わたしは大学最後の半年間、ノイローゼ気味で、みんなにキレてた。いつもいつもすべてをやる必要なんかないのよ」

「大丈夫。平気だよ」反射的に答える。ジューンが納得していないようすで首をかしげてこちらを見るが、アレックスは裸足で彼女の膝をつつく。「で、ぼくが出てってから、どうなったの？　流れた血の掃除はもう終わった？」

　ジューンはため息をつき、足でつつき返してくる。「あのあと風向きが変わって、離婚する前は政治家のスーパーカップルだった、あのころはうまくいってたって話になってね。母さんが謝って、ウイスキーを飲み、思い出話に耽って、みんなベッドへ入った」ジューンははなをすする。「いずれにしたって、あんたが正しかった」

「ぼくがやりすぎたと思わないの？」

「思わない。でも……父さんの言ったことにも一理あると思う。母さんは……ほら……ああいう人だから」

「まあね。でも、ああいう人だからこそ、ここまで来られたんだよ」

「それが問題だと思ったことはないの？」

アレックスは肩をすくめる。「いい母さんだと思うけど」

「ええ、あんたにはね」ジューンの言葉の裏に非難はなく、ただの意見だ。「母さんの子育てがうまくいってるかどうかは、わたしたちが母さんになにを求めるかによって決まる。もしくは、わたしたちが母さんになにをしてあげられるかによって」

「でも、母さんの言い分もわかるんだ」アレックスは話をずらす。「いままでも、父さんがカリフォルニアで議席を取ろうと決めて、荷物をまとめて引っ越していったのはひどかったと思う」

「それはそうだけど、母さんだってやってることは似たようなもんでしょ？　それが政治ってこと。とにかく、母さんは母親らしいことをしないでおいて、わたしたちに無理強いするという、父さんの言葉には一理あると言いたいだけ」

アレックスが答えようと口を開いたとき、ジューンのバスローブのポケットのなかでスマートフォンが鳴った。「ふうん」ジューンがスマートフォンを取りだして画面を見て言う。

「どうしたの？」

「べつに」ジューンがメッセージを開く。「メリー・クリスマスのメッセージ。エヴァンから」

「エヴァン……カリフォルニアに住んでる元カレのエヴァン？　まだやりとりをしてるの？」

　ジューンは唇を噛んで、心ここにあらずといった表情で返事を書いている。「ええ、ときどきね」

「いいね」アレックスは言う。「あいつのこと、ぼくは好きだったよ」

「ええ、わたしも」ジューンが軽く答える。そしてスマートフォンをロックしてベッドに置き、リセットするみたいに何度かまばたきする。「それで、ノーラに話して、なんて言われたの？」

「うん？」

「電話で。ノーラだったんでしょ。ほかの人にこんな話をするわけないから」

「ああ」なぜか裏切りのような気がして、アレックスのうなじが熱くなる。「それが、ええと、そうじゃなくて。じつは変に聞こえるかもしれないけど、話してた相手はヘンリーなんだ」

　ジューンの眉がぴくりと動く。アレックスはとっさに隠れる場所を探して部屋を見まわす。「へえ、そうなの」

「ほら、ぼくたちにはおかしな共通点があるし、似たような心の重荷があって、神経構造が似てるみたい。だから、なぜか彼にはわかってもらえそうな気がしてさ」

「すごいじゃない、アレックス」ジューンが飛びついて、強く抱きしめる。「友だちができたのね！」

「友だちなら何人もいるよ！　放してくれ！」

「友だちができたのね！」ジューンがこぶしで彼の頭をこづく。「よくやった！」

「やめてくれ、黙らせるぞ」アレックスはワニのように体をごろりと回転させてジューンからのがれ、床に落ちる。「ヘンリーは友だちじゃなくて、いつだってやっつけてやりたい相手だ。たった一度、現実に密着したことを話しただけでさ」

「それが友だちってものよ、アレックス」

アレックスは口をぱくぱくさせたが言葉が出てこず、最後にドアを指さす。「出てけよ、ジューン！　ベッドへ行け！」

「いやよ。新しい親友についてすべて話して。王族のお友だちのね。ずいぶんな上流志向ねえ。誰がこんなことになると思っただろ？」ジューンはベッドの端からアレックスをうかがう。「ロマンティック・コメディみたい。結婚式に出席するため同伴者として男性を雇ったら、本気で恋しちゃった女の子、みたいな」

「そういうんじゃないから」

クリスマスツリーの片付けも早々に、それははじまった。

ダンスフロアの設営、メニューの最終確認、スナップチャットのフィルターの承認。アレックスは二十六日間、ジューンといっしょにホワイトハウス社会事業担当秘書官のオフィスにこもり、出席予定者が署名した負傷時の免責同意書類の確認に丸一日を費やす。去年、リアリティ番組『リアル・ハウスワイフ』に出演中の女の子が螺旋《らせん》階段から転げ落ちるという事件があったからだ。彼女がマルゲリータをこぼさなかったのは、いまだたいしたものだと思う。

ふたたび〝伝説級ホワイトハウス三人組の熱烈年越しパーティ〟がはじまる。正式名称は〝ヤング・アメリカ・ニュー・イヤーズ・イブの祭典〟だが、〝ミレニアル特派員の晩餐会〟と呼んだ深夜番組の司会者もいる。毎年アレックス、ジューン、ノーラの三人で、二階の舞踏室がいっぱいになるほど大勢の人たちを招待する。友人、なんとなく付き合いのある有名人、前につるんでいた仲間、政治的人脈を築けそうな人、ほかに著名な二十代の若者たちなど、総勢およそ三百人。公式的には資金集めのパーティだから、慈善事業のための大金が集まり、大統領一家のいい宣伝になるため、この集まりについては母も認めてくれている。

「ねえ、ちょっと」アレックスは一階の受付で片手に紙吹雪のサンプルをつかみ、もっとメタリックな色を入れたほうがいいか、地味な紺と金を足すべきか悩みながら、招待客リストの最終版を見ている。ジューン、ノーラはケーキのサンプルを口いっぱいに詰め込んでいる。「誰がここにヘンリーを入れたんだよ？」

　ノーラがチョコレートケーキをほおばったまま言う。

「わたしじゃない」

「ジューン？」

「あんたが自分でヘンリーを招待しないから！」ジューンが白状する。「わたしたち以外の友だちができてよかったわよ。ときには孤立しすぎて、頭がどうにかなりかけてたもの。覚えてる？　去年ノーラとわたしがふたりして一週間ぐらい留守にしたとき、もう少しでタトゥーを入れるところだったわよね？」

「あのまま腰にタトゥーを入れさせるべきだった、というのが変わらぬわたしの意見だけど」

「腰にタトゥーを入れるのは女性だろ」アレックスは声高に言う。「つまり、ふたりともぐるなんだな？」

「知ってのとおり、カオスはわたしの好物」ノーラがしれっと応じる。

「ぼくにだって友だちぐらいいるさ、きみたち以外にも」

「誰のこと、アレックス？」ジューンが問い詰める。「具体的に言いなさいよ」

「いろんな人だよ！」言い訳がましい口調になる。「同じクラスの人！　リアム！」

「よく言うわ。リアムとはこの一年、話してないくせに」ジューンが反論する。「あんたには友だちが必要なの。ヘンリーのことが好きなのは、わかってるんだから」

「うるさいな」指を入れて襟をゆるめると、首がじっとり湿っている。外は雪が降っているとはいえ、ここまで暖房を効かせる必要があるのか？

「おもしろいわね」ノーラが言う。

「おもしろくなんかない」アレックスはぴしゃりと言い返す。「いいさ、来れば。でも、彼の知り合いがいなくても、ひと晩じゅう子守をしてやるつもりはないからね」

「誰か連れてくるよう伝えてあるわ」ジューンが言う。

「誰を連れてくるの？」アレックスはとっさに尋ねる。意識しないうちに。「ちょっと疑問に思っただけだけど」

「ペズ」ジューンは言って、妙な目つきでこちらを見る。分析不能な目つきだけれど、姉が混乱しておかしなことを考えているのだと思うことにする。ジューンは謎めいた仕方でものごとを整理し、調整する。すべてのつながりが見えるまで、なにが飛びだすかわからない。

なにはともあれ、ヘンリーは来る。それはわかった。パーティ当日のペズのインスタグラムをチェックすると、ペズとともにプライベートジェットに乗っているヘンリーの写真が投稿されている。パーティに備えてペズの髪はパステルピンクに染められ、隣のヘンリーは灰色のスウェットシャツを着て穏やかにほほ笑み、靴下をはいた片足を窓枠に載せている。さすがに心からくつろいでいるようすだ。

〝アメリカ合衆国へ！　#ヤング・アメリカの祭典二〇一九〟とペズは投稿している。

アレックスは思わず笑顔になり、ヘンリーにメッセージを送る。

〝注意！——今夜、バーガンディ色のベルベットのスーツを着る。ぼくの輝きを奪おうとしても無駄だ。みじめなきみを見ると、こっちの胸が痛む〟

間髪をいれず、ヘンリーが返信をよこす。

〝そんなことは夢にも思っていない〟

そこからはあっという間だ。アレックスはヘアスタイリストに連れられて美容室に行き、そこでジューンとノーラがカメラ向きの姿に変化していくさまを見守る。ノーラはカールしたショートの髪をサイド寄せにし、銀色のピンで留めている。黒いドレスの上半身に使われたシャープな幾何学模様によく似合うピンだ。ジューンがまとっている胸元が深く切れ込んだザック・ポーゼンのドレスは、ミッドナイトブルー。その色合いは、三人が選んだ紙吹雪の紺と金と完璧に調和している。

八時ごろから招待客がやってくる。酒がふんだんにふるまわれ、アレックスはそこそこのウイスキーを注文してその場をやり過ごす。ジューンが好きで呼んだポップミュージシャンの生演奏が流れている。『アメリカン・ガール』のカバー曲がはじまると、アレックスはジューンの手をつかんでダンスフロアへ連れだす。

こういうとき最初に到着するのは、政治の世界の新参者だ。ホワイトハウスの騒々しいインターンの小集団。シンクタンク〈アメリカ進歩センター〉のイベントプランナー。一期めの議員の娘。彼女の連れはパンクロック風の女友だちで、アレックスはあとで自己紹介しようと頭のなかにメモする。おつぎが政治的意図のもと、広報担当チームが選んだ招待客のお歴々。そして最後は思わせぶりに遅刻してくる人たち——マイナーから中堅どころのポップスター、メロドラマに出演しているティーンエイジャーの俳優、有名人の子どもといった面々だ。

ヘンリーはいつお出ましになるのかとアレックスが考えていると、ジューンが寄ってきて大声で言う。「来るわよ！」

そのとき視界に鮮やかな色の爆発が飛び込んでくる。ペズのボマージャケットだ。光沢のあるシルクに色とりどりの花がごてごてと描かれている。アレックスは思わず目を細め、視線を少し横にずらす。ようやく色合いが少し薄らぐ。

　ヘンリーと直接会うのは、ロンドンの週末以来だ。それから何百件もふたりにだけ通じる冗談のメッセージをやりとりしたし、後半は真夜中に電話で話したりしたので、以前とは違う新たな相手に会うような気がする。ヘンリーのことを深く知り、よく理解したいま、アレックスは誰もが知るあの端整な顔に、めったに見られない心からの笑顔を見て取る。

　奇妙な認知的不協和がある。現在のヘンリーと過去のヘンリー。そわそわして胸骨の下のあたりに熱っぽさを感じるのは、たぶんそのせいだろう。それとウイスキーの。

　ヘンリーはシンプルな濃紺のスーツ姿ながら、せまいVゾーンに明るい赤みがかったマスタード色のネクタイを締めている。彼はアレックスを見つけると、うれしそうな顔でペズの腕を引っ張る。

「いいネクタイだね」多くの人々が集まるなか、声が届くところまでヘンリーが来ると、アレックスは言う。

「もっと刺激の少ない場所へ連れてこられるのかと思っていた」ヘンリーの声は記憶にある声とどこか違う。高級なベルベットのようだ。金がかかっていて、贅沢で、なめらかでもある。

「こちらはどなた？」隣のジューンが尋ね、思考が途切れる。

「ああ、そうか、正式に会うのははじめてだね」ヘンリーが言う。「ジューン、アレックス、こちらは親友のパーシー・オコンジョ」

「ペズと呼んで。お菓子の名前みたいに」ペズは朗らかに言うと、アレックスに手を差しだす。爪の何本かが青く塗られている。ペズはジューンに視線を向けて目を輝かせ、満面の笑みになる。「不適切だったら叩いてもらっていいけど、あなたほど麗しい女性にはお目にかかったことがないよ。よければ、この場で一番高い飲み物をおごらせてもらえないかな」

「ふん」アレックスは言う。

「女たらしなのね」ジューンはにこにこしている。

「あなたは女神だ」

　アレックスは人混みにまぎれるふたりを見送る。燃え立つ色彩をまとうペズは、早くもジューンをくるくるとまわしながら遠ざかっていく。横を見ると、ヘンリーのほうは、ばつの悪そうなこわばった笑顔だ。それで遅まきながら、ヘンリーとペズの友情がどういうものだか理解する。ヘンリーはスポットライトを浴びることを望んでいない。ヘンリーが屈折させた光をペズが自然と吸収してくれるのだ。

「あの結婚式以来、きみのお姉さんに紹介してくれとうるさくてね」ヘンリーが言う。

「そうなのか？」

「大金の無駄遣いを防いでやったってところかな。彼女の気を惹くために、飛行士を雇って大空に文字を書かせる勢いだった」

　大笑いするアレックスをヘンリーは笑顔で見ている。ジューンとノーラの言うとおりだ。あり得ないと思ったけど、ヘンリーのことが好きになっている。

「じゃ、行こうか」アレックスは言う。「ぼくはもうウイスキーを二杯飲んでる。なにか飲んで追いついてもらわないと」

　アレックスとヘンリーが通ると、会話を中断する人やアントレを食べようと口を開いたまま動きを止めたりする人が、ちょくちょくいる。みんなにはどんなふうに見えているんだろう？　王子と大統領の息子、それぞれの国のあこがれの的であるふたりが、肩をならべてバーへ向かっている。一般には手の届かない贅沢な幻想物語を生きるふたり、魅惑的で、つい臆してしまうようなふたりに見えているはずだ。〝七面鳥の大惨事〟を知る者は誰もいない。知っているのはアレックスとヘンリーだけだ。

　まずは上々のすべりだしで、ふたりは人の輪に入る。意外にも、生身のヘンリーが隣にいることを喜んでいる自分がいる。もう、長身の彼を見あげなければならないことも気にならない。アレックスはホワイトハウスのインターンにヘンリーを紹介し、彼らが顔を赤らめて言葉に詰まるようすを見て楽しむ。ヘンリーは感じのいい、当たり障りのない表情になっている。以前は人に関心がないのだと思っていたけれど、いまならその奥にあるものが読み取れる。困惑を慇懃に隠しているのだ。

　ダンスになり、人々が入り交じり、そしてジューンから、今宵《こよい》の寄付金の支援先である移民基金についてスピーチがある。アレックスは『スパイダーマン』の新作に出演した女優の猛烈なアタックをかわして、コンガを踊る人々のでたらめな列に入る。ヘンリーは心から楽しんでいるようすだ。そのうちにジューンがやってきてヘンリーをバーへ連れていき、アレックスは離れてふたりを見守る。ジューンが大笑いしてバーのスツールから転げ落ちそうになっているけれど、なにを話しているのだろう？そうこうするうちに、またもやアレックスは人々に取り囲まれる。

　しばらくすると、バンドの音楽がやみ、ＤＪが登場して二〇〇〇年代初期のヒップホップメドレーがはじまる。どれもアレックスが子どもの時分に大ヒットし、十代のころにダンスミュージックとしてはやった曲だ。そこへヘンリーが海で遭難したような顔をしてやってくる。

「踊らないのか？」アレックスはヘンリーを見て尋ねる。ヘンリーはなにをどうして、どう手を動かしたらいいのかわからないふうで、見るからに困っている。なんという愛らしさ。おっと、飲みすぎかな、とアレックスは思う。

「踊らない」ヘンリーは答える。「一族に強制されてきた舞踏会用のダンスレッスンでは、これには太刀打ちできないだろう？」

「なに言ってるんだよ、腰で踊ればいいんだ。リラックスしてさ」アレックスは手を伸ばしてヘンリーの腰を両手でつかむ。ヘンリーがたちまち体をこわばらせる。「それじゃ逆だって」

「アレックス、やめろ――」

「ほら」アレックスは自分の腰を動かす。「見て」

ヘンリーはシャンパンをあおる。「見ているよ」

曲がフェードアウトしてつぎの曲へ。バー・ダー、ダン・ダン・ダン、ダン・ダー・ダン、ダー・ダー・ダン――。

「黙って」アレックスは叫び、ヘンリーが言おうとしていたことをさえぎる。「いいから、口を閉じてて。これ、ぼくの曲！」ぽかんとするヘンリーの前で、アレックスは両手を上げる。みんなが集まってきて、はやし立てる。何百という人たちが肩を揺らし、リル・ジョンの懐かしい歌を絶叫する。『ゲット・ロー』だ。

「本当に一度も中学のおかしなダンスに参加したことないの？　ティーンエイジャーが群がって、この曲で踊りながら、いちゃつくのを見たことない？」

　ヘンリーは命綱のようにシャンパンのボトルを握りしめている。「ぼくにそんな経験があると思うか？」

　アレックスは片腕を伸ばし、『スパイダーマン』の女優と戯れていたノーラを集まった人のなかから引っ張りだす。「ノーラ！　ノーラ！　ヘンリーはこの曲でいちゃつくティーンエイジャーを見たことがないんだって！」

「ええ？」

「ぼくにそんなことをしようとする人がいないことを祈るよ」とヘンリー。

「よせよ、ヘンリー」アレックスは大声で叫び、ヘンリーの襟をつかんで引き寄せる。がんがん鳴り響く音楽。「踊らなきゃ。踊らなきゃだめだ。これこそアメリカの子どもが大人になる通過儀礼なんだぞ」

　ノーラがアレックスをつかんでヘンリーから引き離し、両手で彼の腰をつかんでくるりとまわすと、思いのままに腰を振りはじめる。アレックスは歓声をあげ、ノーラがはしゃいだ声で笑い、みんなが周囲で飛び跳ねる。ヘンリーはあっけに取られて見つめている。

「いま〝おれのあそこに汗が垂れた〟って言わなかった？」歌詞の一節だ。

ああ、楽しい――ノーラと背中を合わせ、額に汗を滲ませ、周囲の人たちと体を押しあう。傍らではポッドキャストのプロデューサーや『ストレンジャー・シングス未知の世界』の出演者がヒップホップデュオのキドゥン・プレイなんかにぶつかったり、ペズが曲に合わせて前かがみになってつま先に触れたりしている。ショックを受けて面食らっているヘンリーの顔を見ていると、気分が高揚してくる。アレックスは通りがかったトレーから酒を受け取り、ヘンリーの視線がもたらす腹部がちりちりする奇妙な感覚に乾杯する。そして唇を突きだし、尻を振ってみせると、なんと、ヘンリーが少しだけ音楽に合わせて頭を動かしはじめる。

「はめを外して！」アレックスが叫ぶと、ヘンリーが思わず笑い、さらに腰まで揺すりだす。

「ひと晩じゅうヘンリーの子守はしないって言ってたのは誰だっけ？」ジューンがくるりとまわりながら横を通り、聞こえよがしにアレックスにささやきかける。

「男どもの相手で忙しいんじゃないのかよ？」アレックスは、人混みの外側にいるペズのほうを意味深長に頭で示す。ジューンがウインクして遠ざかっていく。

そこから真夜中まで大盛り上がりが続き、ライトの輝きも、音楽の響きも、最高潮に達している。どういうわけか、そこらじゅうにデザートが飛び散っている。デザート大砲でも仕掛けてあったのか？　そして酒、酒、酒。ヘンリーはモエ・エ・シャンドンをラッパ飲みしている。アレックスはその顔つきや、ボトルの首をつかむ手つき、ボトルの口をくわえる唇が気に入る。アレックスの手が近くにいくたびにヘンリーが踊ろうとする気持ちは高まるのがわかり、ノーラといっしょにいるアレックスを眺めるヘンリーの口が見えるたび、アレックスの皮膚の下ではなにか熱いものが沸き立つ。そしてなにがどうなっているのか解明するには、酔いが深すぎる。

　十一時五十九分、全員がカウントダウンのために集まる。みんなとろんとした目で腕を組む。ノーラが「三、二、一」とアレックスの耳元で甲高い声をあげ、片腕をまわして彼の首に抱きついてくる。アレックスは叫び返し、げらげら笑いながらノーラにべたべたのキスをする。いまや定番となった流れだ。いつも決まった相手のいないふたりが、酔っ払って人恋しくなり、みんなを嫉妬させておもしろがっている。ノーラの唇は温かく、おぞましいピーチ・シュナップスみたいな味がする。彼女はアレックスの唇を噛み、彼の髪をめちゃくちゃに引っかきまわす。

　目を開けると、ヘンリーが見ている。なにを考えているかわからない顔で。

　アレックスは自分の顔がほころぶのを感じる。ヘンリーは顔をそむけて手にしたシャンパンのボトルを見ると、ぐびぐびと飲んでから、人混みのなかに消える。

その後の展開はよくわからない。とにかくぐでんぐでんに酔っ払い、音楽はべらぼうにうるさく、大量の手に引っ張りまわされて、踊りの渦のなかで揉みくちゃになりながら、さらに酒を手渡されている。ノーラはナショナル《N》・フットボール《F》・リーグ《L》のランニングバックのかっこいい新人の背中で嘔吐《おうと》している。

　騒々しくて、はちゃめちゃで、すばらしい。パーティはこうでなくちゃ。はじける喜び、舌の上で泡立つシャンパン、靴にべたつくデザート。自分の部屋ではストレスたっぷりでいらいらしていても、一歩外に出れば、まぎれ込めるたくさんの人たちがいること、世界は温かく歓迎してくれ、自分が暮らすこの大きな古い家を明るく元気なにぎやかさで満たしてくれることを思いださせてくれる。

けれど、酒と音楽に酔いながらも、ヘンリーの不在が頭に引っかかっている。

バスルーム、ビュッフェ台、ダンスフロアの静かな片隅を探したが、どこにもいない。大音量に負けないよう、ペズに向かってヘンリーの名前を叫んでみたが、ペズは笑顔で肩をすくめ、近くを通ったヨットマンのスナップバックの帽子をかすめ取る。

　どうしたんだろう？　心配……というよりも気になる。好奇心が刺激される。ヘンリーの顔でくり広げられるもろもろを見るのが楽しい。彼を探しているうちに、足がもつれて、廊下にある大きな窓にぶつかる。体を起こしたとき、下の庭が目に入った。降りしきる雪のなか、木の下で小さく白い息を吐きつつ立っている長身痩軀《そうく》で肩幅の広い人影は、ヘンリー以外にあり得ない。

アレックスはぶらっとポーチに出る。背後でドアが閉まると、たちまち音楽がさえぎられて静けさに包まれ、アレックスとヘンリーと庭だけになる。酔っ払いに特有の、周囲がぼやけた視界の先にヘンリーがいる。アレックスはその姿に導かれるように階段をおり、雪の積もった芝生に立つ。

ヘンリーは静かに佇んでいる。両手をポケットに突っ込んで空を眺め、不安定に左側に傾いていなければ、しらふだと思ったかもしれない。シャンパン漬けになりながら、なおもイギリス人のくだらない威厳ってやつを保ってるのか？ アレックスは彼の貴族然とした顔を灌木《かんぼく》に突っ込ませたくなる。

アレックスがベンチにつまずき、その音でヘンリーが気づく。振り向いたヘンリーの顔に月光があたる。半分、陰になった顔は穏やかそうで、なぜかわからないけれど、アレックスを招き寄せているようだ。

「こんなところでなにしてるんだ？」アレックスはゆっくり木の下まで歩き、彼の隣に立つ。

ヘンリーが横目でこちらを見る。近づくと、ヘンリーは少し寄り目になっていて、自身とアレックスの鼻のあいだのどこかに焦点が合っているようだ。威厳もなにもあったものじゃない。

「オリオン座を探している」ヘンリーは答える。

アレックスは笑いを漏らして、空を見あげる。そこにあるのは、重く垂れ込めた冬の雲のみ。「平民どもに飽き飽きしたってわけか。外に出て雲を眺めてるなんてさ」

「飽きちゃいない」ヘンリーがもごもご答える。「きみこそ、ここでなにをしている？　アメリカの人気者には、退屈をまぎらわせてくれる熱狂的な取り巻きがいるんじゃないのかい？」

「プリンス・チャーミングがよく言うよ」アレックスはにやりとして答える。

ヘンリーは王子らしからぬしかめっ面で雲を見あげる。「まさか」

ヘンリーのこぶしの関節が、体の横におろしていたアレックスの手の甲に触れ、夜の冷気のなかで小さな温かさをはじけさせる。アレックスはヘンリーの横顔に目をやり、酔いに曇った目をしばたたきながら、月光を浴びる涼やかな鼻筋と、下唇の上品なくぼみを眺める。凍《い》てつくように寒く、アレックスはスーツのジャケットしか着ていないのに、胸が内側から温まっている。アルコールと、さっきから気になっているのに正体を突き止められない、なにか浮き浮きとした感覚のおかげだ。庭はしんとして、自分の血潮の音だけが耳の奥に響いている。

「質問に答えてないぞ」アレックスは指摘する。

ヘンリーがうめき、片手で顔をさする。「ひとりにしてもらえないのかい？」彼が顔を仰向けにし、頭がこつんと木の幹にぶつかる。「ときどき、少し……手に余ることがある」

アレックスはヘンリーを見つめつづける。ヘンリーの口元にはたいてい、どこかに親しさが表れているけれど、ときには、たとえばいまのように、がっちりとガードを固めて、結んだ唇を引きつらせていることがある。

アレックスはなにげなく木にもたれる。隣にあるヘンリーの肩に肩をつけると、彼の唇の端がぴくりと動き、羽のように軽いなにかが顔をよぎる。大規模な催しや、ほかの人たちからエネルギーをもらうことを持て余したことがほとんどないアレックスにはヘンリーの気持ちが理解できないが、テキーラ漬けの頭のどこかで、彼の手に負えない部分を自分が受け持ったらどうだろう、と考えている。この押しつけあった肩からヘンリーの手に余るものをいくらか吸収してやることができるかもしれない。

ヘンリーのあごの筋肉が動いて和らぎ、唇が引っ張られて笑みめいた形になる。

「こんなことを考えたことはない？」ヘンリーがゆっくりと言う。「世のなかの誰でもない人間だったらどんなだろうと？」

アレックスは眉根を寄せる。「どういう意味？」

「ほら」ヘンリーが答える。「母親が大統領でなくて、自分がふつうの人生を送るふつうの男だったら、どんなだろう？　代わりになにをしていただろう、と」

「そういうことか」アレックスは考える。片腕を前に伸ばして、手首をすばやく動かして振り払うようなしぐさをする。「そうだな、モデルにでもなって、〈ティーン・ヴォーグ〉の表紙を二度は飾っただろうね。どんな環境に置かれようと、この遺伝子が埋没することはあり得ない」ヘンリーがあきれて天を仰いでいる。「きみはどうなんだ？」

ヘンリーは切なげに小さく首を振る。「作家かな」

アレックスは小さく笑う。ヘンリーのことはわかっているつもりだったけれど、これには虚を突かれる。「いまだってなれるだろう？」

「人生の四分の一を生きた若者の恐れについて韻文を書くことは、王室に連なる者にふさわしい職業とは見なされない」ヘンリーが淡々と答える。「それに、王室の者は伝統的に入隊することになっている。とまあ、そんな感じでね」

ヘンリーは唇を噛んで黙り込むが、すぐにまた口を開く。

「それと、たぶんもっとデートするんじゃないかな」

アレックスはこんども笑わずにいられない。「だろうとも。王子となったらデート相手を見つけるのもひと苦労だろうからね」

ヘンリーは横目でアレックスを見る。「聞いたら驚くよ」

「なんで？　きみなら選びほうだいのはずだけど」

ヘンリーはアレックスを見つめつづけている。やけに長く。「ぼくが望む人は……」言葉を探しているようだ。「そういう人たちを選択肢に入れることはできないんだ」

アレックスはまばたきする。「どういうこと？」

「つまり、ぼくには……対象がある……興味をいだく特定の」ヘンリーはアレックスに向きなおり、言葉に詰まりながらも、そこになんらかの意味を持たせるため、力を込めて話している。「けれど、こちらからそういう人たちを追いかけることはできない。少なくとも立場上、それは許されない」

飲みすぎたせいで、英語で意味の通る会話ができなくなっているのか？　ヘンリーはスペイン語を多少は知ってるのかな、とアレックスはとりとめのないことを思う。

「なにが言いたいか、よくわからないよ」アレックスは言う。

「わからない？」

「ああ」

「本当にわからないのか？」

「ほんとに、ほんとに、わからない」

ヘンリーはもどかしさに顔全体をくしゃくしゃにして、目を上空へ向ける。冷酷無比な天空に助けを求めるように。「きみのにぶさは絶望的だ」ヘンリーは言い、アレックスの顔を両手ではさんでキスをする。

アレックスは身動きできなくなる。押しつけられたヘンリーの唇と、頰に触れる彼のウールのコートの袖の感触。世界に靄《もや》がかかって静止し、頭が追いつかない。十代のころの恨み、ウエディングケーキ、深夜二時のメッセージのやりとり、そんな方程式をいくら計算してみても、いまの結果をもたらした変数が理解できない……でも、なんでだろう、ちっともいやじゃない。いや、全然いい。

パニック状態のなか、大急ぎで頭のなかにリストを作る。だが挙げられたのは、〝一、ヘンリーの唇はやわらかい〟だけ。あとは堂々めぐりを起こしている。

試しにキスに応じてみると、お返しにヘンリーの唇が動いて口が開き、ふたりの舌が触れあう。ワオ、さっきのノーラとのキスとは別物だ——いや、これまでしてきたどんなキスとも違う。足元に広がる大地のように揺るぎなく広大で、全身のあらゆる部分を包み込み、それでいて肺の空気が叩きだされるようだ。ヘンリーの片手がアレックスの頭に伸び、後頭部の髪を根元からつかまれる。静寂のなか、自分があえぐ声が聞こえる。そして――。

終わるときも唐突だった。ヘンリーに荒っぽく突き放されて、アレックスは後ろにふらつく。ヘンリーは目をみはって悪態と謝罪の言葉をつぶやくときびすを返し、雪を踏みしめて駆け足で去っていく。アレックスが引き留める間もなく、その姿は角を曲がって消える。

「ああ」ようやく力なくつぶやいたアレックスは、片手で唇に触れる。そしてひとこと。「くそっ」

5

そう、問題はそのキスだ。アレックスは考えずにいられない。

努力はした。アレックスが室内に戻ったときには、ヘンリーとペズは警護官ともども立ち去っていた。アレックスは深酒のせいでもうろうとし、翌朝はひどい二日酔いだったのに、それでも、そのときのイメージを脳から消し去ることができない。

母の会議に出て、身を入れて話を聞こうとする。でも、気がそぞろなせいで、ザハラからウエストウイングを追いだされる。だったら、国会にかけられる法案のすべてに目を通して、口のうまい上院議員たちをひとりずつ訪ねてまわろうか？　ところが、どうしてもその熱意が湧いてこず、それどころかノーラと噂話をする気力すらない。

最終学期に突入し、講義に出て、私設秘書と卒業祝いの食事会の相談をし、強調表示された注釈と補足資料を目で追うことに没頭する。

だが、そうした日常の下に、庭のリンデンバウムの下で交わしたイギリス王子とのキスが横たわっている。月明かりを浴びる髪、熱くとろけていた自分の内側。いっそホワイトハウスの大階段から身を投げてしまいたい。

この件は誰にも打ち明けていない。ノーラにもジューンにも。仮に打ち明けるにしても、どう言えばいいのかわからない。それに機密保持契約書に署名しているのに、話していいのかどうかも。署名させられたのは、このためだったとか？　ヘンリーは最初からこうなると思っていたのだろうか？　つまり、前からぼくに惹かれてたってこと？　だったらなぜ、長年、退屈でいやなやつを演じてたんだ？

ヘンリーからはなんの手がかりも与えられていない。しかもアレックスがメッセージを送っても、電話をかけても、一度として反応がない。

「もう、わかったわよ」水曜日の午後のことだ。ジューンは自室でそう言うと、アレックスと共有している廊下の脇にあるリビングルームに出てくる。トレーニングウェアを着て、髪はポニーテール。アレックスは急いでスマートフォンをポケットに突っ込む。「なにを悩んでるんだか知らないけど、この二時間、あんたが歩きまわる音のせいで、仕事にならなかったわ」ジューンが野球帽を投げてよこす。「これから走りに行くから、ついてきて」

キャッシュに付き添われてリフレクティング・プールまで行くと、ジューンが膝裏を蹴ってくる。アレックスはうめいたり悪態をついたりしながら、ペースを上げる。エネルギーを発散させるために散歩に連れだされた犬みたいだ。実際、ジューンから「まるでエネルギーを発散させるため、散歩に連れだされた犬ね」と言われる。

「やなやつ」アレックスは耳にイヤホンを押し込んで、キッド・カディの歌声を大きくする。

黙々と走りながら考えているのは、愚にもつかないこと——ぼくはストレートだ。

そうだよ、ストレートに決まってる。

そしてこれまでの人生を振り返る。男が好きならこんなことはあり得ない、と確認できた事例がいくつもある。たとえば中学時代、女子にはじめてキスをしたときは、相手の髪のやわらかさにうっとりして男のことなど頭になかったし、高校二年のとき、ある友だちがゲイだとわかったときも、自分に引きつけて考えることはなかった。

そういえば三年生のときに一度、酔っ払ってリアムとツインベッドで小一時間いちゃついたことがあるけれど、それが原因で性的な葛藤を抱えることはなかった。ストレートだから、だよな？　もし男が恋愛対象なら、そんな自分が怖くて男といることに臆するはずだが、それもない。思春期には、ささいなきっかけで親友同士でもその気になることがあるんだろう、と思っただけだ。あの日はリアムの部屋でポルノを観ていて、どちらも興奮していた……そしてリアムが手を伸ばしてきたとき、それを止めなかった。

アレックスが見ると、ジューンの口元が不審げにゆがんでいる。ぼくの頭のなかがのぞけるのか？　じつはばれてたりして。ジューンは勘が鋭い。アレックスは視界の隅にちらちら入ってくる姉の口元を見るのがいやで、さらに速度を上げる。

五周めに突入する。ホルモンに翻弄されていた十代のとき、女子がシャワーを浴びている姿を妄想したのを思いだす。とはいえ、同性に触れられるのを夢想したこともある。がっちりしたあごのラインや、広い肩。ロッカールームでチームメイトに目を奪われそうになって、顔をそむけたことも何度かあったが、ただそれだけのことだ。当時の自分にみんなと同じでありたいという意識、あるいは男子が好きだという自覚があったかどうか、どうやったらわかるんだ？　十代後半のあの性衝動に、意味があったのかどうかを？

アレックスは民主党員の子として育ち、その事実が人生に組み込まれている。だからもしストレートでなければ、それに気づくだろうとずっと思ってきた。アイスクリームにはヤギの乳で作ったカヘタというキャラメルクリームを添えるのが好きだとか、極端なほど整理されたカレンダーがないと用事が片付けられないとか。そういうことがわかるのと同じように、疑問の余地なく自分にはアイデンティティを自覚できる程度の賢さがあると自認してきた。

八周め、角を曲がりながら、アレックスはその論理に抜け穴があることに気づきつつある。もしストレートなら、自分がストレートだと納得するのにこんなに時間はかからないのではないか。

異性に惹かれるというごく基本的な指標に頼って、それ以上追究せずに来たのには、もうひとつ理由がある。二〇一六年に母が最有力候補となって以来、ホワイトハウス三人組は十代と二十代前半の有権者に対する政権側の扉となった。三人それぞれに――アレックスにもジューンにもノーラにも――役割がある。

クールな切れ者のノーラは、みんなが観ているSF番組についてツイッターで不適切なジョークを飛ばすのを趣味とする、雑学に強いチームの旗振り役だ。彼女はストレートではなく、ストレートだったこともないけれど、それも本人にとっては付帯的な事実にすぎず、公になることを案じてもいない。その件でアレックスのように気に病むことがないということだ。

そこでアレックスはポニーテールを揺らしながら前を走るジューンを見る。アクセントになっているキャラメル色の髪が白昼の日差しを明るく照り返している。ジューンもやはり自分の立ち位置を心得ている。〈ワシントン・ポスト〉の勇敢なコラムニストにして、流行の先端を走り、誰もがワインとチーズの夕べに呼びたがる人物、それがジューンだ。

だが、人気者といえばアレックスだ。みんなのあこがれ、心やさしいハンサムなやんちゃ者。悠々と人生を渡り、周囲の人たちを笑いの渦に巻き込む。支持率は大統領一家で一番。あらゆる面で万人受けする資質の持ち主。

けれど……ここへきて疑いだした資質が有権者に広く受け入れられるものでないことは、まちがいない。半分メキシコ人であることでも、いやな思いをさせられてきた。母には家族のことで煩わせられることなく、高い支持率を保ってもらいたい。そしてアレックスには、アメリカ史上、最年少の議員になるという目標がある。イギリスの王子とキスをしてそのことを喜んでいる人物が、テキサス州選出の議員になれるとは、とうてい思えない。

それでもヘンリーのことを考えてしまう。

そして彼のことを考えると、胸が締めつけられる。ずっと避けてきた感情が頭をもたげる。

深夜三時の電話で聞いたヘンリーの低い声のことを考えていたら、みぞおちのあたりに火をつけたものの正体に不意に思いあたる。あのとき庭でヘンリーは両手を差し伸べて、アレックスのこめかみに親指をあてがった。アレックスがなすがままになっていたら、ヘンリーの手はほかのところにも触れたかもしれない。ヘンリーの口も。ヘンリーの広い肩、長い脚、引きしまった腰。あごから首、首から肩、そのあいだをつなぐ腱《けん》。彼が振り返って挑むようにアレックスを見たときの、腱の浮きあがったようす。そして、底なしに青い瞳——。

　舗道の亀裂につまずく。転んで膝をすりむき、イヤホンが耳から抜ける。

「もう、なにしてんのよ？」音が残る耳のなかにジューンの声が飛び込んでくる。両手を膝にあててアレックスを見おろすように立ち、肩で息をしながら眉をひそめている。「別の太陽系に行ったって、頭の靄は晴れないわよ。ねえ、わたしに話してみたらどうなの？」

　アレックスはジューンの手を握り、血の滲む膝を立てる。「大丈夫、なんでもない」
ジューンはため息をつき、もう一度アレックスを見てから、顔をそむける。彼女の後ろをとぼとぼ歩いて家に戻り、ジューンはシャワーへ、アレックスは自室のバスルームへ向かい、棚にしまってあったキャプテン・アメリカ柄のバンドエイドを傷口に貼る。

必要なのはリストだ。いまわかっていることの一覧。

一、ぼくはヘンリーに惹かれている。

二、またヘンリーとキスをしたい。

三、ひょっとするとずっと、ヘンリーとキスをしたかったのかもしれない。

アレックスは頭のなかで別の一覧を作る。ヘンリー。シャーン。リアム。ハン・ソロ。ラファエル・ルナとゆるめた襟元。

脚を引きずるようにしてデスクに近づき、母親から渡されたバインダーを取りだす。人口統計学的に見た有権者。どんな特性を持ち、どうアプローチしたらいいかがまとめてある。アレックスは指でインデックスをたどって〈LGBTQ＋〉を探し、該当するページを開く。母の優雅な筆跡でタイトルが書いてある。〝バイセクシュアルはサイレントではない。アメリカのバイセクシュアルに関する短期集中講座〟

「いますぐはじめたい」アレックスはトリーティールームに押しかけるなり訴える。

母は眼鏡を鼻先まで下げ、山積みの書類の向こうから彼を見る。「はじめるってなにを？　仕事中のわたしのところへ乗り込んできて、お尻でも叩かれたいの？」

「仕事だよ」とアレックス。「選挙活動の仕事。卒業するのを待ってられない。時間はあるから、いますぐはじめられる」

　母はいぶかしげに目を細くする。「なにか不満でもあるの？」

「そうじゃない。ただ……」片方の膝を小刻みに揺すっていたので、意志の力で止める。「すでに準備ができてる。もう卒業まで一学期もないんだよ。この仕事をするために、これ以上なにを学べっていうの？　ぼくを入れてくれ、コーチ」

　結果として、アレックスは月曜の午後、授業を終えるや息せき切ってあるスタッフ――各地の選挙事務所をめぐる過密なスケジュールのツアー中、カフェインの過剰摂取でアレックスに引けを取らない人物――のあとを追うはめになる。アレックスは写真付きの名札と、パーティションで区切ったブースを与えられ、その空間をボストン出身のＷＡＳＰ（アングロサクソン系白人プロテスタント）と共有することになる。ハンターという名の、殴りたくなるような顔をした男と。

　アレックスは検討対象となる有権者グループのデータをまとめたフォルダーを渡されて、翌週末までに政策の原案をまとめろと指示される。ＷＡＳＰのハンターからは、母に関する五百もの質問を浴びせられたけれど、ここで殴っては職業人として失格なので、ひたすら仕事に打ち込む。

　そしてヘンリーのことを断固、考えないことにする。

最初の週、仕事にあたっていた二十三時間はヘンリーのことを考えなかった。仕事以外の、講義やレポート、あるいは長いジョギングやトリプルショットのコーヒーや、議員の執務室訪問にあてた時間も考えなかった。シャワーを浴びながらもヘンリーのことを考えず、夜、ひとりベッドに入って眠れずにいるあいだも考えなかった。

そうだったらいいのだけれど。その間ずっと考えていた。

いままではこうやって切り抜けてきたのに、なぜか今回はうまくいかない。

選挙事務局にいるあいだは、世論調査のセクションにあってめまぐるしく変化していく大きなホワイトボードから目が離せない。そのセクションで日々グラフやスプレッドシートに向きあうノーラは、同僚たちと気安い関係を築いている。選挙活動の世界では能力が人気につながり、数字に強いという意味で彼女の右に出る者はいない。

ノーラに嫉妬することは断じてない。また別の面でアレックスも人気者だからだ。キューリグのコーヒーメーカーのところで呼び止められて、書いたものに対する意見を求められたり、仕事のあとで飲みに誘われたりすることもしょっちゅうだ。そんな時間はあったためしがないけれど。それぞれにジェンダーの異なる少なくとも四人のスタッフから言い寄られ、ＷＡＳＰのハンターはアレックスをおもしろがらせようと即席のショーをくりだしてくる。アレックスはコーヒーを片手に悠然とほほ笑み、辛辣な冗談でやり過ごす。アレックス・クレアモント＝ディアスの魅力による優位はここでも有利に働いている。

だが、ノーラは友だちを作り、アレックスは誰とも知人止まり。〈ニューヨーク・マガジン〉を読んでアレックスを知った気になっている彼らは、問題のない体を持った問題のない人たちで、アレックスをバーから自宅へ連れ帰りたがる。どうにも物足りない。それはいまにはじまったことではないけれど、こうも切実に感じられるのは、いまはヘンリーという比較対象がいて、彼が自分のことをわかってくれているからだろう。ヘンリーは眼鏡姿のアレックスを見ているし、うっとうしい状態のアレックスも知っている。それでもなおキスをしてきて、幻影ではないアレックスそのものを求めているようだ。熱烈に。

そんなわけで、ヘンリーはそこにいる。頭のなかに、講義のノートのなかに、パーティションで区切られたブースのなかに、漫然と重ねられていく毎日のなかに。エスプレッソをがぶ飲みしても、追い払うことはできない。

相談するならノーラ一択だけれど、彼女は世論調査の分析に首まで浸《つ》かっている。仕事に邁進《まいしん》中のノーラと深刻な話をするのは、チポトレ（燻製にした唐辛子を原材料とするメキシコ料理の香辛料）と人の服装をからかうのが好きな超高速コンピュータと会話をするようなものだ。

　だとしてもノーラは一番の親友だし、とくに公表はしていないが、彼女自身がバイセクシュアルでもある。誰とも付き合わず、その時間も気持ちもないけれど、もしあれば、選挙スタッフのインターンのなかで男女偏りなく付き合うことになるだろうと公言している。そして、万事に通じている彼女は、この手の問題についても知識が豊富だ。

「いらっしゃい」床に座っているノーラから挨拶を受けながら、アレックスはブリトーの袋と、コーンチップスとグアカモレソースの袋をコーヒーテーブルに置く。

「グアカモレをスプーンで口に入れてもらえる？　これから四十八時間は両手がふさがってんの」

　ノーラの祖父母である副大統領とその妻は海軍天文台に、両親はモントピーリアの街外れに住んでいるけれど、ノーラ自身もＭＩＴからジョージ・ワシントン大学に移ったときから、コロンビアハイツに広々としたワンベッドルームの部屋を所有している。室内は本と植物であふれ、複雑な水やりのスケジュールを表にして丹精している。今夜の彼女は円形に置いたモニターに囲まれてリビングルームの床に座り込み、キャピタルヒルで降霊会でも開いているみたいだ。

ノーラの左手では、選挙活動に使っているノートパソコンが判読不能なデータと棒グラフを表示し、右手にある私物のコンピュータでは、同時に三つの情報収集プログラムが作動している。正面にあるのはCNNのニュースを流すテレビで、共和党に関するニュースがトップで報じられ、膝には『ル・ポールのドラァグ・レース』に関する古いエピソードを紹介するタブレットがある。さらに手にはiPhoneを持ち、ノーラがアレックスを仰ぎ見る前に、そのスマートフォンからメールを送信するシュッという小さな音がする。

「具はバルバコア？」

「もちろん。きみとはきのうきょうの付き合いじゃない」

「あなたは未来の夫候補よ」ノーラは身を乗りだして袋からブリトーを取りだし、アルミホイルをはいで口に押し込む。

「きみと結婚してお手伝いさん扱いされるつもりはないよ。きみのそのブリトーの食べ方には、毎回げんなりする」アレックスは言いながら、口を動かしている彼女を見る。口からこぼれたブラックビーンがキーボードに落ちる。

「あら、テキサス出身なのに？」口をいっぱいにしたまま、彼女は言う。「なんにでもバーベキューソースをかけてるくせに。そこを直さないと、わたしはジューンと結婚しちゃうわよ」

　アレックスがしたいと思っている会話のいい糸口になりそうだ。あのさ、きみはよくジューンのことで冗談を言うけど、ぼくが男と付き合ったらどう思う？　でも、ヘンリーと付き合いたいわけじゃない。それはない、絶対に。そう、ただの仮定の話なんだけどね。

　データおたくのノーラはそれから二十分にわたって脱線し、ボイヤー・ムーア・アルゴリズムだかなんだか知らないが、どうやったらそれと変数とをいま彼女が選挙活動で担当している業務に応用できるかを話しつづける。はっきり言って、アレックスの集中力は途切れがちだ。なんとか彼女が満足して話し終わるまでには勇気を奮い起こしたい。

「あのさ、話は変わるけど」アレックスはノーラがブリトー休憩に入ったところをとらえる。「ぼくたちがデートしたときのこと、覚えてる？」

　ノーラは大きな塊を呑み込んで、にこりとする。「もちろん、忘れてやしないわよ、アレハンドロ」

　レディー・ガガの歌を引きあいに出したノーラに、アレックスは愛想笑いをする。

「で、きみはぼくのことを自分のことのように知ってるから——」

「聖書的な意味でね」性的な意味でということだ。

「ぼくが男を好きな可能性は？」

ノーラが急に動きを止め、小首をかしげる。「潜在的にバイセクシュアル傾向にある確率は七十八パーセント。そしていまのが仮定の質問でない可能性は百パーセント」

「そうか。それで」アレックスは咳払いをする。「おかしなことが起きたんだ。ヘンリーが新年に来たのは知ってるよね？　彼から……キスされたっていうか」

「へえ、そうなんだ？」ノーラは言いながら、さもありなんとうなずく。「すてきじゃない」

アレックスはまじまじと彼女を見る。「びっくりしないの？」

「しないわよ」ノーラは肩をすくめる。「彼はゲイで、あなたは魅力があるもの」

あわてて立ちあがったせいで、アレックスはブリトーを床に落としそうになる。

「ちょ、ちょっと待って。なんで彼がゲイだと思うんだ？　本人から聞いたわけ？」

「いいえ。でも……なんとなくわかるもんよ」ノーラが手を動かす。それでふだんの思考回路を描いているつもりらしいけれど、彼女の脳みその中身同様、わけがわからない。「パターンとデータの観察を続けていれば、論理的な結論が導かれる。それで、彼はゲイだとわかった。一貫してね」

「ぼくは……なに？」

「ねえ、彼に会ったんでしょう？　それで、親友ってことになってるんだよね？　彼はゲイよ。独立記念日のファイアーアイランドにいる人たちと同じくらい、正真正銘のゲイ。ほんとに知らなかったの？」

　アレックスはお手上げの格好をする。「知らなかったと言ったら？」

「アレックス、あなたは頭がいいと思ってたんだけど」

「ぼくだって！　なんであんなこと――いきなりキスしてさ。どうしてその前にゲイだって言ってくれなかったんだろう？」

「わたしが思うに」ノーラは答える。「あなたが知ってると思ったんじゃないの？」

「でも、彼はしょっちゅう女性と付き合ってる」

「そうよ、王子がゲイなんて許されないもの」これ以上、自明なことはないと言わんばかりの口調だ。「そのようすがいつも写真に撮られるのは、なぜだと思う？」

　アレックスは〇・五秒、言われたことを考えてから、いま話したいのはヘンリーのことではなくて、自分がゲイかどうかでパニックを起こしていることだと思いだす。

「待って。その質問について考える前に、彼からキスされた話に戻っていい？」

「もちろん」ノーラはスマートフォンの画面に落ちたグアカモレのしずくを舐め取る。「喜んで。彼はキスがじょうずだった？　舌も入れられたの？　よかった？」

「もういい」アレックスは即座に言う。「いまの質問は忘れて」

「なによ、お上品ぶっちゃって」ノーラは問いただす。「去年、六月のインターンシップで出会ったアンバー・フォレスターのときは、耳をふさぎたくなるようなことまで、ぺらぺらしゃべったくせに」

「やめてくれ」アレックスは肘で顔を隠す。

「だったら言って」

「まじ、きみには死んでもらいたい。ああ、キスがじょうずだった。舌を入れられた」

「やっぱり。おとなしそうな顔をしてる人にかぎって、やることは激しいのよ」

「やめろ」アレックスはうめく。

「ヘンリー王子はめちゃいかしてる」とノーラ。「身を委ねちゃえば？」

「もう帰る」

ノーラは天を仰いで、大笑いする。まじめな話、友だちを増やさなければだめだ、とアレックスは思う。「でも、気に入ったのよね？」

しばし間が空く。

「ええっと、あの」アレックスは口を開く。「だとしたら……どういうことになる？」

「そうね、そのときはずっと彼にやられたかったたってことじゃない？」

アレックスは舌を喉に詰まらせそうになる。「ええ？」

ノーラがこちらを見る。「ちょっと待ってよ。そんなことにも気づいてないの？ かんべんしてよ、だったら、言わなかったのに。こういうことを話せる段階？」

「ええと……たぶん」アレックスは言う。「そうだね。なに？」

ノーラはブリトーをコーヒーテーブルに置くと、むずかしいプログラムを書く準備をするように手を振る。あらたまって彼女から見られると、急に気後れする。

「わたしにどう見えるかを話すわ」ノーラは言う。「わかってることから推理するの。まずあなたは『ハリー・ポッター』に登場するドラコ・マルフォイよろしく、長年ヘンリーにあこがれてた。ちょっと待って、いまはわたしが話す番。そしてロイヤル・ウエディングのあと彼から電話番号を教わり、体裁も気にせず、毎日飽きることなく、彼と遠距離でいちゃついた。あなたはつねにスマートフォンを気にするようになって、誰にメッセージを書いているか尋ねられると、ポルノサイトを観てるのを見つかったかのようにあわてた。あなたと王子はお互いに相手が寝る時間を知ってて、一日彼と話さない日があると、見るからに不機嫌になった。新年のパーティのときは、アメリカでもっともおいしい独身男性とやりたがってる人たちそっちのけで、クロカンブッシュの傍らに立つヘンリーを見つめてた。それで、彼はあなたにキスして――舌まで入れた！――あなたはそれが気に入った。さあ、客観的に見て、これってどういうことだと思う？」

　アレックスは目をみはる。「それって」のろのろと話しだす。「どうなんだろう……わからない」

　ノーラが顔をしかめる。あきれ顔でブリトーを食べだし、ノートパソコンのニュースフィードに目を戻す。「そう」

「いや、違う、そうじゃなくて」アレックスは言う。「ぼくにだってわかるよ、客観的に見たら、グラフ計算機にかけたみたいに明らかさ。いやになるぐらい夢中って感じだよ。でも、しかたないだろ、わからないんだから！　何カ月か前までは天敵だった相手が友だちになって、とぼくは思ってるんだけど、そしたらこんどはその人がキスしてきて、ぼくにはこれがどういう関係なんだか……」

「ああ、そう」ノーラはろくに聞いていない。「そうね」

「それに」アレックスは言葉を連ねる。「セクシュアリティでいうと、ぼくはどういうことになるんだ？」

ノーラはアレックスをじろっと見る。「あら、あなたがバイセクシュアルだってことでは同意できてると思ってたんだけど。ごめん、まだだった？　またわたしの先走り？　悪うございました。ねえ、わたしにカミングアウトしてみる？　聞いたげるよ。どうぞ」

「わからないんだよ！」アレックスはみじめにも、なかばどなっている。「そうなのか？　ぼくはバイセクシュアルだと思う？」

「わたしが決めることじゃないでしょ、アレックス！」ノーラは言い返す。「そこが肝心要《かなめ》なんだから！」

「ちくしょう」アレックスはクッションにもたれる。「でも、ぼくにはそれを教えてくれる人が必要なんだよ。きみはどうしてわかったの？」

「さあ、どうしてかな。高校二年のとき、女性のおっぱいをさわったからかな。深遠ななにかなんて、まるでなし。オフブロードウェイの戯曲にはならないわね」

「参考になったよ」

「でしょう」ノーラは思案顔でコーンチップスをかじっている。「それで、これからどうすんの？」

「どうもこうも」アレックスは言う。「彼はぼくとのやりとりをいっさい断った。だから、彼が酒の上の恐ろしくも愚かなまちがいだと思って、後悔してるんだと——」

「アレックス」ノーラは言う。「彼はあなたのことが好きよ。そして、怯えてる。だからあなたが気持ちをはっきりさせて行動しないと。向こうからは動けない」

アレックスはそれ以上、言葉が出ない。ノーラの視線が画面のひとつに戻る。CNNのアンダーソン・クーパーが共和党の有力大統領候補の最新動向を告げている。

「リチャーズ以外が候補者になる可能性は？」

アレックスはため息をつく。「ないね。ぼくが話を聞いた人はみんなそう言ってる」

「それでもがんばってる人がいるなんて、いじらしいこと」それきりふたりは黙り込む。


またもや遅刻だ。

きょうは最初の試験について説明が行われることになっていたのに、よりによってあのいまいましきネブラスカで今週末に行う予定の応援スピーチを見なおしていて、うっかり時間を忘れた。きょうは木曜。職場から講義室へと直行したものの、試験は来週の火曜日で、説明を聞きのがしたからには、合格できる見込みはない。

講義の内容は、国際関係における倫理的問題だ。実生活に密着しすぎ。こういう講義は、いいかげんに取るのをやめたほうがいい。

アレックスは急いで帰宅する。やたらに腹が立っている。なにからなにまでむかつく。行き場のない、もやもやとした思いを抱えたまま、イーストベッドルームとウエストベッドルームに続く階段をのぼる。

自室のドアの前にメッセンジャーバッグを投げ、蹴るようにして靴を脱ぐと、靴が廊下の見苦しいアンティークのソファに転がる。

「あら、ごきげんよう、かわいい坊や」ジューンだ。アレックスが顔を上げると、ジューンが廊下をはさんだ向かいの部屋で、パステルピンクのウイングバックチェアに腰かけている。「荒れてるじゃない」

「そりゃどうも、くそったれ」

見ると、ジューンの膝には雑誌の山がある。週に一度の点検中なのだ。姉からそのうちの一冊を投げつけられるような目には遭いたくない。

「〈ピープル〉の最新号にあんたが載ってたわよ」ジューンは言う。「十五ページ。それと、あんたの永遠の大親友が三十一ページに」

アレックスは肩越しに彼女に向かって指を立てて、自分の部屋に引きあげると、雑誌を手にしてドアの近くにあるソファに腰をおろす。投げつけられなくても、もう持っている。

十五ページに掲載されているのは、二週間前に取材班が撮ったアレックスの写真だ。スミソニアン博物館で母の歴史的な大統領選挙戦の展示が行われたときの、それを手伝うアレックスの姿をとらえた見栄えのする写真だ。〝クレアモントを上院議員に、二〇〇四年〟という大看板の背後にある物語を説明するアレックスの写真には、彼が家族に受け継がれたレガシーに献身的であるうんぬんという短くまとめられたキャプションがついている。

続いて三十一ページを開き、大声でわめきちらしそうになる。

見出し：ヘンリー王子の謎のブロンドは誰？

写真は三枚。一枚め、ロンドンのカフェでヘンリーがコーヒーを飲みながら、どこの馬の骨かもわからないブロンド美人に笑いかけている。二枚め、少しピント外れの写真は、彼女の手を取ってカフェの裏にまわったところをとらえている。三枚め、ヘンリーは背の低い木に半分隠れながら、彼女の口の端にキスをしている。

「なんなんだよ？」

写真には短い記事が添えられ、若い女性の名前も書いてある。エミリーなんとかという女優。さっきまでの漠然とした腹立ちが猛烈な怒りに変わり、その最悪の気分はヘンリーの唇が自分のではない、よその誰かの肌に触れている部分に向けられる。

　ヘンリーはなにさまのつもりなのか？　地位をかさにお高くとまって、どこまで身勝手なのだろう？　彼の友人になるには何カ月もかかり、相手に変でみっともない弱点をさらさせる。さらにその相手にキスをして、あらゆることに疑問をもたせ、何週間も無視したあげく、ほかの人とデートをして、それをメディアに公表させる。広報担当者を雇ったことのある人間なら誰でも、世界に広めるには〈ピープル〉に持ち込むにかぎると知っている。

　アレックスは雑誌を床に叩きつけ、勢いよく立ちあがって、室内を行きつ戻りつする。ヘンリーなどくそ食らえ。高貴な生まれのぼんぼんなんか、信じるんじゃなかった。本能の声に耳を傾けるべきだった。

　大きく息を吸って、ゆっくりと吐く。

　要するに。そう、問題は……最初の怒りの発作がおさまったあとに湧いてきたのは、はたしてヘンリーがそんなことをするだろうかという疑問だ。十二歳のときにティーン向けの雑誌で見たヘンリー、ひどく冷淡だったオリンピックのときのヘンリー、何カ月もかけてゆっくりと自分を開示したヘンリー、そしてホワイトハウスの物陰で自分にキスしたヘンリー。そんなヘンリーを全部ひっくるめて思い返してみるに、こんどのことは合点がいかない。

アレックスは戦略的な頭脳の持ち主だ。政治家の脳をしている。高速かつ一度に多方面のことを処理できる。その脳がいま、謎解きにあたっている。ヘンリーの立場に立って、どんな人生なのかとか、どう行動すべきだろうかとか考えるのは苦手だ。そこで、いまある断片をどう組み立てることができるかを考える。

ノーラの言葉がよみがえる。〝いつも写真に撮られるのは、なぜだと思う?〟

そして、ヘンリーの用心深さ。周囲から距離を取って行動し、口元には緊張感を漂わせている。そこでさらにアレックスは思考を深める。王子がいて、ゲイだとする。その彼が誰かにキスをして、それが問題になるなら、王子は対処しなければならない。

一度、大きく考えが振れると、怒りがただの怒りでなくなる。悲しさが滲む。

ドアの近くまで引き返して、メッセンジャーバッグからスマートフォンを取りだし、指紋認証でメッセージ画面を開く。どの衝動に従ったらいいのかわからない。なにか、なんでもいいからなにかをするため、誰かに向かって言える言葉を探す。

そうしながらも、意識の底にある思いが湧いてくる。敵のような親友のような同性がほかの人にキスをするのを見たからといって、この反応はまったくストレートらしくない。

　小さな笑いが飛びだす。ベッドまで移動し、端に腰かけて考える。ノーラにメッセージを送って、ついに覚醒のときが来たのかと尋ねようか？　それとも、電話でラファエル・ルナをビールに誘い、ＲＥＩのウェアを着た十代の反ファシズム主義者がゲイとして最初の性的な行為にどう挑んだかを根掘り葉掘り訊こうか？　あるいは、階下にいるシークレットサービスのエイミーをつかまえて、性転換のことや奥さんのこと、そしてどうやって自分が人と違うのを認識したのかを、尋ねてみるとか？

　だがまずは原点に立ち返り、同性から触れられたアレックスの目のなかにあるものを、その目で見た誰かに尋ねるのが正解な気がする。

　ヘンリーは論外だとすると、残るはひとりしかいない。

「もしもし？」電話から声がする。最後に話してから一年はたっているけれど、リアムのテキサス訛りは聞きまちがいようがなく、鼓膜にやわらかく響く。

　アレックスは咳払いする。「やあ、リアム、アレックスだよ」

「わかってる」にべもない反応だ。

「あの、ええっと、元気だった？」

　一瞬の間。背後から静かに話す声と、皿の音が聞こえる。「さっさと用件を言ってもらえるかな、アレックス？」

「そっか」アレックスは言いかけて口を閉じ、あらためて口を開く。「奇妙に聞こえるかもしれないけど、あの、高校時代のことなんだ。ぼくたちのあいだに、ほら、そういうのがあったよね？　ぼくの思い違いかな？」

電話の向こうからは、がちゃがちゃいう音がする。フォークが皿に落ちた音のようだ。「そんなことを話すために電話してきたのか？　いま恋人《ボーイフレンド》とランチの最中なんだけど」

「そっか」リアムに同性の恋人がいるのを知らなかった。「すまない」

音がくぐもり、ふたたびリアムの声がする。ほかの誰かに話す声。「アレックスから。そう、彼。わからないよ、ベイブ」くっきりしたリアムの声が戻ってくる。「それで、具体的になにが訊きたい？」

「あの、ぼくたちいちゃついたことがあっただろ？　あれは、その、なにか意味があったのかな？」

「ぼくがその質問に答えてあげられるとは思えない」リアムは言う。もしアレックスの記憶にあるリアムどおりなら、片方の手をあごにやり、伸びかけたひげを指でさわっているだろう。そして、脳裏にくっきりと残る伸びかけたリアムのひげの記憶が自分の質問に対する答えなのかもしれない、とぼんやり思う。

「そうだね」アレックスは言う。「きみの言うとおりだ」

「なあ、いいか」リアムが言う。「いまきみがセクシュアリティのことでどんな危機に直面してるか知らないけど、あれからの四年でわかったことがあるはずだ。いいかい、高校時代にぼくたちのあいだにあんなことがあったから、きみがゲイとかになったと言いたいわけじゃない。でも、ぼくがゲイなのは確かだし、当時はゲイじゃないみたいにふるまっていたけれど、ぼくはあのときかられっきとしたゲイだった」ため息をつく。「参考になったかい、アレックス？　ぼくの容赦ないブラディ・メアリーがここにいて、ぼくはこの電話のことを説明しなきゃならない」

「そっか、わかった」アレックスは言う。「参考になったと思う。ありがとう」

「役に立ててよかった」

リアムの声から長い苦しみと疲労を感じ取ったアレックスは、高校時代を思い起こす。リアムの目つきや、あのあとの、ふたりのあいだの沈黙。それで、言い足さずにいられなくなる。「いや、あの、悪かった」

「なんてやつだ」リアムはうめくように言って、電話を切る。

6

ヘンリーといえども、永遠にアレックスを避けることはできない。

ロイヤル・ウエディング後の後始末として、もうひとつヘンリーには果たすべき務めが残っている。一月末の公式晩餐会に出席することだ。エレンはまだ就任して日が浅いイギリス首相との会談を望み、ヘンリーも訪米し、儀礼としてレジデンスに宿泊することになっている。

アレックスはタキシードの襟を撫《な》でつけ、ジューンとノーラに近づいて、入ってくるゲストを写真撮影用のラインに近い北口で待つ。体を小刻みに揺すっている自覚があるのに、止められない。ノーラはにやにやしつつ無言で、例の件については沈黙を守ってくれている。まだジューンに話す心の準備はできていない。いずれ話さないわけにはいかないが、実態を把握できるまでは口にできない。

ヘンリーが舞台右手に入ってくる。

洗練された黒のスーツがエレガントだ。非の打ち所がない。アレックスはそのスーツを引きちぎってやりたくなる。

ヘンリーは抑えた表情をしているけれど、エントランスホールにいるアレックスに気づくと、見る見る青ざめる。逃げだそうとするみたいに、彼の足音が乱れる。アレックスのほうは、必要とあらばタックルをかけることも辞さない構えだ。

アレックスは前に進んで、階段をのぼり――。

「さあ、写真よ」アレックスの肩越しにザハラがささやく。

「ああ」ヘンリーは言う。アレックスは、ヘンリーのばかみたいな母音の響きを偏愛している自分をうとましく感じる。好きなのはブリティッシュアクセントではなく、ヘンリーのブリティッシュアクセントだ。

「どうも」アレックスは小声で言う。彼が作り笑いを浮かべて握手をすると、カメラのフラッシュが焚かれる。「きみが死んだとか、そういうのじゃなくて、よかった」

「ええ、まあ」ヘンリーは言い、ひとりごとのような相づちのリストに新手をつけ加える。困ったことに、それもやっぱりセクシーだ。この数週間で感じやすくなったらしい。

「話をしないと」アレックスは言ったけれど、ザハラにさも親しげな構図で写真を撮らされたあとは、ジューンとノーラといっしょに晩餐会室に追いやられ、ヘンリーのほうは首相との写真撮影にかりだされる。

その日の晩餐会の目玉はイギリスのインディーズロッカーの演奏だ。アレックスには理解不能だけれど、根菜のような地味な見た目なのに、アレックスと同年代の若者層には人気がある。ヘンリーは首相とならんで席につき、アレックスは不当な扱いを受けている気分で料理を食べ、ヘンリーを遠目に見ながらやきもきする。ヘンリーはしょっちゅう顔を上げ、アレックスと目が合うたび耳元を赤くしては、この惑星で最高の料理であるかのようにピラフに戻る。

ヘンリーは、その実態どおり、かのジェームズ・ボンドの子孫然とした姿でアレックスの家にやってきて、首相と赤ワインを飲んでいる。アレックスの口に舌を差し入れ、そのあとひと月にわたって連絡を断ったことなど、なかったかのような態度で。

「ノーラ」ジューンが『ドクター・フー』に出ている女優とおしゃべりしているのを見計らい、アレックスはノーラに顔を近づける。場の緊張がゆるんで、移動しやすくなっている。「ヘンリーをテーブルから引き離してくれないか?」

ノーラがちらっとこちらを見る。「いよいよ誘惑に乗りだすの? だったら、手を貸すわよ」

「そういうこと」アレックスは席を離れ、シークレットサービスのエイミーが立つ部屋の後ろ側の壁に向かう。

「エイミー」小声で話しかけ、彼女の手首をつかむ。エイミーはとっさに動きだそうとして、それを中断する。体に染みついている攻撃の動きを抑えたのだ。「助けてもらえないか」

「なにか不審な動きでも？」すかさず彼女が尋ねる。

「いや、そうじゃなくて」アレックスは唾を呑む。「そういうことじゃなくて、ヘンリー王子をひとりきりにしてもらいたいんだ」

　エイミーが目をぱちくりさせる。「どういうことだかわからないんだけど」

「ふたりきりで話したいことがある」

「彼と話したいなら、わたしがついて外に行くことはできるけど、その前に彼の警護官の許可を得なきゃならないわ」

「そうじゃなくて」アレックスは片手で顔をこすり、首をまわしてヘンリーのいまの居場所を目視する。ヘンリーはノーラの熱弁に付き合わされている。「彼ひとりと話がしたい」

　エイミーの顔に一瞬、微妙な表情がよぎる。「わたしになんとかできるのはレッドルームまでよ。その先はなしだから」

アレックスはあらためて晩餐会室を振り返り、背の高い両開きのドアを見る。その奥に、晩餐後にカクテルを飲む場所となる空っぽのレッドルームが控えている。

「どれくらい時間をもらえる？」アレックスは尋ねる。

「五分――」

「それでなんとかするよ」

アレックスはくるりと回れ右をして、大股で歩きだす。目指すは、装飾的に盛りつけられたチョコレート菓子。ノーラはこのプロフィテロールを口実にヘンリーを誘ったのだろう。アレックスはふたりのあいだに割って入る。

「やあ」アレックスが言い、ノーラがほほ笑む。ヘンリーは口をあんぐり開けている。

「邪魔して悪いけど、大切な話があって。国際関係にかかわる問題なんだ」ヘンリーの肘をつかみ、体ごと押す。

「やめてもらえないか？」とヘンリー。よくそんなことが言えたものだ。

「黙ってろ」アレックスは言うと、おしゃべりや音楽を聴くのに夢中な人たちをよそに、王室の跡継ぎを引き立てるようにして連れていく。

ドアの前にはエイミーがいる。ノブに手をかけて、迷っている。

「殺さないでしょうね？」

「たぶん」アレックスは答える。

　エイミーはふたりが通れるだけドアを開き、アレックスはヘンリーとともにレッドルームに入る。

「きみはいったいなにをしているんだ？」ヘンリーが詰問する。

「いいから、いっさい黙ってろ。ああもう」アレックスは小声で応じる。腹立たしいばかりのヘンリーの顔をこぶしで叩きのめしてやりたいが、まずは口でめちゃくちゃにしてやる。アドレナリンが放出されるまま、アンティークのソファの上を進んでいく自分の足と、ヘンリーのネクタイをつかんだ自分の手、そしてヘンリーの目の煌めきに意識を集中する。近くの壁まで行き、ヘンリーを壁に押しつけて、その唇に自分の唇を重ねる。

　ショックのせいか、ヘンリーは誘うというより驚いたように力なく口を開く。アレックスは一瞬、計算違いをしたかと恐怖に襲われたが、すぐにヘンリーがキスを返してきて、すべてがしかるべき場所におさまる。なんとも言えない気持ちだ。記憶にあるよりもすばらしく、どうしてふたりともこうせずにいられたのか、わからなくなる。どちらも喧嘩腰で、なすすべもなく堂々めぐりをくり返してきた。

「待って」ヘンリーが口を離す。顔を引いて、血走った目をアレックスに向ける。鮮やかな赤に染まったヘンリーの唇――隣室に要人たちがいなければ、アレックスは叫んでいたかもしれない。「少し――」

「なに？」

「そう、少し――ペースを落とさないか？」ヘンリーは激しく身をすくめ、そのせいで片方の目が閉じられる。「まずは食事でもして――」

「食事ならしたばかりだ」

「たしかに。つまり――ぼくが思うに――」

「考えるのはやめろ」

「わかった。助かる」

アレックスはにわかに隣のテーブルに置いてあった枝付き燭台《しょくだい》を払い落とすと、ヘンリーをテーブルに押しやる。ヘンリーは十八世紀の政治家アレグザンダー・ハミルトンの肖像画にもたれて座る格好になり、顔を上げてそれを見たアレックスは、なぜか猛烈に笑いたくなる。待ち受けるように開かれたヘンリーの脚のあいだに体を押し入れ、ヘンリーの頭を後ろに倒して、あらためて熱烈なキスを浴びせる。

こんどはふたりとも動き、互いのスーツをまさぐる。アレックスはヘンリーの唇をおおうようにキスをし、ヘンリーの頭が壁にあたるたび、肖像画の額縁ががたがた鳴る。アレックスはさらに首筋へと唇を進め、怒りと笑いの発作の中間あたり、長年の根深い嫌悪と、最近になって気づいた、じつはずっとそうだったのではないかという疑いのあいだで、宙づりにされる。

　ヘンリーはキスを受けるのも、与えるのもうまい。片方の膝をアレックスの腿裏に引っかけて支えにし、王族の繊細さをみじんも感じさせない歯の立て方をする。この間の付き合いで本当のヘンリーが自分の思っていたのと違うことは知っていたけれど、間近でそれを感じるのは、また別の体験だ。内なる静かな熱。完璧な外見の下にひそむ抑圧された人物。その人物が積極性をあらわに試み、求めている。

　アレックスはヘンリーの腿に手をあてる。びりびりとした感触がある。なめらかな生地におおわれた硬い筋肉。アレックスが手を上に押しあげると、ヘンリーがその手に手を重ねて、がっちりと押さえ込む。

「時間よ！」開いたドアの隙間から、エイミーの声が飛び込んでくる。

　ふたりはぴたりと動きを止め、アレックスは体を引いて、かかとを床におろす。うかうかしていられない。どちらの耳にも出席者がこの夜の締めくくりをしようと、動く音が届いている。ヘンリーが無意識のうちに腰を小さく一度押しだし、不意を突かれたアレックスは、悪態をつく。

「死にそうだ」ヘンリーが力なくつぶやく。

「殺してやる」アレックスは応じる。

「ああ、そうだな」

　アレックスはよろよろと後ずさりをする。

「もう少ししたら、みんなが入ってくる」アレックスは顔から転がらないように気をつけながら床の燭台を拾いあげて、テーブルに戻す。ヘンリーも立ちあがっている。足元が定まらず、シャツの裾が出て、髪が乱れている。アレックスはとっさに手を伸ばして、ヘンリーの髪を撫でつける。「まずいよ、その髪——」

　ヘンリーは目を見開いたままシャツの裾をしまい、小声でイギリス国歌を口ずさむ。

「なにしてるんだ？」

「なにって——」いまいましそうにズボンの前を指さす。「これをおさめようとしている」

　アレックスはあえて下を見ないようにする。

「そっか」アレックスは言う。「そりゃそうだ。で、これからのことだけど、ぼくから百五十メートル以上、離れてて。じゃないと、たくさんの重要人物たちの前でのちのち深く悔やむようなことをしでかしそうだ」

「わかった……」

「そのあとだけど」ふたたびヘンリーのネクタイの結び目あたりをつかみ、顔と顔を突きあわせる。ヘンリーがごくりと唾を呑む音を聞き、その音をたどって喉に唇を這《は》わせたくなる。「今夜十一時に二階のイーストベッドルームに来て。ぼくからさんざんな目に遭わされるためにね。こんどぼくを無視するようなまねをしたら、搭乗拒否リストに入れるぞ。わかったか？」

ヘンリーは口から出かけた言葉を呑み込み、かすれ声で答える。「誤解の余地なく」

アレックスは、そう、アレックスはたぶん自分を見失っている。

十時四十八分。部屋のなかを行ったり来たりしている。

部屋に戻るなりジャケットとネクタイを椅子の背に投げ、ドレスシャツの襟元のボタンをふたつ外して、両手で頭を抱える。

これでいい。大丈夫。

恐ろしいアイディアだけれど、これでいい。

もっと脱いだほうがいいのかどうか、わからない。天敵から見せかけの親友になった人物をセックスのために自室へ招いたときのドレスコードは？　しかもその部屋はホワイトハウスの一室で、相手は男で、そのうえなんと、イギリスの王子ときている。

部屋の明かりは暗くしてある。片隅にあるソファの傍らに明かりがひとつ、濃い青色の壁を淡く染め変えている。選挙活動に関するファイルはすべてベッドからデスクに移し、ベッドカバーは整えた。アレックスは古い暖炉に目をやり、この国と同じくらいの歴史があるマントルピースに施された緻密な模様を見る。ケンジントン宮殿ほどではないけれど、趣きという意味では申し分ない。

ああ、合衆国建国の父たちの幽霊がもし今夜ホワイトハウスをさまよっていたら、どれほど苦しむことか。

アレックスはこの先どうなるのかをあまり考えないようにしている。実地経験はないけれど、下調べはしてある。手順が整理された図表があるんだから、大丈夫、できる。

本当に、本当に経験したい。その気持ちは確かだ。

目をつぶり、冷たいデスクの表面に指先をつけて気持ちを鎮める。卓上にある用紙がやわらかに指に触れ、心はヘンリーへと飛ぶ。上品なスーツのライン。キスしたとき頬にあたった彼の吐息。誰にも話さないつもりでいる行為を思って、胃がとんぼ返りをする。

王子のヘンリー。庭にいたヘンリー。自分のベッドにいるヘンリー。

こんな気持ちになるのは、彼に対してもはじめてだ。本当に。

ドアにノックの音がする。スマートフォンを確認する。十時五十四分。

アレックスはドアを開ける。

その場に立ちつくし、ヘンリーを見据えてゆっくりと息を吐く。こんなふうに、ありのままに彼を見たことがあっただろうか。

ヘンリーは長身で、華やかさがある。王族らしい高貴さと、映画スターのような輝きを備え、唇に赤ワインの色を残している。ジャケットとネクタイは身につけておらず、シャツの袖は肘まで押しあげられている。彼は目元をひくつかせながらも、赤らんだ唇の片側をもちあげて、笑顔になる。「悪いね、早すぎたかな」

アレックスは唇を噛む。「ここまで迷わなかった？」

「とても親身なシークレットサービスがいてね。エイミーといったかな？」

それを聞いて、アレックスは満面の笑みになる。「入って」

ヘンリーの顔いっぱいに笑みが広がる。写真の笑顔とは違う、無防備でくしゃくしゃっとした、こちらまで釣り込まれるような笑みだ。彼はアレックスの肘に手をかけ、アレックスは導かれるまま、彼のドレスシューズのあいだに靴をはいていない足を近づける。ヘンリーの吐息が唇にかかり、鼻が触れあう。ヘンリーはついに唇を重ね、その唇に笑みをたたえる。

　彼は背後のドアを閉めて鍵をかけると、アレックスの首筋に片方の手をあてがう。キスの仕方がどことなく変わる——狙い澄ました意図的なキスだ。なんてやわらかいんだろう。なぜヘンリーがそんなキスをして、自分がどう応じたらいいのか、アレックスにはわからない。

　それで腰を傾けてヘンリーを引き寄せ、体を密着させる。キスを返すけれど、ヘンリーのほうがキスをしたがっている気がして、受ける側にまわる。プリンス・チャーミングにキスをされるならこうあってもらいたいという、お手本のようなキスだ。甘くて、濃厚で、ふたりして夜明けの荒野にいるような。実際、髪が風になびいているかに感じるのだから、笑ってしまう。

　ヘンリーがキスを中断する。「きみはどうしたい？」

　アレックスは突如、夜明けの荒野とは異なるいまの状況に気づく。ヘンリーのゆるめたシャツの襟元をつかみ、軽く押す。「ソファに座って」

　ヘンリーは息を荒らげながら従う。アレックスはヘンリーの前に立ち、ピンク色のやわらかな唇を見おろす。一歩も引かない決意を胸に、恐ろしく高い断崖絶壁に立っているような気分だ。ヘンリーが期待に満ちた、物欲しそうな顔でこちらを見あげる。

「きみは何週間もぼくを避けた」アレックスは脚幅を広げて、ヘンリーの脚を膝ではさむ。身を乗りだしてソファの背に片手をかけ、もう一方の手で無防備なヘンリーの喉のくぼみをかすめるように撫でる。「そして女の子とデートした」

「ぼくはゲイだ」ヘンリーはきっぱり言い、大きな手の片方をアレックスの尻にあてる。その感触とヘンリーがついに宣言した衝撃に、アレックスは鋭く息を吸い込む。

「王族としては、追求しにくい資質だ。それに、ぼくがキスをしたことで、きみから殺される可能性もあった」

「だったら、なぜした？」アレックスは尋ねる。ヘンリーの首にもたれかかり、耳の下の敏感な肌に舌を這わせる。ヘンリーは息を詰めているのかもしれない。

「それは――きみがそうしないことを願ってだ。殺さないでいてくれることを。ぼくは……きみもぼくを求めているかもしれないと思っていた」ヘンリーは言い、アレックスが首筋を軽く嚙むと、鋭く息を吸う。「そう思っていたのに、きみがノーラといるのを見て、嫉妬心が湧いてきた……そして酒に酔い、愚かになって、おのずと答えが明らかになるのを待つのがいやになった」

「きみが嫉妬するとは」アレックスは言う。「ぼくが欲しいんだね」

ヘンリーがアレックスを両手でつかんだまま急に動き、バランスを崩したアレックスは彼の膝に座り込む。ヘンリーは目をぎらつかせながら、これまで聞いたことのないすごみのある低い声で言う。「そうだよ、気取り屋さん。ずっときみが欲しかった。これ以上、一秒たりともきみにいたぶられている余裕はない」

王族のヘンリーから権威を振りかざされるのは、恐ろしくも刺激的だとわかる。アレックスは激しいキスに引き入れられながら、そんな自分を許せないと思う。荒野など、くそ食らえだ。

ヘンリーから尻をつかまれて引き寄せられたアレックスは、彼の膝に載り、レッドルームのときと同じように、歯を立てて激しいキスを返す。なにごともそうそう完璧には運ばない。そのはずなのになぜか完璧だ。ふたりのあいだには、特別ななにかがある。荒れくるうアレックスのエネルギーと、うずきを誘うヘンリーの確実さとが、異なる温度で燃えあがっている。

アレックスはヘンリーの膝に下腹部を押しつけ、硬くなりかけた彼の下腹部に触れるや、うめき声を漏らす。ヘンリーのほうも、アレックスの口に悪態を漏らす。キスがしだいに乱れ、性急で荒々しくなっていく。唇をついばみ、すりあわせて、押しつける。ヘンリーの唇をもてあそび、甘い液体にわれを忘れて、彼の髪に手を差し入れる。ジューンの雑誌でヘンリーの写真を指でなぞったときに想像していたとおり、やわらかくて豊かな髪だ。ヘンリーは陶然とアレックスの腰に抱きついている。アレックスがどこかへ行くわけもないのに。

　アレックスはヘンリーにキスをする。やがて息が苦しくなり、名前も立場も頭から吹き飛びそうになる。暗い部屋でふたりきりでもつれあい、すばらしくて、壮大で、誰にも止められないあやまちを犯そうとしている。

　アレックスは自分のシャツのボタンをさらにふたつ外す。ヘンリーはそのシャツの裾をつかんで頭から脱がせ、急いで自分のシャツも脱ぐ。アレックスはその手の敏捷《びんしょう》さに気を取られないようにする。うっかりすると、こうなるまでにどれほどクラシックピアノを練習し、すばやくスムーズな動きが要求されるポロを続けてきたかといったことを考えてしまう。

「動かないで」ヘンリーに言われてアレックスが抗議しようとすると、体を引いたヘンリーから指で唇を封じられる。「ぼくは――」ヘンリーは最後まで言わない。ふたたび抱きつかないと決めているようだ。そして心を引きしめたようすでアレックスの頰に指を移動させてから、挑むようにあごをそびやかす。「ベッドに行きたい」

アレックスは押し黙り、質問が浮かんでいるヘンリーの目をのぞき込む。〝きみはいまここで、この行為をやめるつもりか？〟

「わかった。来いよ」アレックスはもう一度、キスをしてから立ちあがる。

「失礼なやつだ」言いつつも、ヘンリーは笑顔で従う。

アレックスはベッドに載って枕のあたりまで移動し、肘で体を支えて、ヘンリーが蹴るように靴を脱ぐのを見る。いつもの佇まいを取り戻したヘンリーは、ランプの明かりを受け、放蕩《ほうとう》の神に姿を変えたようだ。乱れた髪が黄金色に染まって、目をなかば閉じている。アレックスは欲望のままに彼を見つめる。皮膚の下の筋肉は細く長く引きしまって、しなやかだ。肋骨《ろっこつ》の下のウエストのくびれに光があたり、信じられないほどやわらかそうに見える。これから五秒以内にあのくびれに触れられなかったら、死んでしまう。

その瞬間、はっきりと自覚する。自分のことをストレートだと思っていたこと自体が信じられない。

「ぐずだな」その思いを遮断したくて、アレックスは憎まれ口を叩く。

「威張り屋め」ヘンリーは言う。

ヘンリーが上に載ってきて、アレックスの体に温かくて安定した重みがかかる。へンリーは片腿をアレックスの脚のあいだに割り込ませ、両手を枕に置いて体を支える。アレックスは触れあった部分——肩と腰と胸の中央に、電気が走るようなショックを感じる。

　ヘンリーの片手が腹を這いのぼってきて、胸骨で止まる。鎖に通した古い銀の鍵に気づいたのだ。

「これは？」

　アレックスはじれったさに息を切らす。「テキサスにある母さんの家の鍵だ」ふたたびヘンリーの髪に手を伸ばす。「ここへ引っ越してきたときから、首にかけてる。自分がどこから来たか忘れたくないから。それより、ぐずぐずするのはいいかげんにしてくれないか？」

　ヘンリーが黙って目をのぞき込んでくる。アレックスが引き寄せてふたたび食べつくすようなキスを浴びせると、ヘンリーが全体重をかけてくる。ベッドに沈められたアレックスは残るもう一方の手で彼の腰のくびれに触れ、その感触の心地よさに漏れそうになった声を呑む。こんなキスははじめてだ。全身が快感に呑み込まれそうになる。押しつけられたヘンリーの肉体が自分の体の隅々に触れている。アレックスはヘンリーの首筋に口を移動させ、耳の下にキスを何度も浴びせておいて、歯を立てる。

跡が残る危険は承知している。政治家の子弟として秘密の逢瀬《おうせ》でやってはならないことの筆頭だ。王族だって同じだろうが、知ったことか。

ヘンリーの手がズボンのウエストバンドにかかる。ボタン、ファスナー、下着のゴム。すべてが判然としないまま、あれよあれよという間に進んでいく。

目を開けると、ヘンリーが高貴な口にそっと手を近づけて、唾を吐きかけようとしている。

「ああ、いや、もう」アレックスは言い、ヘンリーはいたずらっぽい笑みとともにさらに先へと進む。「ちくしょう」ヘンリーが動き、アレックスの口から言葉がこぼれる。「信じられない――地上最低の男、ひどすぎる、わかってんのか――ああ――耐えられない、むかつく、ああ――」

「少しはおとなしくしたらどうだ？」ヘンリーが言う。「口うるさいやつだ」アレックスがふたたび目を開けると、笑顔のヘンリーが明るい目でうっとりと自分を見ている。彼は目を合わせつつ、リズムを崩さない。アレックスは自分の思い違いに気づく。殺されるのはヘンリーじゃなくて、自分のほうだ。

「待って」アレックスがベッドカバーを握りしめて言うと、ヘンリーはすぐに動きを止める。「いや、いいんだけど、もちろん、それはいい。でも、このまま続けられたらぼくは――」息を継ぐ。「そういうこと――生まれたままのきみを見る前にそんなことになるのは許せない」

ヘンリーは小首をかしげて、気取った笑顔になる。「わかった」

アレックスはふたりの体を入れ替え、ズボンを蹴るようにして脱ぐ。残った下着が腰に引っかかっている。ヘンリーの上に載り、彼の顔に期待と不安の表情が浮かぶのを見る。

「やあ」ヘンリーと目の高さを合わせる。

「おかえり」ヘンリーが返す。

「これからズボンを脱がせるよ」

「ああ、いいよ、やってくれ」

アレックスはそうする。ヘンリーが手をアレックスの腿にかけ、ふたりの大事な部分が重なるように引き寄せる。どちらの口からもうめきが漏れ、アレックスはもうろうとした頭で、五年近く前戯を続けてきたようなものだと思う。もう待てない。

唇をヘンリーの胸に這わせ、こちらの意図に気づいた彼の心臓が高鳴るのを唇に感じる。たぶんこちらの鼓動も乱れている。ふだんの自分が安全と感じる領域をはるかに超えているけれど――これでいい。ヘンリーのみぞおちから腹、そしてウエストバンドの上の肌にキスをする。

「あのさ」アレックスは切りだす。「実際にするのは、はじめてなんだ」

「アレックス」ヘンリーから髪を撫でられる。「無理しなくていい、ぼくは——」

「いや、したい」アレックスはヘンリーのウエストバンドに手をかける。「ただ、うまくできてなかったら、言って」

ヘンリーはふたたび黙り込む。転がり込んできた幸運が信じられないという顔をしている。「わかった、そうする」

アレックスはケンジントン宮殿のキッチンに裸足でいるヘンリーと、早い段階で目にした彼の弱さの一端を思い浮かべつつ、そのヘンリーがいま自分のベッドに裸で横たわり、期待に胸を焦がしていることにぞくぞくする。これまでの経緯を考えたら決して起きるはずのないことが、奇跡のように実現している。

ヘンリーの体の反応の仕方や、両手でアレックスの髪を握りしめているようすを見るかぎり、口を使うはじめての試みはうまくいっているようだ。アレックスはヘンリーの全身に視線を走らせ、ふたりの目が合う。ヘンリーが白い歯で赤い唇を噛み、枕に倒れ込んで、まつげがどうのとつぶやく。そして体を弓なりにそらして、甘くも気取った声で天井に向かって延々と悪態をついている。そんなヘンリーを前にして、恐れにも似た気持ちが湧いてくる。閉ざされた部屋のなかでふたりきり、ヘンリーが体裁をかなぐり捨ててあるべき自分を取り戻しているのを見て、生きていてよかった、とアレックスは思う。

　意外にも、アレックスは気がつくとヘンリーの唇に唇を重ね、がつがつとキスをしている。これまで付き合ってきた女の子のなかには、行為のあとにキスされるのを嫌う子もいれば平気な子もいたが、ヘンリーは熱烈に応じているから、最高に喜んでくれているのだろう。ナルシストだねと言おうかと思ったけれど、やめておく――。

「問題なかった？」アレックスはキスの合間に尋ね、ヘンリーの頭の隣に頭を横たえて、ひと息つく。

「申し分ない」ヘンリーはにっこりして、アレックスを胸に引き寄せる。いっぺんに全身に触れたがっているようだ。背中にヘンリーの大きな手を感じる。彼のシャープなあごは一日分のひげでざらつき、肩は広く、体を入れ替えると、マットレスに組み敷かれたアレックスはおおい隠される。どれもはじめての経験だけれど、これまでと同じように、いや、それよりうんといい。

　ヘンリーが再度、積極的にキスをしてくる。彼にはめずらしく、自信たっぷりだ。やみくもな熱意と、乱雑な集中力。そこにいるのは義務に忠実な王子ではなく、自分のしたいこと、得意なことをするのを楽しんでいる二十代前半の若者だ。そして事実、彼はじょうずだった。アレックスは、この手のもろもろをヘンリーに教え込んだ謎の貴族を突き止めて、感謝の意を示すためにフルーツの籠を送り届けること、と心のノートにメモする。

ヘンリーは楽しげかつむさぼるように、好意を返してくれる。アレックスは自分がなにを口走るかわからず、それを気にすることもできない。「愛《いと》しい人」というのもあった気がするし、「人でなし」というのもあったと思う。ヘンリーは有能なくそったれ、たくさんの隠された才能を持つろくでなしだ、とアレックスは取り乱しながら思う。本物の天才。女王陛下万歳。

アレックスが達すると、ヘンリーは粘つく唇を彼の脚の付け根に押しつけ、肩にかつぎあげていた脚をそっとおろす。髪をつかんでヘンリーを引き寄せたいのに、全身がぐったりとして骨抜き状態だ。至福の境地で身を投げだすアレックスは、地上から浮きあがり、ただ目だけになって放出されたドーパミンの靄のなかを漂っている。

マットレスが動く。ヘンリーが上に移動してきて、アレックスの喉元に顔をすりつける。アレックスは受け入れていることを示すあいまいな声を漏らし、ヘンリーの腰に腕をまわしたけれど、なにかをする力は残っていない。たくさんの言葉を、しかも複数の言語で知っているはずで、それはまちがいないのに、なにひとつ浮かんでこない。

ヘンリーはアレックスの鼻先に鼻先をつける。「これできみを完全に黙らせられることがわかっていたら、とっくにこうしていたんだが」

ヘラクレス並みの力業で、アレックスは言葉を絞りだす。「くそったれ」

ゆっくりと靄が晴れていくなか、めちゃくちゃにキスを受けながら、アレックスはあることに気づいて驚愕《きょうがく》する。自分はある種のルビコン川を渡った。この国の歴史と同じぐらい古いこの屋敷の、この部屋で。ワシントンがデラウェア川を渡ったように。ヘンリーと唇を重ねたまま笑ったとたん、アレックスの脳裏に芝居がかったポーズを取るふたりを描いた油絵が浮かぶ。ワシントンが川を渡るかの有名な絵画のようなものだ。国家の象徴である若者ふたりの、汗にまみれた裸体がランプの明かりに照らされている。ヘンリーにもその絵を見せられたらいいのに。おもしろがってくれるだろうか?

ヘンリーが転がって仰向けになる。アレックスも横向きになってすり寄りたいけれど、そのまま、安全な距離を取ってヘンリーを見つめる。ヘンリーのあごの筋肉がひくついている。

「ねえ」アレックスはヘンリーの腕をつつく。「びくつかないでよ」

「そうじゃない」ヘンリーはきっぱり否定する。

アレックスは彼にすり寄る。「楽しかった。ぼくは楽しんだよ。きみもだよね？」

「それはもう」その声で、アレックスの背筋にじわじわと電気が走る。

「そう、よかった。だったら好きなときにまたできる」アレックスは手の甲でヘンリーの肩を撫でおろす。「わかってる。このことでなにかが変わるわけじゃない。ぼくたちはいままでも……なんと言ったらいいかわからないけど、以前と変わらない。ただ、そこに口での行為が加わっただけだ」

ヘンリーが片手で目をおおう。「そのとおりだ」

「それで」アレックスは物憂い口調になって、雰囲気を変える。「きみに伝えておくべきだと思うんだけど、ぼくはバイセクシュアルだ」

「教えてもらってうれしいよ」ヘンリーはシーツからのぞくアレックスの裸の腰にちらっと目をやり、アレックスと自分の両方に言い聞かせるように言う。「ぼくは正真正銘、根っからのゲイだ」

ヘンリーが小さくほほ笑む。アレックスはめざとく彼の目尻のしわに気づくけれど、あえてそこにはキスをしない。

いまも脳の一部は、あらゆる意味で開放的でむきだしのヘンリーを目のあたりにできることに慣れることができず、そのうれしい驚きに当惑している。ヘンリーが枕越しに顔を近づけてきて唇にそっと唇を押しつけ、アレックスのあごを撫でる。ごく軽い触れ方なので、あまり意識しないようにする。

「ねえ」アレックスは唇をヘンリーの耳に近づける。「好きなだけいてもらいたいんだけど、どちらのためにも朝までに部屋に戻ったほうがいい。うかうかしてると、王室警護官がレジデンスをロックダウンして、ぼくの閨房《ブドワール》からきみを連れだしに来る」

「ああ」ヘンリーはアレックスから離れて仰向けに転がり、怒れる神の処罰を待つように天井を見あげる。「きみの言うとおりだ」

「なんだったら、もう一ラウンド残ってくれてもいいよ」

ヘンリーが咳払いをして、髪を手でくしゃくしゃにする。「いや、たぶん——部屋に戻ったほうがいい」

アレックスが見守るなか、ヘンリーはベッドの足元に転がっていたボクサーパンツを拾ってはき、背筋を伸ばして肩をそびやかす。

こうするのが最善だ、とアレックスは自分に言い聞かせる。これならふたりの関係を人から後ろ指を差されずにすむ。これからも夜どおし体を重ねあわせて眠ったり、互いの腕のなかで目を覚ましたり、いっしょに朝食をとったりすることはない。双方ともに満足のいく性的な経験はできても、それ以外の関係を築きあげることはできない。

いくら望んだところで、絶対に実現できない理由が無数にある。

アレックスはヘンリーをドアまで送る。ヘンリーはすぐには立ち去らず、おずおずと振り返る。

「あの……」ヘンリーが言いかけて、足元を見る。

アレックスは天を仰ぐ。「あのね、きみはさっきぼくのナニをくわえたばかりだけど、おやすみのキスをしたっていいんだよ」

ヘンリーは目をアレックスに戻す。あんぐり口を開けて、信じられないという顔をしているが、そのうちに天を仰いで大笑いしだす。それでこそヘンリーだ。飼い犬の写真をちょくちょく送りつけてくる、おたくっぽくて、神経過敏で、不眠症気味の大金持ち。なにかがしかるべき場所におさまる。ヘンリーはかがんでアレックスに熱いキスを浴びせ、にやにやしながら帰っていく。

「なにしてるの？」

　ふたりが思っていたよりも早くその機会はめぐってくる。晩餐会からわずか二週間後、早くヘンリーを抱きたい、メッセージでは伝えられないことをじかに伝えたいと思いつづけて二週間後のことだ。ジューンはアレックスのスマートフォンをポトマック川に投げ捨てたそうな顔でこちらを見ている。

「今週末に招待客だけが観戦できるポロのチャリティ試合がある」ヘンリーが電話の向こうで言う。「ええと……」言葉を切る。シャーンに旅程を確認しているのだろう。「コネティカット州グリニッジかな？　一席一万ドルだが、きみを招待リストに入れておく」

　アレックスは南通路にコーヒーをぶちまけそうになり、エイミーからにらまれる。

「なんだよ、その非常識な値段。なんのための資金集めなんだ？　赤ちゃん用の片目鏡？」送話口を手でふさぐ。「ザハラはどこ？　今週末のぼくの予定を確認したい」送話口から手を離す。「なんとかなると思うんだけど、じつはいまめちゃ忙しくて」

「ねえ、ザハラから聞いたけど、あんた、ポロの試合でコネティカットに行くために、今週末の資金集めをすっぽかすんですって？」その日の夜、アレックスの部屋の入り口からジューンに言われたときも、アレックスは手にしていたコーヒーをぶちまけそうになった。

「それは」アレックスは応じる。「地政学的、公的な策略関係を保つためだからね」

「でも、あんたたちのことをみんながおもしろおかしく書き立て――」

「知ってるよ、ノーラが知らせてきた」

「――少し時間を置いたほうがいいかも」

「王子からどうしてもって言われたんだよ！」とっさに嘘をつく。ジューンは不信感を漂わせ、アレックスの頭がヘンリーの唇でいっぱいになっていなければ不安になったかもしれない顔をしてから、引き返していく。

そんな経緯で〈J・クルー〉のベストを着たアレックスは、土曜日グリニッジ・ポロ・クラブにいて、なんの因果でこんな場所に迷い込んだのかと悩んでいる。前にいる女性の帽子には、剝製のハト一羽が留まっている。高校のラクロスの試合とはかけ離れたスポーツイベントだ。

馬にまたがるヘンリーに目新しさはない。全身、ポロ競技用の格好をしている。ヘルメット、盛りあがった上腕二頭筋を包むポロシャツの袖、ぴったりとした白いズボン、その裾をしまい込んだ革製のロングブーツ、バックルで留められた革製の膝当て、革製のグローブ。どれも見慣れたものだ。見るのは、はじめてじゃない。どちらかというと退屈な見世物のはずで、アレックスの感情や性欲、あるいは官能に訴えるようなものであるはずがない。

だが、大腿部《だいたいぶ》の力で馬を走らせるヘンリーの臀部《でんぶ》は鞍《くら》の上で大きくはずみ、スティックをふるうと腕の筋肉が伸び縮みする。彼の動きと服装とが、大きくものを言っている。

アレックスは二月のコネティカットで、コートの下の肉体を汗ばませる。

悪いことに、ヘンリーの身のこなしはたくみだ。アレックスはゲームのルールにもいちおうの関心を示しつつ、興奮の源はヘンリーの能力にある。ヘンリーのブーツがあぶみを踏んで体を支えるのを見ると、自分の下にあったむきだしのふくらはぎや、マットレスを踏みしめていた足の記憶がいやでもよみがえる。ヘンリーの脚は同じように開かれているけれど、いまそのあいだにいるのは自分ではない。ヘンリーの眉から首元までしたたる汗。そうだ……ちょうど、あんなふうだった。

彼が欲しい。押し込めてきた欲望が頭をもたげる。いまこの場で彼が欲しい。

恐ろしく長い試合が終わったときには、すぐさまヘンリーに触れないと気絶するか、絶叫するかしそうになっている。この宇宙で大切なのはヘンリーの肉体とヘンリーの紅潮した顔だけで、それ以外の分子は障害物でしかない。

「ひどい顔をしてるわね」エイミーが観客席の最下段まで来て、アレックスの目をのぞき込んで言う。「ちょっと……汗をかいてるじゃない」

「行ってくる」とアレックス。「ヘンリーに挨拶してくるよ」

エイミーの口元に厳しさが漂う。「詳しく話す必要はないから」

「そうだね、わかってる」アレックスは応じる。「もっともらしく否認できるようにだね」

「なにが言いたいのか、よくわからないわ」

「そっか」アレックスは髪をかきあげる。「わかった」

「イギリスの代表団との会談を楽しんできて」エミリーはきっぱり言い、アレックスはスタッフが機密保持契約書に署名を課せられていることに無言で感謝する。

そして厩舎に足を向ける。ヘンリーの肉体にしだいに近づいているという明白な事実を前にして、手足が期待にはずんでいる。長くて細い脚、純白のタイトなズボンについた草の染み。不快きわまりないスポーツなのに、どうしてプレーするヘンリーがこんなに——。

「おっと——」

アレックスは急停止する。あやうく厩舎の角から出てきたヘンリーに衝突しかけたのだ。

「やあ、来たね」

ふたりは立ちつくして、見つめあう。ヘンリーがアレックスの部屋でそこからどう進めていいかわからず天井に向かって悪態をついてから、十五日めのことだ。ヘンリーはグローブからなにから試合に出たときの服装のままで、アレックスは喜べばいいのかポロのスティックで彼の頭を殴ればいいのかわからない。いや、ポロのバット？　いや、クラブか？　いや、ポロの……木槌《きづち》？　なんて滑稽なスポーツだろう。

ヘンリーが沈黙を破る。「きみがいるかと思って来た」

「ああ、ぼくならここだ」

「そうだね」

アレックスは背後をちらりと振り返る。「あそこにカメラがある。三時の方向だ」

「ああ」ヘンリーが背筋を伸ばす。乱れた髪は湿り気を帯び、激しく動きまわったせいでまだ頬に赤みが残っている。この彼の写真が出版社に持ち込まれて媒体に掲載されたら、ギリシア神話のアポロンのように見えるだろう。きっと売れるぞ、とアレックスはほほ笑む。

「あの、例の件だけど」アレックスは言う。「どうにかしたいと言ってただろ？　見せてもらえるかな？」

ヘンリーがアレックスを見る。そして周囲にたむろしている大勢の富豪と社交家をさっと見まわして、ふたたびアレックスに視線を戻す。「いまかい？」

「ここまで車で四時間半かかって、一時間しないうちにDCに戻らなきゃならないんだ。いま見せてもらうしかないと思うんだけど」

ヘンリーが一瞬たじろぐ。ふたたび目がカメラをとらえ、そこでスイッチが入って、晴れやかな営業スマイルを浮かべる。さらに大笑いして、アレックスの肩に腕をまわす。「そうか、わかったよ。こっちだ」

ヘンリーはブーツのかかとで回転して厩舎の裏へと導き、出入り口からなかに入る。アレックスもついていく。そこは厩舎に付随する窓のない小部屋だ。革用のつや出し剤のにおいがして、床から天井まで、塗料が塗られた板張りになっている。壁には重い鞍や、乗馬鞭《むち》、馬勒《ばろく》、手綱などがならんでいる。

「金持ち白人の性の館にはなにがあるんだい？」アレックスが思っていることを口に出すと、ヘンリーがその背後にまわり、壁のフックにかけてあった太い革のストラップをひと振りする。ああ、気を失いそうだ、とアレックスは思う。

「なんだって？」ヘンリーはぶっきらぼうに言い、両開きのドアを閉めて、振り返る。

甘い表情で、信じられないほどの輝きを放っている。「ここは馬具置き場《タックルーム》というんだ」アレックスはコートを取り落として、すばやく三歩でヘンリーに近づく。「そんなの、どうでもいいよ」ヘンリーのやばすぎるポロシャツのやばすぎる襟をつかんで、やばすぎる唇にキスする。

　情熱的な揺るぎないキスで、アレックスは手の置きどころに迷う。触れたいところがありすぎる。

「うわっ」アレックスは大げさに声をあげると、肩を押してヘンリーを遠ざけ、いまいましそうに上下に視線を走らせる。「なんだよ、その滑稽な格好？」

「それなら――」ヘンリーは下がって近くのベンチに片方の足を載せ、膝当てを外しにかかる。

「なにしてる？　だめだって、そのままでいてくれなきゃ」アレックスが言うと、ヘンリーが手を止める。まるで彫像のように脚を開いた状態で片方の膝を立て、ズボンの生地が引きつれている。「ああ、もう、それじゃ顔が見えない」アレックスが言うと、ヘンリーが顔をしかめる。「だから、ぼくが言いたかったのは――きみに夢中だってことだ」ヘンリーがそろそろと足を床に戻す。「いいから、こっちに来て。早く」アレックスは死にたくなる。

「よくわからないんだが」

「ぼくもだ」前世でなにかをしでかしたせいなんだろう。そのせいで、こんなに苦しめられている。「理由はわからないけど、この全体が――」ヘンリーの全身を手ぶりで示す。「――なぜかぼくに訴えてきて、だからどうしようもないんだ」これ以上、形式にこだわっていられない。アレックスは膝をつくと、ヘンリーのベルトを外してズボンのボタンに手をかける。

「それは大変だ」ヘンリーが言う。

「そうとも」アレックスはヘンリーのボクサーパンツを引きおろす。

「それは大変だ」こんどのは感情がこもっている。

その行為のなにもかもがいまだアレックスには新鮮だけれど、この一時間、頭のなかにあった具体的な想像をたどるのはむずかしくない。見あげると、ヘンリーは顔を紅潮させ、口を半開きにして、陶然となっている。そんな彼を見ていたら、それだけで胸が締めつけられる。アスリートの集中した目つきと貴族的な身のこなしのすべてが、目の前にある。ヘンリーは靄のかかった目でアレックスを見つめ、アレックスも真っ向からその目を見返す。ふたりの全神経が一点に向かっている。

性急でいかがわしい行為。ヘンリーがつぎつぎに吐く悪態はどうしようもなくセクシーだけれど、今回はそこにときおり賞賛が混じり、なぜかそれがさらなる官能の刺激につながる。バッキンガム特有の円唇母音で奏でられる喜びの音や、喜びを伝えるように頬を撫でる皮革や、口角に触れるグローブに包まれた親指の感触は、アレックスの想像を超えている。

ヘンリーは果てるとすぐに、こんどはアレックスをベンチに座らせ、膝当てを活用してひざまずく。

「ぼくはまだきみに夢中だ」アレックスは酔っ払いのように、ヘンリーの肩に額をもたせかける。

「そうだろうとも」ヘンリーがどっちつかずの言い方をする。

アレックスはヘンリーを引き寄せ、深くじらすようなキスで彼の態度を責める。さらにもう一度、時間を気にしないと決めてたっぷりとキスを続ける。

ふたりは静かに部屋を出る。ＳＵＶが待つゲートまで来ると、ヘンリーがアレックスの肩に触れる。コートのウールの生地を介して、硬い筋肉に彼の手のひらが触れる。

「近々、ケンジントン近辺に来る予定はないんだろうね？」

「あの肥溜《だ》めに？」アレックスはウインクを返す。「あっても行かないよ」

「そうか」ヘンリーはにやりとする。「王族に対する不敬だぞ。上位者に対する不服従だ。もっと些末《さまつ》なことでも、ぼくは人を地下牢にぶち込んできた」

アレックスはくるっと振り返り、両手を上げ、後ろ歩きで車に向かう。「楽しそうな脅しで、ぼくを誘わないでくれる？」

パリ？

A <agcd@eclare45.com>　to ヘンリー

二〇二〇年三月三日、七：三一PM

なんちゃら公おまぬけヘンリー王子

正規の肩書きをぼくに教えるなよ。

こんどの週末、熱帯雨林保護の資金集めがパリであるんだけど、来られる？

アレックス

貴国の前植民地大統領の息子

Re: パリ?
ヘンリー <hwales@kensingtonemail.com> to A
二〇二〇年三月四日、二:一四AM

イギリスのまがい物国家の大統領の息子、アレックス

最初に申し渡しておくが、ぼくの肩書きをないがしろにするのは、きわめて不適切な行為であることを知るべきだ。ぼくには、かくのごとき不敬罪《レズマジェステ》を犯したきみを、王室の長椅子の詰め物にすることもできる。

ただ、きみにとってさいわいなことに、きみはぼくの住まいのリビングルームの内装にはまったく合わない。

そして、質問に対する答えだが、パリの資金集めには出席しない。すでに予定が入っているので、きみにはクロークで別の人物を見繕ってもらうとしよう。

では。

プリンス・オブ・ウェールズ、ヘンリー王子

Re: パリ?

A <agcd@eclare45.com> to ヘンリー

二〇二〇年三月四日、二：二七AM

CLAREMONT FOR AMERICA 2020

どこでもいいけど公とんでもなくひどい厄介者のヘンリー王子

ケツの穴に太い王家の杖を差し込みながら座ってメールを打てるなんて、びっくりだ。きみが〝見繕われる〟ことをどんなに喜んでいたか、思いだしてきた。

その場にいる人たちはどうせみな退屈だ。そんなところでなにをするつもり？

アレックス

資金集めの嫌いな大統領の息子

Re: パリ?

ヘンリー <hwales@kensingtonemail.com>　to A

二〇二〇年三月四日、二：三二AM

義務を怠る大統領の息子、アレックス

王家の杖は正式名称〝王笏《おうしゃく》〟という。

ぼくはドイツでのサミットに送られ、風力に詳しいかのようにふるまうことを期待されている。あらかじめ革製半ズボン《レーダーホーゼン》をはいた老人たちから講義を受け、風車の脇でポーズを取って写真におさまらなければならない。わが君主国は持続可能なエネルギーに興味をもつことにしたらしい。少なくとも、そう見せたいのだ。楽勝だよ。

きみは資金集めのパーティの参加者のことを退屈だと言ったんだな？　ぼくのことかと思った。

では。

熱弁をふるう王子

CLAREMONT FOR AMERICA

Re: パリ

A <agcd@eclare45.com> to ヘンリー

二〇二〇年三月四日、二:三四AM

強烈に不快なお世継ぎ

きみが思ったほど退屈でないのを知ったのは、最近のことだ。それもたまにだけどね。たとえば舌でしかるべきことをしているときとか。

アレックス

深夜にいかがわしいメッセージを送る大統領の息子

Re: パリ?
ヘンリー <hwales@kensingtonemail.com> to A
二〇二〇年三月四日、二：三七AM

早朝の会議に出ているぼくのところへタイミングの悪いメールをよこす大統領の息子、アレックス

きみはぼくになれなれしくしたいのか？

では。

王室のハンサムな異端者

Re: パリ?
A <agcd@eclare45.com> to ヘンリー
二〇二〇年三月四日、二：四一AM

むらむら殿下

ぼくがなれなれしくしたがっていたら、察してくれないと。

たとえばこの一週間はきみの唇がぼくに触れることを考えていて、それを現実のものにするため、きみにパリで会えたらと思った。

それと、フランスのチーズの選び方を教えてほしい。よくわからない分野なんだ。

アレックス
チーズの買い物と口での行為が目当ての大統領の息子

Re: パリ?
ヘンリー <hwales@kensingtonemail.com> to A
二〇二〇年三月四日、二:四三AM

前述の早朝会議でぼくに紅茶をこぼさせかけた大統領の息子、アレックス

きみは最低だ。ドイツを出られるよう善処する。

キス

7

ヘンリーは実際にドイツを抜けだし、テルトル広場でクレープを楽しむ観光客の群れの近くでアレックスと落ちあう。きちんとした青のブレザーを着込み、いたずらっぽい笑みを浮かべて。ふたりはワインのボトルを二本空けたあと、千鳥足でアレックスが泊まっているホテルに戻り、ヘンリーは白い大理石の床に膝をついて、底なしに青い大きな瞳でアレックスを見あげる。そのあとのことは、言葉では言い表しようがない。

アレックスは酔っ払っていたうえに、ヘンリーの唇があまりにやわらかく、しかもすべてがフランス流だったので、ヘンリーをホテルに帰すのを忘れ、夜をともにしないという決意を忘れ、だからこうしてふたりでいる。

ヘンリーは傍らで横向きに丸くなって眠っている。背骨のひとつひとつが小さく突きだして尖っているけれど、触れるとやわらかい。彼を起こさないように注意する。

やっと眠れているのだから。朝になると、ルームサービス係によってぱりぱりのバゲットと大きなアプリコットの入ったべたつくタルトが運ばれてくる。〈ル・モンド〉もあるので、ヘンリーに英語に訳して読みあげてくれるよう頼む。

アレックスはこういうこともしないと誓ったことをうっすら思いだしたけれど、その決意もいまはあいまいになっている。

ヘンリーが帰ったあと、ベッドの脇でメモを見つける。〈フロマジュリー・ニコル・バルテレミー〉と書いてある。王子が逢瀬の相手にパリのチーズ専門店への道順を残していったのだ。ヘンリーのブランド選びの目の確かさには、アレックスも一目置いている。

その後、ザハラが〈バズフィード〉に掲載されたヘンリーの〝過去最高のブロマンス〟という記事をスクリーンショットして送ってくる。何枚かの写真の組み合わせだ。晩餐会のときのもの、グリニッジの厩舎の外で満面の笑みのふたりを写したもの。カフェで椅子の背にもたれるアレックスとヘンリーが小テーブルに置いた赤ワインのボトルを飲み終えたときの写真もある。これはフランス人の女の子がツイッターに投稿したのだとか。

その下に不満げなザハラの添え書きがある。〝やってくれたわね、くそったれ〟

これからもヘンリーとはこんな感じで付き合っていくことになるのだろう、とアレックスは思う。世界はふたりを親友と見なし、ふたりはその期待に沿った演技をする。

　客観的に見て、ペースを落としたほうがいいのはわかっている。たんなる欲望の問題なのだから。けれど、禁欲主義者で完璧なプリンス・チャーミングは、アレックスが達すると笑うし、夜のとんでもない時間に、〝きみは悪意に満ちた純然たる悪魔だ。きみが話すことを忘れるまでキスしてやる〟とメッセージを送ってくる。アレックスは彼のそんなところに痺《しび》れる。

　あれこれ考えてもしかたがない。通常なら、ふたりが顔を合わせる機会は年に二、三度がせいぜいのはず。肉体の欲求に見あうだけ会うには、銘々のスタッフに無理を言ってスケジュールを調整してもらわなければならない。少なくともふたりには、国際広報上の策略という名目がある。

　そのうち、ふたりの誕生日が三週間と離れていないことがわかる。つまり、三月の大半はヘンリーが二十三歳で、アレックスが二十一歳ということだ。（「彼は魚座だと思った」とジューンは言った）。アレックスはたまたま三月末にニューヨーク大学で有権者登録促進運動を予定しており、そのことをヘンリーにメッセージで知らせると、わずか十五分後には、予定を変更してその週末に非営利団体の活動でニューヨークを訪問する、と返信がある。誕生日の鞭打ちとかなんとかを楽しむために、ニューヨークに来るということだ。

メトロポリタン美術館の前で落ちあうと、すぐに複数のフォトグラファーが目についたので、ふたりは握手を交わし、アレックスはカメラ向けの笑みを浮かべて言う。

「いますぐふたりになりたい」

アメリカ国内ではふたりともより慎重に行動し、ホテルの部屋にも別々に入る。ヘンリーは長身の王室警護官ふたりにはさまれて裏口から、遅れてアレックスとキャッシュが入る。キャッシュは事情を察しつつも口を出さず、にやにやしている。

ふたりはシャンパンと、キスと、ヘンリーがどこかから調達してきたカップケーキのバタークリームまみれになる。バタークリームはアレックスの口のまわりと、ヘンリーの胸と、アレックスの喉と、ヘンリーのお尻のあいだにつく。ヘンリーはアレックスの手首をマットレスに押さえつけて餌食にし、酒に酔っているアレックスは夢心地だ。二十二歳ちょうど、その一瞬一瞬を堪能し、歴史に残る快楽主義者になった気分に浸る。誕生日によその国の王子から愛撫してもらうことで得られる境地だ。

それがこの数週間で会った最後の機会だった。アレックスはさんざんねだったり、なかば懇願したりして、ヘンリーにスナップチャットをダウンロードさせる。ヘンリーから送られてくるのは、服を着込んだおとなしい写真ばかりだが、アレックスは講義中にその写真を見て汗まみれになる。鏡に映った姿、泥染みがついた白いポロ用のズボン、きりっとしたスーツ姿。土曜日、スマートフォンでケーブルチャンネルのC-SPANを観ていると、ヨットに乗るヘンリーが割り込んでくる。裸の肩に明るい日差しを浴びながら笑顔でカメラをのぞき込む彼の姿に心が大きく乱れて、たっぷり一分、両手で頭を抱えてしまう。

（でも、これはこれで、悪いことじゃない。厄介なことにはなってないんだから）

こうしたやりとりの合間に、ふたりはアレックスの選挙活動や、ヘンリーの非営利プロジェクトや、双方が置かれた状況を話題にする。いまやペズはジューンにぞっこんだとかで、しょっちゅうヘンリーのところに来ては、ジューン本人かアレックスにこんな質問をしてほしいと懇願しているという。ジューンは花が好きか（好き）、変わった鳥が好きか（見るのは好きだけど、飼うのはいや）、彼女の顔の形をしたジュエリーはどうだろう？（いらない）

ヘンリーはだいたいはアレックスからの連絡を喜び、すぐに返信してくる。鋭いユーモアのセンスを発揮し、やりとりを通じて、アレックスの頭のなかにあることを知りたがる。だが日によっては、暗い気分のままに彼らしくない辛辣な皮肉を飛ばし、堅苦しくよそよそしいこともある。そうなると何時間か、あるいは何日か、殻にこもった状態が続く。アレックスもやがてそれが悲しみの時間、ちょっとした気分の落ち込み、あるいは〝過剰さ〟の反動なのだと理解する。ヘンリー本人もこうした日を嫌っているので、なんとかしてあげたいという思いはありつつも、じつはあまり気にしていない。ヘンリーの陰鬱さにも、そこから抜けだすときの感じにも、そのあいだの濃淡にも、同じように惹かれているからだ。

　ここぞという場所を刺激すれば、穏やかな外向きのヘンリーがいともたやすく崩れることも、アレックスが学んだことだ。そしてアレックスは、ヘンリーが興奮するとわかっている話題を好んで持ちだす。

　たとえば木曜日の夜、「いいかい」とヘンリーは、電話で熱弁をふるう。「ジョアン・K・ローリングがなんと言ったか知らないが、誰がなんと言おうと、『ハリー・ポッター』のリーマス・ジョン・ルーピンはゲイだし、それに反する意見は受けつけない」

「わかった」とアレックス。「念のために言っておくけど、ぼくはきみの言うとおりだと思ってる。ただ、もう少し詳しく語ってもらわないと」

ヘンリーは息が切れそうなほど長い演説に入り、アレックスはおとなしく耳を傾ける。多少臆しつつもおもしろがって聞くうちに、ヘンリーが核心に踏み込む。「この血生臭い国の王子としていま考えたことだけど、イギリスのポジティブな文化的な成果が悪いってわけじゃない。ただし、社会の片隅に追いやられた人たちを有名なバスに向かって突き飛ばさなければ、だ。人はフレディ・マーキュリーやエルトン・ジョンのいかがわしい部分を取りのぞこうとする。ボウイだって、七〇年代にはオークリー・ストリートでミック・ジャガーとセックスしていたのに、それを事実でないことにする」

もうひとつヘンリーとの会話からわかったこと――ヘンリーから読んだもの、見たもの、聴いたものに対する分析を聞かされているうちに、彼がイギリス文学の学位をもち、母国におけるゲイの歴史に対して強い関心をいだいていることが、つくづくわかってくる。アレックスもアメリカにおけるゲイの歴史は知っている。両親が政治家であることも理由の一部だ。ただ、自分がそうだと気づくまでは、ヘンリーのようにわがこととして向きあってきていない。

やがてストーンウォールの反乱（一九六九年、ニューヨークのゲイバー〈ストーンウォール・イン〉が警察から捜査を受けたとき、居合わせたＬＧＢＴＱ＋当事者がはじめて警官と対峙して、暴動となった事件）のことをはじめて読んだときになぜ胸が締めつけられ、二〇一五年の合衆国最高裁判所の判決（同性婚を禁じる州法に対して違憲判決を出した）になぜ胸が躍ったのかが、わかってくる。そして空いた時間があると、貪欲に空白を埋めにかかる。詩人のウォルト・ホイットマン、一九六一年にイリノイ州でソドミー法が撤回されたこと、ホワイト・ナイトの暴動、『パリ、夜は眠らない。』など。選挙事務局のデスクの上に、八〇年代に集会に参加した男性の写真を飾る。男性のジャケットの背中には、〝もしわたしがエイズで死んだら、埋葬は遠慮する。死体を食品医薬品局の階段に捨ててくれ〟と書いてある。

ある日、ランチに誘いに来たジューンがその写真に目を留め、アレックスに奇妙な視線を向ける。ヘンリーが彼の部屋に忍び込んだ翌日の朝、コーヒーのカップ越しにアレックスを見たときと同じ目つきだ。けれど、ジューンはなにも言わず、すしを食べながら最新のプロジェクトについて語りつづける。なんでも、過去の日記のすべてを回想録としてまとめるのだとか。アレックスは自分の件もそこに書かれるのかな、と思う。近いうちに打ち明ければ、そうなるかもしれない。ジューンにはすぐにでも話さなければならない。

期せずして、ヘンリーとの交際が自分について知らなかった大きな部分を理解する手がかりになる。ヘンリーの四角い指の関節と優美な指を一心に思い浮かべていると、どうしてそれまで気づかなかったのかわからなくなる。そのつぎにヘンリーとベルリンのガラで再会したときは、重力のように彼に引っ張られる感覚があった。リムジンの後部座席でその感覚を追求し、ホテルではヘンリーの手首を彼のネクタイでベッドの支柱に縛りつけて、アレックスはさらに自分に対する理解を深める。

その二日後、毎週恒例のブリーフィングを受けに行くと、ザハラにあごをつかまれる。彼女はアレックスに横を向かせて、首筋をしげしげと見る。「これ、キスマーク？」

アレックスは硬直する。「え……いいや」

「わたしの目が節穴に見える、アレックス？」ザハラは言う。「誰につけられたの？その人に機密保持契約書に署名させてないのはなぜ？」

「なに言ってんだか」アレックスは言う。ヘンリーにかぎって、こまかな情報を漏らされる心配はまるでない。「もし機密保持契約書が必要になったら、ちゃんと言うから。うるさいなあ」

ザハラはうるさがられるのを嫌う。

「わたしを見て。あなたのことは、パンツにうんちの跡をつけてたころから知ってるのよ。わたしに嘘が通ると思う？」尖らせたつやのある爪でアレックスの胸を突く。

「それでもこういうことになってるとしたら、選挙活動期間中に会うことが許されているる女性のリストに入っていない子だといいんだけど。あなたがなくしてるといけないから、すぐにリストを再送するわ」

「わかった、了解」

「念のために言っておくけど」ザハラは続ける。「あなたの身勝手な行動であなたのお母さんに迷惑がかかるぐらいなら、わたしは自分の乳房を切り落とす。彼女はわが国初の女性大統領よ。再選されなかったら、かのくそったれブッシュ以来ってことになる。わかったわね？　必要とあらば、これから一年あなたを幽閉するから、そのときは最終試験を発煙信号で受けて。それでおとなしくできるんなら、あなたのあそこを腿にステープルで留めつけてやる」

　ザハラはそこまで言うと、なにごともなかったかのように手帳に目を戻す。アレックスを脅したのが嘘のようだ。ザハラの背後のテーブルにはジューンがいて、アレックスの嘘を見抜いているのがありありと伝わってくる。

「ラストネームはあるの？」

　ヘンリーに電話をかけるときは、とくに挨拶しない。

「なんだって？」ヘンリーは例によって、おもしろがっているらしく、間延びした口調で答える。

「ラストネームだよ」アレックスはくり返す。午後遅く、レジデンスの外は風が吹き荒れている。サンルームの真ん中で寝転び、仕事の原稿に手を入れている。「候補はふたつ。父親の姓を使ってヘンリー・フォックス。ずいぶんまぬけな感じだけど。それとも王族であることを優先して、母方の姓を使うの？」

　電話から衣ずれのような音がする。ヘンリーはベッドにいるのか？　この二週間会えていないので、たちまち頭のなかが彼の姿であふれ返る。

「正式な姓はマウントクリステン＝ウィンザー」ヘンリーは言う。「きみの姓と同じで、ハイフンつなぎだ。だからぼくのフルネームは……ヘンリー・ジョージ・エドワード・ジェームズ・フォックス＝マウントクリステン＝ウィンザーだよ」

　アレックスは口をあんぐり開けて、天を仰ぐ。「うわ……なんだそれ」

「まったくだ」

「アレグザンダー・ガブリエル・クレアモント＝ディアスでもかなりのもんだと思ってたのに」

「誰かにちなんでつけられたのかい？」

「アレグザンダーは建国の父、ガブリエルは外交の守護聖人」

「ちょっと鼻につくな」

「まあね、ぼくのせいじゃないけど。姉は、場所とジューン・カーター・キャッシュという歌手にちなんでカタリナ・ジューンという名前をつけられ、自己達成的な予言はぼくがすべて負わされた」

「ぼくはゲイの王ふたりに名前をもらった」ヘンリーが言う。「やはり予言的だ」

アレックスはげらげら笑いながら、足で選挙戦のファイルを押しやる。今夜はもう読まない。「ラストネーム三つも悲惨だしね」

ヘンリーはため息をつく。「学校では、ぼくたちきょうだいはウェールズで通っていた。いまのフィリップはイギリス空軍のウィンザー大尉だが」

「じゃあ、ヘンリー・ウェールズだね？　それならそんなに悪くない」

「ああ、そうひどくない。ところで、こんな話がしたくて電話をかけてきたのか？」

「かもね」アレックスは言う。「歴史に対する好奇心ってやつ」本当はヘンリーの声がもつ中毒性のせいというのが実態に近い。この一週間ずっと彼の声に飢えていたと伝えるのは、さすがに少し気が引ける。「歴史に対する好奇心といえば、ファン向けの事実をひとつ。ぼくがいまいるのは、ロナルド・レーガンが撃たれたと知らされたとき、ナンシー・レーガンがいた部屋なんだよ」

「へえ」

「かのいんちきディックが家族に辞任すると告げたのもここだ」

「すまない――いんちきディックというのは？」

「ニクソンさ！　あのさ、きみはこの国の気むずかしい祖先が闘って獲得してきたものをすべてないことにしながら、共和国の人気者であるこのぼくの花をもぎ取ってる。せめてアメリカ史の基本ぐらいは勉強してもらわないと」

「花をもぎ取るという表現はどうかと思うが」ヘンリーは淡々と応じる。「その言葉を使えるのは、バージンの花嫁に対してだ。今回は明らかにそれにはあたらない」

「はいはい。それと、あれやこれやの技術は全部本から仕入れたんだろうね」

「まあ、大学には行ったが、必ずしも本で読む必要がないこともある」

アレックスはあいまいに相づちを打ち、ふざけた雰囲気が消えるに任せる。第二十七代大統領ウィリアム・タフトの一家が寝室にしていたときは、熱帯夜用の薄く透き通ったカーテンだけがかかっていた窓。アイゼンハウアーがトランプをした一隅には、コレクター好みのレオの古いコミックが積まれている。表層の下に横たわるもの。アレックスはむかしからそういうものを嗅ぎだすのを得意としている。

「へえ」アレックスは言う。「なんかようすがおかしいけど、元気なの？」

ヘンリーが息を呑み、咳払いをする。「元気だ」

アレックスはふたりのあいだで沈黙の糸がぎりぎりまで引き延ばされるのを待って、言葉を継ぐ。「わかってるよね、ぼくたちの付き合いがどういうものだか……ぼくになら話していい。ぼくはしょっちゅうきみに話してる。政治のこととか、大学のこととか、とんちんかんな家族のこととか。そりゃ、ぼくは正常なコミュニケーションの模範ってタイプじゃないけど、それでもだよ」

またしても沈黙が落ちる。

「ぼくは……歴史的に見て、そういうことを話すのを得意としていない」ヘンリーが言う。

「それを言ったら、ぼくは歴史的に見て、口での行為を得意としてなかった。でも、お互いに学んで成長してる」

「得意としてなかった？」

「なんだよ」アレックスは食ってかかる。「いまもうまくないって言いたいのか？」

「いや、めっそうもない」ヘンリーは笑いを含んだ声で言う。「最初の一回だけだ……それも、情熱的ではあった」

「文句をつけられた覚えはないけど」

「ああ、そうだね。ぼくは長いこと、ただそうされるのを夢想していた」

「ほら、そういうこと」アレックスは指摘する。「きみはいまそのことを話してくれた。ほかのことだって話せるさ」

「同じようには話せない」

アレックスは腹這いになって考えてから、「ベイビー」と、もったいつけて言う。

〝ベイビー〟がふたりの合い言葉になりつつある。たまたま口にしたことがあって、何度か言ううちに、ヘンリーがその言葉にうっとりするのがわかったからだ。これまでは気づかないふりをしてきたけれど、必要とあらば、汚い手を使うのもいとわない。

電話の向こうからゆっくりと息が漏れる音がする。窓の隙間から外気が入り込んでくるような音だ。

「それは……いま話すのがいいかどうか」ヘンリーは言う。「きみはどう言ったかな？　とんちんかんな家族のこと？」

アレックスは唇をすぼめ、頬の内側を嚙む。いよいよ来たぞ。

アレックスはヘンリーが家族のことを話しだすのを心待ちにしてきた。これまでもフィリップが電子時計並みに杓子《しゃくし》定規なことや、祖母から非難されたことは聞いている。アレックスがジューンのことを話す程度にはビーの話もしてくれたが、まだなにか胸にしまい込んでいることがあるのはわかっている。そのことに気づいたのがいつだったのか、わからない。ヘンリーの気分の変調にいつから気を配るようになったのかがわからないのと同じだ。

「いや」アレックスは言う。「いいんだ」

「イギリスのタブロイド紙は読んでないだろう？」

「できれば読みたくない代物だね」

ヘンリーは苦々しげに笑う。「〈デイリー・メール〉は王室の洗濯物を世間に公表するのが好きらしい。ぼくの姉は何年か前に、彼らからあだ名をつけられた。〝パウダー王女〟と」

思いあたる節がある。「その理由は……」

「そう、コカインだよ、アレックス」

「そっか、聞いたことがあると思った」

ヘンリーがため息をつく。「そして、何者かが警備の目をすり抜けて姉の車の側面に〝パウダー王女〟とペンキで落書きした」

「ひどいな。彼女、傷ついただろ？」

「ビーがかい？」ヘンリーが笑う。多少は本物らしい笑い声だ。「いや、姉はそういうことは気にしないから、動じなかった。セキュリティをすり抜けた人物がいることには恐怖を感じていたけれど。祖母は王室警護官をチームごと解雇した。でも……どうかな」

ヘンリーが濁した語尾から、アレックスは想像をめぐらす。

「でも、きみは動じた。なぜなら、きみのほうが年下だけれど、お姉さんを守りたかったから」

「そう……そうだね」

「ぼくにも心あたりがある。去年の夏、ロックフェスのロラパルーザでジューンのお尻をつかもうとした男を殴りそうになった」

「だけど、殴らなかったんだね？」

「その前にジューンが男にミルクシェークをぶっかけたんだ」アレックスは説明し、ヘンリーには見えないとわかっているけれど、小さく肩をすくめる。「しかも、そのあとエイミーがテーザー銃で男を撃った。いけ好かない汗かき男から立ちのぼる焼け焦げたストロベリー・ミルクシェークのにおいは、なかなかのもんだったよ」

これにはヘンリーも大笑いする。「どちらの姉にも、ぼくたちは不要ってことか？」

「ああ」とアレックス。「きみが動じたのは、その噂が真実じゃなかったからだね」

「いや……実際は真実だった」

アレックスは内心、意外に思う。

「そっか」それ以外に言葉がない。頭のなかにしまってある政治的な決まり文句にあたってみたが、どれもそっけなくて不愉快だ。

ヘンリーはわずかな恐怖を滲ませつつ、先に進む。「ビーの願いはひとつ、音楽を演奏することだった。子どものころ、両親からさんざんジョニ・ミッチェルを聞かされたからじゃないかと思う。それで、ギターを習いたがったんだけれど、祖母はバイオリンにしろと言った。そのほうが格式が高いからだ。結局、ビーは両方を習って、でも大学にはクラシックのバイオリンで進学した。そして大学の最終学年のときに父が死んだ。それはもう……突然に。父はあっけなく逝ってしまった」

アレックスは目をつぶる。「悲惨だ」

「ああ」ヘンリーの声がかすれる。「家族全員が少し調子を崩していた。フィリップには長男として家族を率いる責任がかかったし、ぼくは役立たず、母は部屋にこもりきりになった。ビーは迷走した。ビーの卒業と同時にぼくは大学に入学し、フィリップはアフガニスタンに送られて、ビーは毎晩、ロンドンの最先端を行く人たちと遊びまわった。秘密のショーでギターを奏で、コカインに溺れたんだ。マスコミは大喜びだった」

「ひどいな」アレックスは吐き捨てるように言う。「大変だったね」

「いや、そうでもない」ヘンリーは言う。傲然とあごを上げたように、声に張りが戻る。姿を見られればいいのに、とアレックスは思う。「いずれにせよ、憶測と、パパラッチが撮った写真と、あの強烈なあだ名のせいでにっちもさっちもいかなくなったんで、フィリップが一週間の休暇を取って帰国した。そして祖母といっしょに文字どおりビーを車に押し込んでリハビリ施設に運び、マスコミには保養施設に滞在すると説明した」

「ごめん——ちょっといい？」アレックスは思わず口をはさむ。「あの、お母さんはどうしてたの？」

「父の死後は外界に興味をもたなくなってる」ヘンリーは吐く息でいっきに言い、いったん口を閉じる。「いや、その言い方は母に対してフェアじゃないな。母は……悲しみに沈んで、身動きできなくなっていた。いまもだよ。かつての母はかんしゃくもちだった。たぶん。いまだって話は聞いてくれるし、なんとかしたいと思っているし、ぼくたちの幸せを願ってくれている。でも、母のなかに人の幸せに関与できる部分があるかどうか、ぼくにはわからない」

「そうか……言葉がないよ」

沈黙が重たい。

「いずれにせよ、ビーは強制的に施設に入れられた」ヘンリーが続ける。「そして、肋骨が浮きでるほど痩《や》せて、ぼくとも何カ月もろくに口をきいていなかったのに、自分に問題があるとは思っていなかった。子どものころは大の仲良しだったんだ。姉は入った六時間後に施設を出た。その夜、ビーがクラブから電話をかけてきて、ぼくは頭がどうにかなりかけたのを覚えている。ぼくは当時、ええと、十八かな？　クラブまで車を走らせたら、ビーは裏口の階段に座って、すっかりできあがっていた。ぼくは隣に腰かけて、泣きながら訴えた。勝手に死ぬなんて許さない、父さんは死んだし、ぼくはゲイで、でもどうしたらいいかわからない、だから姉さんに会いにここまで来たんだよ、と。

ビーはつぎの日に施設に戻り、それきりぴたりとドラッグをやめた。あの夜のことはふたりとも誰にも話していない。いままで、ってことになるね。でもなんでこんなことを話しているんだろう。ずっと言わずに来たことなのに。ただ、ペズはそのころからよくいっしょにいたから、知っているのかもしれない——わからないけれど」咳払い。「いずれにせよ、ぼくは自分の人生でこれだけ多くの言葉を連ねることがあるとは思っていなかった。だから、早くこのみじめな境遇から救いだしてくれないか」

「いや、そんな」息せき切って答えたせいで、舌がもつれる。「話してくれてうれしいよ。しゃべってみて、気分はどう？」

　ヘンリーは黙り込み、アレックスは彼の顔によぎっているであろう表情を無性に見たくなる。指先でその顔に触れたい。電話の向こうから、唾を呑む音がして、ヘンリーが言う。「いいみたいだ。ありがとう。聞いてくれて」

「いや、当然だよ」アレックスは言う。「いつもぼくのことばっかりじゃね。たとえそれが退屈で、うんざりするような話でもさ」

　ヘンリーがうめく。アレックスは笑みを噛み殺して、ヘンリーが「人でなしめ」と言うのを聞く。

「はいはい」アレックスは応じると、この機会をとらえて、ずっと尋ねたかった質問を切りだす。「あのさ、ほかに知ってる人はいるの？　きみのこと？」

「家族で伝えたのはビーだけだが、ほかのみんなもうすうす感づいている。ぼくはむかしから少し人と違っていて、それを隠し通すことができなかった。たぶん父はそれと察しながら、気にしていなかったんだと思う。けれど、祖母はぼくがAレベル試験を終えた日にぼくを呼びつけて、はっきり言い渡した。もし王室に影響を与えかねない逸脱した欲望をいだくようなら、人に知られないようにしろ、必要とあらば適切なルートがあるから、それを用いて体面を保て、と」

アレックスの胃がひっくり返る。悲しみを背負った十代後半のヘンリーが、そのことについては世間体を繕って絶対に口外するな、と言われたのだ。

「ひどいな。本気でそんなことを？」

「君主制の驚異だ」ヘンリーが超然と言い放つ。

「そうか」アレックスは片手で顔をこする。「ぼくも母のためにいくらか外面を保つ必要はあるけど、人から面と向かって本当の自分を偽れと言われたことはない」

「たぶん祖母は偽りだと思っていない。遂行すべき義務だと考えているんだと思う」

「たわごとにしか聞こえないけどね」

ヘンリーがため息をつく。「ほかにどうすればいいんだい？」

長い沈黙がある。アレックスはヘンリーの立場になって考えてみる。ヘンリーと、いまに至るまでの数年間を。そして唇を嚙む。

「あのさ」アレックスは言う。「お父さんのことを聞かせてくれないか」

また沈黙。

「どういうこと？」

「いや、もしかまわなければ——きみが話したければだけど。ぼくが知ってるのはジェームズ・ボンドを演じてたことぐらいだからさ。どんな人だったのかと思って」

アレックスはサンルームのなかを歩きながら、ヘンリーの話を聞く。ヘンリーと同じブロンドの、鼻筋の通った男性の話を。アレックスはこれまで、話したり動いたり笑ったりするヘンリーのなかに、その男性の面影を見てきた。宮殿を抜けだし、郊外を車で乗りまわして楽しかったこと、帆船の操り方を習ったこと、ディレクターズチェアに立たされたこと。ヘンリーが覚えている男性は、超人的であり、胸が締めつけられるほど生き生きとしていた。ヘンリーの子ども時代をまるごと支配し、世界を魅了した。そして、ただの人でもあった。

ヘンリーが語る父親の話には身体感覚が伴っていた。愛情を込めて隅々までゆっくりと移動していったかと思うと、真ん中で重みをかけて沈み込む。そして小声で両親の出会いを語る。当時二十代なかばの、博士号をもつはじめての王女になろうと努力するキャサリンは、シェイクスピア作品に向きあっていた。ある日、ロイヤル・シェイクスピア劇団の『ヘンリー五世』を観に出かけ、主役を演じていたのがアーサーだった。楽屋まで押しかけたキャサリンは、警護官をまいてロンドンの街に消え、ひと晩じゅう彼と踊った。もちろん女王は反対したが、キャサリンはその反対を押し切って彼と結婚した。

ヘンリーはケンジントン宮殿での幼少時代についても語る。ビーが歌っていたこと、フィリップが祖母にまとわりついていたこと、三人とも幸せだったこと。カシミヤの服にハイソックスというかしこまった格好をし、ヘリコプターやぴかぴかの車に乗せられて諸外国を訪れたこと。七歳の誕生日に父からもらった真鍮《しんちゅう》製の望遠鏡。四歳のときには、国じゅうの人に名前を知られていることに気づき、その複雑な思いを母に訴えたこと。そのとき母は膝をついて、絶対に誰もあなたには触れさせない、と言ったという。

アレックスも話しだす。いまの暮らしに関することはほぼ語っているけれど、子ども時代のことについては目に見えない境界がある。トラヴィス郡に住んでいたころ、五年生の生徒会選挙のために色画用紙でポスターを作ったこと、家族でサーフサイドに旅行に行って、頭から波に飛び込んだこと。育った家にあった大きな出窓のことも語るが、ヘンリーはアレックスが窓下のベンチのクッションの下に隠したルーズリーフに書かれていることを見たくてたまらないとは言わずに聞いていてくれる。

やがて外が暗くなってくる。どんよりとした冴《さ》えない夜がレジデンスを包み、アレックスは自室のベッドに戻る。ヘンリーが大学時代に付き合った男たちの話を聞く。その全員が王子と寝るという考えに魅了され、そのうちの大半が書類への署名や秘密主義にいやけが差すか、書類への署名や秘密主義に対するヘンリーの暗い気分にいやけが差して疎遠になった。

「でも、もちろん」とヘンリー。「それ以降は……あの、きみとのことがあってからは――」

「ああ」アレックスは自分でも驚くほどすばやく反応する。「ぼくもだ。ほかには誰も」

アレックスの口から、自分がしゃべっているとは思えない言葉がこぼれだす。リアムのこと、彼と過ごした夜のこと。けれども成績が落ちた時期、リアムのアデロール（ADHDの治療薬だが、集中力を増す効果も持つと言われる薬剤）の瓶から錠剤を失敬し、二、三日徹夜したことも。さらにはジューンのこと。表立って語られることはないものの、姉が自分を見守るためだけにここに住んでいること、自分がなにかに没頭しすぎるときはひそかに後ろめたさを覚えること。人々のついた嘘によって母が傷ついていること、そして落選を恐れていること。

電話が長引いたために、バッテリー切れにならないようコンセントにつながなければならなくなる。横向きになって電話に耳を傾け、手の甲で隣の枕を撫でて、その向こうに横たわるヘンリーを思い描く。六千キロの距離をはさんで、横たわるふたつの括弧だ。自分の指の噛んだ甘皮を見ながら、手の下にヘンリーがいると思ってみる。薄闇に包まれたヘンリーの顔。あごには、翌朝には剃《そ》ることになる無精ひげがうっすらと生え、明かりを落としてあるから、目の下のくまは目立たない。

それはアレックスがかつて、なにごとにも関心がないと思い込んでいた人だ。世界はいまもその人のことを何者にも束縛されないプリンス・チャーミングだと思っている。アレックスは数カ月かけて、自分の思い込みがいかにまちがっていたかを悟った。

「会いたいな」知らず知らずのうちに口走る。

直後にしまった、と思ったけれど、返ってきたのは「ぼくもだ」のひとことだった。

「ちょっと待って」

アレックスは椅子を転がしてブースから出る。終業後の清掃員はコーヒーポットの持ち手を持ったまま、動きを止める。「そんなのよく飲むと思うかもしれないけど、置いといてくれないかな？　残りを飲むから」

彼女はいぶかしげな目でアレックスを見ると、煮つまって泥のようになったコーヒーの残りをそのまま置いて、カートとともに立ち去る。

アレックスは〝クレアモントを大統領に〟と書かれたマグカップを見おろし、真ん中に溜まっているアーモンドミルクに顔をしかめる。なんでここにはふつうのミルクがないんだ？　テキサスの人たちがワシントンのエリートを嫌うのは、こういうところだ。大切な酪農業が形無しじゃないか。アレックスはデスクに積まれた三つの書類の山を見る。頭のなかで何度も復唱したら、これで充分だという感覚のとらえ方がわかるかもしれない。

一、銃のファイル。アメリカで所有できるあらゆる種類の銃器のこまかな目録と、州ごとの規制がまとめられている。これを緻密に検討して、アサルト・ライフルに関する連邦政府の新たな政策を考えろと言われている。ピザソースの大きな染みがあるのは、これを見るたびストレス食いしたくなるからだ。

二、環《T》太平洋パ《P》ートナーシ《P》ップ協定のファイル。勉強しなければならないのはわかっているが、絶望するほど退屈なので、ほとんど手をつけていない。

三、テキサスのファイル。

これは本来なくていいファイルで、政策チーフや選挙スタッフから与えられたものではない。政策にも関係がなく、ファイルというより、バインダーだ。テキサス・バインダーと呼ぶのが妥当だと思う。

アレックスはこのテキサス・バインダーを虎の子として、油断なく守っている。事務局を出るときはメッセンジャーバッグに入れて持ち帰り、WASPのハンターには見せないよう気をつけている。このなかにはテキサス州のある郡の地図が含まれ、複雑な有権者の人口動態分析や、不法滞在している移民の子どもたちの数、合法居住者のなかの未登録有権者、さらにはこの二十年の投票行動が添えられている。アレックスはさらにそこにスプレッドシートのデータ、投票記録、ノーラに頼んで計算してもらった予測を加えてある。

二〇一六年、母が本選挙で勝利をもぎ取ったとき、最大の悔いとして残ったのがテキサス州を取りのがしたことだ。母はニクソン以降ではじめて、大統領選挙に勝ちながら居住州で負けた大統領となった。元来が共和党支持州のテキサスだから意外ではないのだが、みんな最後には〝ロメタの穴馬〟がテキサスを取るのではないかというひそかな希望をいだいていた。それは叶《かな》わなかった。

アレックスは機会あるごとに二〇一六年と二〇一八年の投票数を選挙区別に見ている。そのたびに希望が芽生えるのを抑えることができない。そこにはなにかの兆しがある。

政策立案の仕事がいやなわけではない。ただ……それではどうにもならないと思う。時間がかかりすぎて、もどかしい。もっと仕事に集中すべきなのはわかっているのに、ついついこのバインダーに戻ってきてしまう。

アレックスはハンターのハーヴァード大学のロゴがついたペン立てから鉛筆を一本失敬し、テキサスの地図の上に線を描く。何度、描いたことやら。かつて高齢の白人男性たちが自分たちの都合に合わせて引いた選挙区の線を、引きなおしてみる。

背骨の一番下のあたりに、もっとも得意なことをしているときに感じる火花が散るような感覚がある。この自分の席で何時間もこまかな点に気を揉んでいるときは、それが得意なことなのかどうかわからない。けれど、テキサスの投票結果に民意を反映させる方法を考えだせれば……身勝手な選挙区改定によるテキサスの鉄のカーテンを独力でどうにかできるような立場にはないけれど、もし自分が――。

執拗《しつよう》な呼び出し音で現実に引き戻されて、バッグの底からスマートフォンを取りだす。

「いまどこ？」ジューンが電話を通して詰問する。

やらかした。九時四十四分。一時間前にはジューンと会ってディナーをする約束だった。

「ごめん、ジューン、許して」大急ぎで立ちあがり、バッグに私物を突っ込む。「仕事に没頭してて――悪い、完全に忘れてた」

「何度もメッセージを送ったんだけど」アレックスの葬式を出したそうな口ぶりだ。

「サイレントモードだった」アレックスは力なく言い、エレベーターに急ぐ。「ほんとにごめん。最低だね。いますぐ行く」

「もういい。自分の食べるものを買って帰るわ」

「バグ」

「いまその名前で呼ばれるいわれはないんだけど」

「ジューン――」

　電話が切れる。

　レジデンスに帰ると、ジューンは自分のベッドに座ってタブレットで『パークス・アンド・レクリエーション』を観ながら、プラスチックの容器からパスタを食べていて、アレックスがドアのところに立っても、あてつけがましく知らんぷりする。

　アレックスは子ども時代を思いだす。ふたりが八歳と十一歳ぐらいのころだ。バスルームの鏡の前にふたりならんで立ち、顔の似ているところを探した。先の丸い鼻、濃くてもじゃもじゃした眉、角張ったあごは、ふたりそろって母親から受け継いでいた。ふたりで歯磨きしながら、ジューンの表情をうかがったのを覚えている。学校の初登校日で、ジューンの三つ編みは父が編んだものだった。母はワシントンDCにいて、その場にいなかったから。

　いまのジューンの顔には、そのときと同じ表情が浮かんでいる。失望をたくみにしまい込んだ表情が。

「ごめん」アレックスは再度、謝る。「ほんと、最低だよ、悪かったと思ってる。だからそう怒らないで」

　ジューンは食べながら、甲高い声を出すレスリー・ノップを一心に見つめている。

「あしたランチに行こう」アレックスは必死だ。「ぼくがおごる」

「くだらない。食事なんてどうでもいいわ、アレックス」

　アレックスはため息をつく。「だったら、ぼくになにをさせたいんだ？」

「あんたには母さんみたいになってもらいたくない」ジューンがやっと顔を上げてアレックスを見る。プラスチックの容器の蓋を閉め、ドラマの再生を止めてベッドからおり、部屋のなかを歩きだす。

「そうか」アレックスは両手を上げる。「いまそういうことを言うわけ？」

「わたし――」ジューンが深呼吸する。「そうね、言うべきじゃなかった」

「いや、言いたかったんだ」アレックスはメッセンジャーバッグを床に置き、姉の部屋に入る。「言いたいことがあるんなら、言ったらいいだろ？」

ジューンは振り返ってアレックスを見る。腕を組み、ドレッサーにもたれて。「ほんとにわからないの？　あんたはろくに眠らず、いつもなにかに首を突っ込んで、母さんが望むとおりに使われて、タブロイド紙に追いまわさ――」

「ジューン、ぼくはむかしからこんなふうだよ」アレックスはやんわりとさえぎる。「ぼくが政治家になるつもりなのは、知ってるだろ。卒業したらすぐにでも……あとひと月だ。いいかい、これがぼくの人生なんだ。ぼくが選んだんだ」

「でも、選択をまちがえてるかもしれない」ジューンが唇を嚙む。

アレックスは仰天する。「いったいどこからそんな考えが出てくる？」

「アレックス、いいかげんにして」

ジューンがなにを言いたいのかわからない。「いつだってぼくの味方だったのに」

ジューンが片腕を勢いよく動かしたせいで、ドレッサーの上に飾ってあったサボテンの鉢がすべてひっくり返る。「いままではイギリスの王子とヤッてなかったからよ！」

これにはアレックスも絶句する。暖炉の前のリビングスペースに移動し、肘掛け椅子に腰を沈める。ジューンが真っ赤な顔でこちらを見ている。

「ノーラがしゃべったのか？」アレックスは尋ねる。

「え？」ジューンは答える。「いいえ。そんなことを軽々しくしゃべる人じゃないわ。だけどノーラには言って、わたしには言わなかったなんて、むかつく」ふたたび腕組みをする。「悪いけど、わたしはあんたが自分から言ってくれるのを待つつもりだった。でも、もうだめよ、アレックス。国際舞台に姿を現す機会という都合のいい大義のために、あんたが進んで出かけてるんだって、何度信じればよかったわけ？　それに、忘れたの？　小さいころからずっと、わたしは廊下をはさんであんたの向かいにいたのよ」

アレックスは自分の足元を見おろす。ジューンが吟味したミッドセンチュリーのラグ。「じゃあ、ヘンリーのことで怒ってるのか？」

ジューンが苦しげな声を出し、アレックスが顔を上げると、ドレッサーの一番上の抽斗《ひきだし》を引っかきまわしている。「ああ、やんなる。なんでそんなに賢いのに、そんなにばかなわけ？」下着の下から一冊の雑誌を引っ張りだす。いまはそんなものを見る気分じゃないと言おうとしたら、その雑誌を投げつけられた。

〈J-14〉の古い号で、中央のページが開かれている。十三歳のヘンリーの写真だ。

アレックスはジューンを見あげる。「知ってたのか？」

「知らないわけないでしょ！」芝居がかったしぐさで、アレックスの向かいの椅子にどさりと腰を落とす。「毎回小さな指紋がべたべたそこらじゅうに残ってたのよ！どうしていつもいつも自分は切り抜けられると思ってるわけ？」苦痛に満ちた長いため息。「わからなかった……あんたにとって彼がなんなのか、ずっと。一時的にのぼせあがってるんだろうから、あんたの友だち探しを手伝ってあげればいいんだと思ってた。でもね、アレックス、わたしたちはたくさんの人に会ってる。何千という人たちに。その多くはくだらないし、その多くは信じられないくらい変わってる。だけど、あんたにふさわしい人には、会ったことがなかった。そのこと、わかってる？」ジューンは身を乗りだし、彼の膝に触れる。紺色のチノパンの上にピンク色の爪がある。「あんたはたくさんのものを持ってる。それに見あう人はまずいない。でも、あの人なら大丈夫」

アレックスは姉を凝視したまま、言われていることを理解すべく頭を回転させる。

「夢みたいなロマンスをぼくに投影してる気がするんだけど」アレックスが意を決して言うと、ジューンはすぐに手を引っ込めて、ふたたび彼をにらみつける。

「エヴァンが別れを切りだしたんじゃないって、知ってた？」ジューンは言う。「わたしのほうから別れたの。わたしは彼といっしょにカリフォルニアへ行って、父さんと同じ標準時間帯に暮らし、新聞社の〈サクラメント・ビー〉かなんかに勤めようと思ってた。だけど、それを全部なげうってここへ来たの。それが正しいことだと思ったから。わたしは父さんと同じことをした――自分がもっとも必要とされる場所へ行った。それがわたしの責任だから」

「後悔してる？」

「いいえ」ジューンは答える。「どうかな。でも、たぶんしてない。ただ――考えちゃうんだよね。父さんもたまに考えてる。アレックス、あんたにはそんな思いをさせたくない。うちの両親みたいにならないで。ヘンリーを大切にして、あとはどうにでもなる」アレックスを見る彼女の目は、冷静で穏やかだ。「あんたはたまにお尻に火がついたみたいになる。とくに理由もないのにね。そのままだと燃えつきるわ」

　アレックスは椅子の背にもたれ、肘掛けの縫い目を親指でいじる。

「だから？　政治の道に進むのをやめて、お姫さまになれってこと？　それ、フェミニズム的にどうなんだ？」

「フェミニズムとは関係ないでしょ」ジューンが天を仰ぐ。「それに、わたしが言いたいのはそういうことじゃない。わたしが言いたいのは……よくわからないけど。自分の持ち味からして、将来の道はひとつじゃないかもしれないと思ったことないの？世界にもっといい変化をもたらすために、どうしたいかってことを」

「話がよく見えないんだけど」

「そうね」ジューンが指の甘皮を見おろす。「〈サクラメント・ビー〉の話と似てるかも。実際は思ったようにはいかなかったかもしれない。それは母さんが大統領になる前の夢だった。わたしが携わりたいジャーナリズムは、大統領の娘が携わるには不適切なものだった。でも、母さんが大統領になるほうが世界はよりよくなるし、いまのわたしは新たなよりよい夢を探してる」父ディアス譲りの大きな茶色の目でアレックスを見あげて、まばたきする。「だから、よくわからないけど、あなたにとっても夢はひとつじゃないかもしれない。あるいは夢に至る道がひとつじゃないか」

　ジューンはすねたように肩をすくめ、小首をかしげてまじまじとアレックスを見る。謎めいたジューン。複雑で、なにを意図しているかわからないこともあるけれど、まっすぐな気性で嘘がない。アレックスの記憶にある最良の南部人らしさを備えている。ふだんから鷹揚で、親切で、親身で、働き者で、どんなときでも頼りになる。自分のことはさておいて、アレックスにとっての最善を無条件に願ってくれる。アレックスは不意に、ジューンがこのところずっと自分に話をしようとしてくれていたことに気づく。

雑誌を見おろし、自分の口角が持ちあがるのがわかる。ジューンが黙って見守ってくれていたことが信じられない。

「彼は特別だ」長い沈黙をはさんで、アレックスは言う。まだ少年のヘンリーが載ったページに視線を落とす。幼いながら、ゆったりとした自信が滲みでている。「誰が見たってそうなんだけど。彼の佇まいっていうか」指先で小さいころに触れたのと同じ箇所をなぞる。太陽の色のブロンドを。でもいまはそのさわり心地を知っている。この写真を見るのは、当時のヘンリーがどこへ行ったのか知って以来、はじめてだ。「彼が経験してきたことを思うと、むちゃくちゃ腹が立つことがある。彼はいい人だよ。人を気遣える。ひどい目に遭っていい人じゃないんだ」

ジューンが身を乗りだし、やはり写真を見る。「彼にそう話したことある？」

「いや、そこまでは……」と、咳払いをする。「どうかな。こんなこと話していいのかな？」

ジューンは深呼吸をすると、ぶっぶーと大きな音を出して、深刻な雰囲気を吹き飛ばす。助かった。アレックスは床に崩れ落ちて、激しい笑いの発作に身を震わせる。

「ちょっと！　ばかじゃないの？」彼女がうめく。「気持ちを伝えてないなんて、信じられない。わたしたちのご先祖さまが長年、戦争や疫病や大虐殺を生き延びてきたのは、情けない根性なしを生かすためだったわけ？」ジューンが枕を投げ、それが顔にあたったアレックスは、悲鳴に似た笑い声をあげる。「せめて、その一部でも伝える努力をしなきゃ」

「ぼくの人生をジェーン・オースティン色に染めるなよ！」アレックスは言い返す。

「ねえ、わかってる？　彼がミステリアスで引っ込み思案の若い王族なのはわたしのせいじゃないし、あんたはその彼の目を惹いた荒れ狂う純情な乙女なのよ」

　アレックスが笑いながら逃げようとすると、ジューンがその足首をつかんで、枕で頭を叩く。まだ姉を仲間外れにして悪かったという気持ちがくすぶっているけれど、もう大丈夫だ。これからはもっとうまくやれる。ふたりは天蓋付きの大きなベッドで場所の取りあいをして、アレックスは本物の王子と隠れて付き合うのがどんな感じなのかを白状させられる。これでジューンも知っている。知っていて、自分を抱きしめ、気にしないでくれている。アレックスはジューンに知られることをどんなに恐れていたか、その恐怖が去ってはじめて気づく。

　ジューンはふたたび『パークス・アンド・レクリエーション』をつけ、キッチンにアイスクリームを届けてくれるよう頼む。アレックスは姉に言われた〝うちの両親みたいにならないで〟という言葉を噛みしめる。これまでジューンは、母のことを語る文脈で父のことを語ったことがなかった。ジューンのなかに、自分たちきょうだいをこんな立場に置いた母を恨みに思う気持ちがあるのは知っている。ふつうの暮らしができず、母はいっしょにいてくれなかった。けれど、アレックスは姉にも自分が父に対していだいているのと同じ喪失感があることに気づいていなかった。たぶん姉はそれに対処して、乗り越えてきた。そして母に対する感情は、まだその過程にあるのだろう。

　ジューンが自分の将来に関して言ったことは、おおむね的外れだと思う。政治の道に進むからといってヘンリーとの関係が続けられないとも、キャリアを急ぎすぎているとも思わない。だが……テキサス・バインダーのことがある。そしてテキサス以外にも似たような州はあり、大勢の住民が彼らの代理となって闘ってくれる人を必要としている。そして背骨の付け根にある、自分の闘争心はこんなものじゃない、より生産的に生かす方法がある、という感覚。

　そこで浮かびあがってくるのが、ロースクールという選択肢だ。

　テキサス・バインダーを見るたび、法学大学院進学適正試験《LSAT》を受けることが大きな前進になるのを再確認する。一足飛びに政治の世界へ飛び込むより、そちらに進むことを両親が願っているのも知っている。これまで、ずっといやだと言いつづけてきた。遠回りしたくない。そんなことに時間を使わず、すべきことをしたい。

直線コース以外の選択肢は、真剣に考えたことがない。考えてみるべきなのかもしれない。アイスクリームを食べながら考える。

「ひょっとして、いまなら言っていいかな？　ヘンリーの超セクシーで超お金持ちの親友が姉さんに夢中らしいよ」アレックスはジューンに言う。「億万長者の天才で、明るく奔放な夢の慈善家っていうのかな。姉さんもはまると思うんだけど」

「いいから、黙って」ジューンは言い、アレックスからアイスクリームを奪い返す。

ジューンに知られたのを機に、厳選された七人が〝知っている〟人の輪に入る。

ヘンリーと交際する前、大統領の息子となってからの恋愛関係は、ほとんどが一度かぎりの付き合いだった。相手は行為の前にキャッシュかエイミーから携帯電話を没収され、帰るときには機密保持契約書に署名させられた。そうした任務をエイミーは機械的なプロ意識で、またキャッシュはクルーズ船の船長のように悠々と遂行した。そんな彼らを輪のなかに引き入れないわけにはいかない。

そして、シャーンがいる。彼は、セラピストをのぞくと王室のスタッフのなかでただひとりヘンリーがゲイであることを知っている。シャーンはヘンリーの性的指向には頓着しないという態度だ。ただ、それでヘンリーが窮地に立たされるのは困る。シャーンは〈トムフォード〉で仕立てた隙のないスーツをまとった究極のプロフェッショナルであり、なにがあっても動じず、彼の預かり物に対する愛情のあり方は、大切な植物を丹精するのに似ている。シャーンを輪に引き入れた理由は、エイミーとキャッシュとまったく同じ、純然たる必要性からだ。

つぎがその話題が出るたびに取り澄ました顔をするノーラ。そしてビーは、アレックスとヘンリーが暗くなってからFaceTimeでビデオ通話をしていたら、そこにひょっこり現れて、事情を知った。ヘンリーはそれから一日半、口ごもってうまく話せず、うつろな目をしていた。

どうやらペズはずっと秘密を共有していたらしい。たぶんヘンリーがジャクリーン・ケネディ・ガーデンでアレックスの口に舌を差し入れたあと、文字どおり闇にまぎれてアメリカから逃亡したときに、ペズから説明を求められたのだろう。

ワシントンDC時間の午前四時、アレックスが朝のお茶の時間のヘンリーをつかまえるつもりでFaceTimeで通話をしたとき、応対に出たのはそのペズだった。アレックスのほうは大学の最終週で息も絶え絶えだというのに、ヘンリーのほうは王室所有の別荘のひとつで休暇を楽しんでいる。アレックスはなぜ偏頭痛がすると緑豊かな丘陵でゆったりと紅茶を飲む一枚の絵のようなヘンリーの姿が見たいのかを自問することなく、スマートフォンのボタンを押す。

「アレグザンダーだよ、ベイブ」ペズはそう言って電話に出る。「こんなすてきな日曜日の朝、ペズおばさんに電話をくれるなんてやさしい子だね」笑顔の彼がいまいるのは、豪華な車の助手席のようだ。漫画みたいに大きな帽子をかぶり、ストライプ柄のショールをはおっている。

「やあ、ペズ」アレックスは笑みを返す。「いまどこにいる？」

「ドライブに出て、カーマーゼンシャーの景色を楽しんでる」ペズは答え、スマートフォンを傾けて運転席に向ける。「きみのかわいこちゃんに挨拶しろよ、ヘンリー」

「おはよう、かわいこちゃん」ヘンリーが一瞬、道から視線を外して、カメラにウインクする。すっきりとした顔をして、くつろいでいるようだ。シャツは淡い灰色のリネン地で、袖をまくりあげている。ウェールズだとヘンリーがぐっすり眠れるのを知っているアレックスは、それを見てほっとする。「きょうはまたなんで朝四時に起きているんだ？」

「経済学の最終試験があってね」アレックスは横向きに転がって、画面に目をやる。

「脳みそがいっぱいいっぱいだよ」

「シークレットサービスのイヤホンを借りて、ノーラに入れ知恵してもらうわけにはいかないのかい？」

「なんならぼくが用意する」ペズがふたたびカメラを自分に向けて、口をはさむ。

「金に物を言わせて」

「はいはい、ペズ、きみにできないことがないのはみんな知ってる」ヘンリーの姿は見えず、声だけがする。「ひけらかす必要はないよ」

アレックスはくすくす笑う。ペズが持つスマートフォンのカメラを介して、車の窓を飛びすさるウェールズの印象深い景色が見える。「ねえ、ヘンリー、いまいる別荘の名前をもう一度、聞かせて」

ペズがカメラを動かし、ヘンリーの半笑いをとらえる。「ヒュイヌウェルモッド」

「もう一度」

「ヒュイヌウェルモッド」

アレックスはうめく。「まいるね」

「なんだよ、いかがわしい会話をしないのか」ペズが言う。「遠慮なくやって」

「きみにはついてこられないと思うよ、ペズ」アレックスは言う。

「そう？」映像がペズに戻る。「もしぼくがナニを——」

「ペズ」ヘンリーの声がして、小指に印章指輪をはめた手がペズの口をおおう。「頼むよ。アレックス、彼の〝できないことがない〟のどの部分を試すつもりだ？　はっきり言って、きみのせいでぼくたちふたりともが死にそうだ」

「それが最終的な目的なんでね」アレックスは楽しげに告げる。「それがきょうだっていいだろ？」

ペズはヘンリーの手のひらをぺろりと舐めて手を引っ込めさせ、自由の身になると、ふたたび話しだす。「服を脱ぎ捨てて丘でお祭り騒ぎをして、羊たちを驚かせてから家に帰り、いつもどおりの紅茶とビスケットでクレアモント＝ディアスきょうだいを思って身悶えする。ヘンリーがきみと親しくなったんで、悲しいことにバランスが崩れた。前はコニャックを痛飲して、不安を共有してたんだけどね。『いつになったら気づいてもらえるんだろう』——」

「彼には言うな！」ヘンリーが叫ぶ。

「それがいまや、ぼくが『きみの秘密は？』と尋ねると、ヘンリーは『ぼくはしょっちゅうアレックスを侮辱してて、それがどうやらきいているみたいだよ』だって」

「もう帰る」ヘンリーが言う。

「ペズ、それじゃジューンには思いが届かないよ」アレックスは言う。

「ちょっと待って。いまメモする――」

聞いてみると、ふたりは休暇を使って慈善事業の展開を検討しているとのこと。国外でも活動したいという話は何カ月も前から聞いていたけれど、ふたりはいま西ヨーロッパにおける三つの難民プログラムと、ナイロビとロサンゼルスでのＨＩＶクリニック、四つの異なる国でのＬＧＢＴＱ＋の若者向けシェルターについて話しあっている。野心的な試みだが、ヘンリーはいまだ自分自身の支出は厳密に父の遺産だけでまかない、王室の金には手をつけていない。王室の金はこれらのプロジェクト以外には使わないと決めているのだ。

スマートフォンと枕を抱えて横になっているうちに、ワシントンＤＣに朝が来る。アレックスはむかしから、この世界に新たななにかをもたらす人物になりたいと思ってきた。ヘンリーはまちがいなくそうなる。アレックスは軽い興奮を覚える。でも、大丈夫。少し睡眠不足なだけだ。

最終試験は思ったほどの華々しさもなく、あっさりやってきてあっさり去ろうとしている。この一週間、一夜漬けと発表といつもどおりの徹夜に明け暮れ、それも終わりに近づいている。

大学のことはすべて、こんなふうに過ぎていく。ほかの学生のような経験はできなかった。有名であること、そして警護官の説教によって、孤立させられてきた。〈ザ・トゥームズ〉での二十一歳の誕生祝いのときも額にスタンプを押していたわけではなかったし、ダールグレン礼拝堂の噴水に飛び込むこともなかった。ジョージタウン地区にほとんど行けなくなることさえあり、たまたま同じ地域内にある大学の講義で元気をもらうこともできなくなった。

それでも卒業にこぎ着け、講堂に集まった人々はスタンディングオベーションでアレックスを迎えてくれる。変だと思うけれど、やっぱりうれしい。卒業式後は、クラスメイト十数人からいっしょに写真におさまってくれと頼まれる。向こうはアレックスの名前を知っているのに、その誰とも一度も話をしたことがない。アレックスは彼らの親が構えるスマートフォンに笑顔を向けながら、もっと近づく努力をするべきだったかなと思う。

リムジンの後部座席に乗り込んでスマートフォンをチェックすると、グーグルから〝アレックス・クレアモント＝ディアス、最優秀《スーマ・クム・ラウデ》でジョージタウン大学を卒業、政治学の学士号を取得〟という通知が来る。まだキャップとガウンを脱いでもいないというのに。

ホワイトハウスでは大々的なガーデンパーティが開かれ、ドレスにジャケットを重ね、おちゃめな笑みを浮かべたノーラが、アレックスのあごの脇にキスをしてくる。

「ホワイトハウス三人組の最後のひとりが卒業ね」ノーラはにやにやしている。「しかも、政治力や性的魅力で教授たちをあやつることもなく」

「悪夢からぼくを追いだしたがってた教授もいるんじゃないかな」アレックスは言う。

「あんたたちにかかったら、学校も形無しね」ジューンが少し泣く。

パーティの参加者は、政治関係者と家族の友人の寄せ集めだ。その両方を兼ねたラファエル・ルナもいる。彼はセビチェと呼ばれる魚介類のマリネを隣に、疲れの滲むハンサムな顔で、ノーラの祖父の副大統領と熱心に話し込んでいる。アレックスの父親もカリフォルニアから駆けつけ、最近ヨセミテにトレッキングに出かけたせいで日焼けした顔を誇らしげにほころばせている。ザハラは〝期待に応えてよくやった〟と描かれたカードをアレックスに手渡し、抱きつこうとしたアレックスをパンチボールに突き落としかける。

一時間ぐらいいすると、ポケットのスマートフォンが鳴る。アレックスが話の途中で一瞬気をそらしてチェックしようとすると、ジューンにひとにらみされる。すぐに画面をオフにするつもりでいたのに、周囲でいっせいにスマートフォンが取りだされる。

送り主はＷＡＳＰのハンター。共和党の候補者ジャシントがいま、記者のひとりに電話で予備選挙をおりると伝えてきた、という。

「なんてこった」アレックスは画面をジューンに見せる。

「パーティどころじゃないわね」

そのとおりだ。わずか数秒のうちに、テーブルの半分が空席になる。選挙スタッフと議員が席を離れて、電話をかけだしたのだ。

「なかなかドラマティックじゃない」ノーラは楊枝《ようじ》に刺してあるオリーブを口に含む。

「いずれリチャーズに譲るのはわかってた。ジャシントを窓のない部屋に押し込めて、戦いからおりると言うまでアレを万力でテーブルにはさんで締めあげたのかも」

続いてノーラがなにを言ったにしろ、アレックスは聞いていない。庭の端のほうにあるパームルームへのドアのあたりに動きがあるのを視界にとらえたからだ。アレックスの父がルナの腕をつかんで、引っ張っている。ふたりは脇のドアから、家屋管理室に向かう。

アレックスは女子ふたりとシャンパンを残し、電話をチェックするふりをしつつ、遠回りをしてパームルームに向かう。そして洗濯係から小言を言われる価値があるかどうか考えてから、低木の茂みに分け入る。

家屋管理室の南に面した壁には窓があり、その三つめの一番下のガラスがゆるんでいる。窓枠から少しだけ外れているせいで、防弾も防音も効いていない。レジデンスにはこういう窓が三つあり、ここはそのひとつだ。アレックスはホワイトハウスに住みだして最初の半年でそれを見つけた。卒業前だったジューンはまだ越してきておらず、ノーラも移ってきていなかった。ひとりで手持ち無沙汰だったので、そうやって敷地内を調べてまわったのだ。

ゆるんだ窓枠のことは内緒にしておいた。いつか役に立つかもしれないと思ったからだ。

しゃがんで、窓に近づく。土がローファーのなかに入る。ふたりが向かった先がその部屋であることを祈りつつ、ゆるんだ窓枠を見つける。体を寄せて、なるべく耳を近づける。周囲の茂みを吹き抜ける風の音の向こうに、緊迫したふたつの小声を聞きつける。

「……だめだ、オスカー」片方の声がスペイン語で言う。ルナだ。「彼女には言ったのか？　あんたがおれにこんなことを頼んでいるのを彼女は知ってるのか？」

「彼女は慎重すぎる」父の声。やはりスペイン語だ——聞かれたくない話をするとき、ふたりは用心のためにスペイン語に切り換える。「彼女が知らないほうがいいこともある」

ふうっと息を吐いて、重心を移動させる音。「彼女の許可なくなにかをする気はない。しかも、おれがしたくもないことを」

「あいつを失脚させたいという気持ちがどこにもないというのか？　リチャーズからあんなことをされたんだぞ」

「もちろんあるさ、オスカー」ルナは言う。「ただ、あんたにもわかってるはずだ。ことはそう単純じゃない。いつだって」

「聞いてくれ、ラファエル。おまえはすべてについて記録を残してる。声明を発表する必要すらない。マスコミにその記録を流すだけだ。それによってどれだけの子どもたちが救われるか――」

「やめてくれ」

「これ以上――」

「小細工しなくても彼女が勝てるとは思わないのか？」ルナがさえぎる。「まだ彼女を信頼できないのか？　いろんなことを乗り越えてきたいまも？」

「そういう問題じゃない。今回は事情が違う」

「元妻に対してどんな感情が残ってるか知らないが、おれを巻き込まないでくれないか？　もう二十年も前のことなんだ。選挙に勝つことだけに集中すべきだ、オスカー。おれは――」

ルナが途中で言葉を切る。ドアノブがまわる音がして、誰かが部屋に入ってきたからだ。

オスカーは歯切れのいい英語に切り換え、法案について話していたと説明する。そのあとスペイン語でルナに言う。「とにかく考えてみてくれ」

オスカーとルナが部屋を出ていくくぐもった音を聞きながら、アレックスはマルチに腰をおろす。自分はなにを聞きのがしたのだろう？

最初は、シルクのスーツと高額小切手と白いテーブルクロスがつきものの、チャリティイベントとしてはじまる。例によってまずメッセージが届く。〝来週末ＬＡでチャリティイベント。ペズはおそろいの刺繍入りのキモノを用意すると言っている。二席予約する？〟

イベントに先立ち、アレックスは父とランチをとる。ルナのことをもちだすたびに、父はあからさまに話題を変える。それからパーティに向かい、はじめて正式にビーと引きあわされる。身長はジューンより低いくらいなので、ヘンリーにくらべるとかなり小さいが、口が立つのはきょうだい共通。でも茶色の髪とハート形の顔は母親譲りだ。カクテルドレスにバイクジャケットを重ね、ちょっとしたしぐさから、アレックスの母と同じ元チェーンスモーカーなのがわかる。彼女はいたずらっぽい笑みをアレックスに向け、アレックスはそこに反抗的な子どもの面影を認める。

大量のシャンパンと握手責め。ペズのスピーチはいつものように魅力的で、それが終わるとすぐ、会場全体の警護員が出口に集められて解散となる。

約束どおり、ペズが用意したシルクのキモノがリムジンで待っている。一枚ずつ、映画から取った異なる文句が背中に刺繍してある。アレックスの鮮やかな青緑《ティール》のキモノには〝ホー・ダメロン〟（『スター・ウォーズ』のポー・ダメロンのもじり）、ヘンリーのライムグリーンのキモノには〝プリンス・バターカップ〟（『プリンセス・ブライド・ストーリー』の主人公バターカップから）とある。

連れていかれた先は、ウェスト・ハリウッドにある下品でけばけばしいカラオケバーだ。なぜかペズが知っていたその店は、あまりにネオンが派手なせいで、一行が到着する一時間半前に警護を担当するキャッシュたちが店内を捜索して、客たちに写真を撮らないように警告を与えていたにもかかわらず、それを感じさせないくだけた雰囲気がある。バーテンダーは毒々しいピンクの口紅を塗り、厚塗りしたファンデーションからはひげが突きだしている。アレックスたちはさっそく酒五杯とライムソーダ一杯を注文する。

「おっと」ヘンリーは飲みほしたショットグラスを見おろす。「なにが入ってたんだろう？　ウオッカか？」

「そう」ノーラが答え、ペズとビーがそろって笑いの発作に陥る。

「なに？」アレックスは尋ねる。

「いや、ウオッカを飲んだのは大学にいたとき以来でね」ヘンリーが言う。「これを飲むと、どうも。その――」

「大胆になる？」ペズが助け船を出す。「たがが外れる？　淫乱になる？」

「楽しくなる？」ビーも続く。

「言ってくれるね。ぼくはいつだって楽しさでいっぱいだ。喜びに満ちてる！」

「いいかな？　みんなにもう一杯ずつもらえる？」アレックスはカウンターに声をかける。

ビーが悲鳴をあげ、ヘンリーは大笑いしてVサインを掲げ、すべてがアレックスの愛してやまない温かい雰囲気に包まれ、六人は円形のブースになだれ込む。明かりは落としてあり、ヘンリーとは離れて座ったけれど、店内の特殊な照明を受けるヘンリーの頬骨が青や緑に染まるさまから目が離せない。アレックスはビールを注文する。

　いよいよ歌がはじまる。どうしてビーを一番手にしたのかわからないが、彼女はステージ上にあった小道具を入れた収納箱からプラスチック製の王冠を取りだし、『アメリカン・ジゴロ』で使われたブロンディの『コール・ミー』を絶叫する。みんなが口笛を吹き鳴らしてはやし立て、客たちもここにきてようやく、ロイヤルファミリーのメンバーふたりと、大金持ちの慈善家と、ホワイトハウス三人組が、目の覚めるような色とりどりのキモノを着て蒸し暑いブースのひとつに押し込められていることに気づく。全員分の酒が三度まわってくる。一度めは独身お別れ《バチェラー》パーティのグループから、二度めはバーカウンターにいる無愛想なバイク乗りの女の子のグループから、最後はドラァグクイーンの一行からだ。六人は乾杯をくり返し、アレックスはいつになく受け入れられていると感じる。家族がそろって祝った選挙の勝利集会のとき以上の一体感だ。

　ペズが立ちあがって、ホイットニー・ヒューストンの『やさしくエモーション』を歌いだす。びっくりするぐらい完璧なファルセットにクラブじゅうが総立ちになり、高らかな歌声に喝采を浴びせる。アレックスが驚きの表情を向けると、ヘンリーは笑って肩をすくめる。

「言っただろう？　ペズにできないことはないんだよ」ヘンリーが喧騒に負けじと大

声で言う。

　ジューンは頬に手をあて、ぽかんと口を開けて、彼のパフォーマンスを見ている。

　ノーラに身を寄せて、酔っ払ったように叫ぶ。「嘘、いやだ……彼って……すっごく……ホット」

「そうでしょうとも」ノーラが叫び返す。

「わたし……彼の口に指を入れたい……」ジューンがかすれた声でうめく。

　ノーラは大笑いしてうなずく。「手伝おうか？」

　すでにライムソーダ五杯を飲んでいたビーは、ペズがジューンをステージに引っ張りあげるときに渡された酒をそっとアレックスによこし、彼はそれをあおる。喉が焼けるような感覚に笑みがこぼれ、脚幅が広くなる。気がつくより先にポケットからスマートフォンを取りだし、テーブルの下でヘンリーにメッセージを送る。〝ばかなこと、したくないか？〟

　ヘンリーがスマートフォンを取りだし、にやりとする。眉を吊りあげてアレックスを見る。

　〝これ以上ばかなことというのは？〟

　ヘンリーの口が開いて、見るからに酔っ払った顔になる。赤くなったヒラメみたいな顔で困惑しながらも興奮し、返信が少し遅れる。アレックスは笑顔でブースの背にもたれ、唇を濡らしてから、ビールのボトルをくわえる。ヘンリーはそこに全人生がかかっているかのような顔になると、甲高い声で叫ぶ。「すまない、いいかな、ちょっと——トイレに行ってくる！」

　残りのメンバーがペズとジューンの歌に夢中になっているあいだに、席を立って退出する。アレックスは十数えてから、ノーラの前を通ってヘンリーを追い、壁にもたれていたキャッシュにグラスを渡す。蛍光ピンクのフェザーボアを首に巻いたキャッシュは、目をぐるりとまわしつつも、ドアを見張ってくれる。

　ヘンリーは洗面台にもたれて、腕を組んでいた。

「最近、言ったかな？　きみは悪魔だ」

「はいはい」アレックスは人がいないのを念入りに確認してから、ヘンリーのベルトをつかんで、個室に引き入れる。「あとで聞くよ」

「あの——こんなことしても、ぼくはまだ歌う気はないよ」アレックスから首筋に舌を這わされながら、ヘンリーは苦しげに訴える。

「ぼくに逆らって勝ち目があると思ってるの、スイートハート？」

　こうして三十分後、さらに二杯の酒を平らげてから、ヘンリーははやし立てる観衆の前に立ち、クイーンの『ドント・ストップ・ミー・ナウ』を台無しにしている。ノーラが歌を手伝い、ビーはぎらつく金色のバラを彼の足元に投げる。ヘンリーのキモノは片方の肩が脱げているせいで、背中の〝プリンス・バターカップ《PRINCE BUTTERCUP》〟が〝プリンスのケツ《PRINCE BUTT》〟になっている。どこからバラが湧いてきたのか知らないが、訊いてどうなるものでもない。それにこの二分間、アレックス自身が声をかぎりに絶叫しているので、答えが聞こえるはずもなかった。

「きみをスーパーソニックウーマンにしてやりたい！」ヘンリーがどなり、勢いよく横に移動して、ノーラの両腕をつかむ。「おれを止めるな！　おれを止めるな！　おれを止めるな！」

「ヘイ、ヘイ、ヘイ！」クラブじゅうの客が叫び返す。ペズはいまやテーブルに載って身をかがめ、ブースの背を叩きながら、ジューンを椅子に立たせようとしている。

「おれを止めるな！　おれを止めるな！」

アレックスは口の周囲に手を添える。「ウー、ウー、ウー！」

耳障りなシャウトと蹴りと腰の突きだしと点滅する光のなか、大声の歌はギターソロに移り、店内の客は誰ひとりとして座っていない。イギリスの王子は膝でステージをすべり、情熱を込めて、官能に訴えるエアギターの演奏に没頭している。

ノーラがシャンパンのボトルを調達してきて、ヘンリーにかけはじめる。アレックスはわれを忘れて大笑いし、椅子に立って口笛を吹き鳴らす。ビーも人目を忘れて涙を流し、ペズは完全にテーブルの上に立っている。その隣でジューンが踊り、プラチナ色のペズの髪には赤紫の口紅が塗りつけられた跡がある。

誰かがアレックスの腕に触れる。ビーに引っ張られるまま、アレックスは椅子からステージに移動し、彼女に手を取られてバレリーナのように回転する。アレックスはビーが持っていたバラを口にくわえ、騒然とする店内でヘンリーを見て、ビーと笑みを交わす。彼女の奥のほう、大量のアルコールの向こうで、なにかが澄んだ煌めきを放っているのを感じる。ふたりはめったに見ることができない、すばらしいヘンリーを目にしている感覚を共有している。

ふたたびヘンリーがマイクに向かって叫びながら、転びそうになる。シャンパンと汗でスーツとキモノが体に張りつき、その乱れっぷりにぞくぞくする。ヘンリーは熱に浮かされたような目を上に向け、ステージの端にいるアレックスとあからさまに目を合わせて、大きな笑みを浮かべる。「きみをスーパーソニックマンにしてやりたい！」

最後に待っているのは、スタンディングオベーションだ。ビーはいたずらっぽい笑顔にためらいのない手つきで、シャンパンに濡れたヘンリーの髪をくしゃくしゃっとかき乱す。続いて彼をブースに引っ張ってきてアレックスの隣に座らせ、こんどはヘンリーがビーをブースに引き入れる。そして六人全員が高価な靴をはいた足をもつれさせて、笑いの渦に呑み込まれる。

アレックスはみんなを見る。ペズの満面の笑みは喜びに輝き、なめらかな黒い肌にプラチナ色の髪が映えている。めりはりのきいた体をしたビーは、ライムの皮をくわえながら、パンクロックな笑顔だ。ノーラは長い脚の片方をテーブルに、もう片方をビーの脚に載せて、ドレスの裾がまくれあがった部分から腿をのぞかせている。そして顔を紅潮させた細身でうぶなヘンリーは、優雅で屈託がなく、アレックスのほうを見たまま、湧いてくる笑いに口元をゆるませている。

アレックスはジューンを見て、ろれつのまわらない口で言う。「バイセクシュアリティって豊かさと複雑さのタペストリーだ」ジューンはけたたましい笑い声をあげて、彼の口にナプキンを押し込んでくる。

それから一時間の記憶はもうろうとしている。覚えているのはリムジンの後部座席でノーラとヘンリーがアレックスの膝を取りあっていたこと、〈イン・アンド・アウト・バーガー〉のドライブスルーに立ち寄ったこと、ジューンが耳元で「裏メニューのアニマルスタイルを頼んでよ。ねえ、わたしがアニマルスタイルって言ったの、聞いた？　笑うのやめて、ペズ」と叫んだこと。ホテルに到着すると、最上階のスイートルームが三部屋予約してあったので、キャッシュのべらぼうに広い背中に隠れるようにしてロビーを突っ切る。

　ジューンはみんなに向かってずっとしいっと言いながら、脂の滲みだしたハンバーガーの袋をいくつも持って部屋に向かうが、その声が誰より大きいのだから、効果のほどは知れている。グループのなかで唯一まともに口がきけるビーは、なにげなく一室を選び、ジューンとノーラをキングサイズのベッドに導き、ペズを空っぽのバスタブへ連れていく。

「あなたたちはふたりでなんとかできるわね？」ビーは廊下でアレックスとヘンリーに言うと、いたずらっぽく目を輝かせながら、三つめの鍵をふたりに渡す。「わたしはローブに着替えて、ノーラから聞かされたこのミルクシェークに浸かったフライドポテトを試してみる」

「ああ、ビアトリス、お互い王冠に恥じない行動を心がけよう」そう言うヘンリーの目は、少し寄り目になっている。

「ばかしないようにね」ビーはふたりの頬にさっとキスをすると、廊下の角を曲がって消える。

背後で笑うヘンリーの息がうなじの巻き毛にかかるのを感じながら、アレックスはドアを開ける。ふたりそろって壁に倒れ込んでから、着ているものを脱ぎ捨てつつベッドに向かう。ヘンリーは高価なコロンとシャンパンと、決して消えることのないヘンリーそのもののにおい、清らかな草地のようなにおいがする。彼はベッドの手前まで来たアレックスの背中に胸を押しつけ、開いた両手をアレックスの腰にあてがう。

「きみをスーパーソニックマンにしてやりたい」アレックスはささやき、首を後ろに伸ばしてヘンリーの耳に頭をすりつける。ヘンリーは笑いながら、アレックスの膝の裏を軽く蹴る。

ふたりは体をぴったりとくっつけたまま、ぎこちなく横ざまにベッドに倒れ込んだ。ヘンリーの片方の足首にはまだズボンが絡みついているけれど、そんなことはどうでもいい。なぜならヘンリーのまつげが震えて目が閉じ、ついにふたりの唇が重なったから。

アレックスの手が本能に導かれて下へと移動する。甘い記憶として残っているヘンリーの体の筋肉を手に感じていると、ヘンリーの手が伸びてきて、動きを止められる。

「待って」ヘンリーが言う。「いま気づいた。さっきあんなことがあったけど、今夜のきみはまだだっただろう？」ヘンリーは頭を後ろの枕に載せ、細めた目でアレックスを見る。「そうだよ、それはよくない」

「へえ、それで？」アレックスはここぞとばかりにヘンリーの首筋や頬骨のくぼみ、喉ぼとけに唇を寄せる。「どうするつもり？」

ヘンリーがアレックスの髪に片手を差し入れ、軽く引っ張る。「きみに人生最高のクライマックスを与えてやる。きみを気持ちよくするために、ぼくはなにをすべきだろう？　行為のあいだ、アメリカの税制改革について語ればいいかな？　好みの話題はあるかい？」

アレックスが顔を上げると、ヘンリーはにやにやしている。「いやなやつ」

「軽くラクロスごっこ、かな？」ヘンリーは笑い声をあげて両腕をアレックスの肩にまわし、胸に引き寄せて抱きしめる。「ああ、キャプテン、ぼくのキャプテン」

「ほんと、最低なやつだ」アレックスは身を寄せ、再度のキスで彼の言葉をさえぎる。最初はやさしく、そして深く、長く、ゆっくり熱く。体の下でヘンリーがしきりに動いている。

「ちょっと」ヘンリーは息を切らしている。「待って」アレックスが目を開けると、ヘンリーが見慣れた表情を浮かべている。緊張して、不安げだ。「ぼくに考えがある」

アレックスは片手をヘンリーの胸から頬へすべらせ、指一本で頬を軽く撫でる。まじめな声になる。「聞くよ。真剣に」

ヘンリーは唇を噛んで適当な言葉を探している。そして、心を決めたようだ。

「おいで」ヘンリーは勢いよく伸びあがってアレックスにキスをする。全身全霊を込めてキスをしながら、両の手のひらをアレックスの尻にすべらせる。アレックスは自分の喉から声が漏れるのを感じる。なにも考えずにヘンリーの導きに従い、マットレスが深く沈むほどのキスをして、波のようにうごめくヘンリーの体に載る。

ヘンリーの腿が——馬の背にまたがってポロをプレーする腿が——アレックスの体に巻きついてきて動く。やわらかく温かい肌が腰を包み、ヘンリーのかかとが背中に押しつけられる。アレックスは動きを止め、ヘンリーの顔を見る。かつてないほどはっきりと、彼がしたがっていることがわかる。

「いいのか？」

「きみとはないが」ヘンリーが小声で言う。「ぼくは……経験がある。だから教えてあげられる」

「でも、ぼくもやり方は知ってる」アレックスはにやりとする。釣られたように、ヘンリーの口角が少し持ちあがる。「ぼくにしてほしいんだね？」

「そうだ」ヘンリーが腰を押しあげ、ふたりそろって本能のままに声を漏らす。「そう、なんとしても」

ヘンリーのひげ剃りセットがナイトテーブルの上にある。彼はなかを手探りして、目当てのものを探しだす――コンドーム、そして小瓶に入った潤滑油だ。

アレックスは笑いそうになる。トラベルサイズの潤滑油。女の子とベッドのなかで変わったことを試みたこともあるけれど、こんなものが存在するとは思わなかった。しかもヘンリーはデンタルフロスの隣にそれを入れて、ジェット機で世界を飛びまわっている。

「これは未経験だ」

「ああ、そうだろうね」ヘンリーはアレックスの手を唇に引き寄せて、指先にキスをする。「誰もが学び、成長しなければならない、だろう?」

アレックスはやれやれとばかりに目をまわす。いやみを言うつもりが、ヘンリーに指を二本吸われて、まんまと口を封じられる。ヘンリーの自信が波のように押し寄せてくる。彼は自分の欲しいものを求めるまではさんざんあがくのに、許された瞬間にやすやすと受け入れる。さっきのバーでもそうだった。しかるべき場所を押されると、たちまち踊りだし、叫びだした。誰かから許可が与えられるのを待っていたように。

さっきほど酔ってはいないけれど、まだ体内にはたっぷりアルコールが残っているので、それほど気後れしないですむ。はじめてにもかかわらず、指が進むべき先を見つけて動きだす。ヘンリーは頭を枕に落とし、目を閉じてアレックスに主導権を譲る。

ヘンリーとのセックスは、一度として同じではない。ときに彼は軽々と動き、いっきに没頭する。緊張してこわばり、アレックスに緊張をほぐされて乱れたがることもある。アレックスが口答えすることでたちまち火がつくこともあれば、ヘンリーがその血に宿す権威を思いのままにふるうことを双方が望むこともある。そうなると、どんなに哀願しようと、アレックスは許されるまで達することができない。

予測不能で、投入できて、楽しい。挑戦と名のつくものでアレックスが嫌いなものはない。そして彼、そうヘンリーは、頭のてっぺんからつま先まで、最初から最後まで、挑戦しがいのある相手だ。

今夜のヘンリーは軽薄で、情熱的で、受け入れる気持ちになっている。反応はすばやくスムーズで、アレックスが探していたものを与えてくれる。本人も笑っていて、触れられると敏感に反応する自分に呆然《ぼうぜん》としているようだ。アレックスがかがんでキスをすると、ヘンリーがその唇の端にささやく。「きみさえよければいつでも来て」

アレックスは息を吸って、止める。覚悟はできている。できていると思う。

ヘンリーが手を持ちあげ、アレックスの頬や、汗ばんだ髪の生え際を撫でる。アレックスが彼の脚のあいだにおさまり、ヘンリーが右手の指をアレックスの左手の指に絡めてくる。

アレックスは彼の顔から目を離さない。もはや彼の顔以外のものを見ることは考えられない。その表情は和らぎ、口元は幸せそうにゆるみ、そしてアレックスが許しも得ずにかすれた声で「ベイビー」と言うと驚いている。ヘンリーが小さくうなずく。知らない人なら痙攣《けいれん》のようなその小さな動きを見のがしただろうが、アレックスはそれがなにを意味するか知っているので、体を近づけてヘンリーの耳たぶを吸い、もう一度、「ベイビー」と呼ぶ。

ヘンリーは「来て」そして「お願い」と言い、アレックスの髪を根元から引っ張る。

彼の腰を両手でつかみ、身を沈める。あり得ないほど彼に近づいてその肉体を共有することによってもたらされる、まばゆいばかりの幸福感に包まれる。自分と同じようにヘンリーもこの行為を信じられないほどの喜びをもたらしているらしいことがいまだ不思議でならない。見あげるヘンリーは顔を赤らめて、陶然としている。こんな顔をするのは反則だ。アレックスは自分が唇をゆるめ、畏敬と誇らしさに笑みを浮かべているのを感じる。

行為を終えると、ゆっくりとわれに返っていく。震えの止まらない膝はマットレスに沈んだまま、下腹部はべたついている。手はヘンリーの髪に絡め、彼の頭をやさしく撫でている。

自分の外に踏みだして、ふたたび戻ってきたような気分だ。戻ってみたら、すべての配置が少しずつ換わっている。顔を上げてヘンリーを見ると、感情が胸に戻ってくるのを感じる。ヘンリーの白い歯にかぶさる上唇の曲線に胸がうずく。

「やばい」アレックスはついに口を開き、ふたたびヘンリーを見る。彼はいたずらっぽく目をすがめて、にやりとする。

「スーパーソニックな体験だった？」ヘンリーの言葉にアレックスはうめいて彼の胸を引っぱたき、ふたりで大笑いする。

ふたりは離れ、いちゃつきながらどちらが汗に湿った場所で寝るかで言い争いになり、午前四時ごろ、ようやく眠りに落ちる。ヘンリーはアレックスを横向きに寝かせて、背中から抱きつく。肩で肩をおおい、片方の腿を腿の上部に押しあて、両腕で両腕を、両手で両手を押さえ、触れられていない場所がなくなる。そしてアレックスは、この数年でもっとも深い眠りに落ちる。

三時間後にアラームが鳴る。飛行機で帰宅する時間が近づいている。

いっしょにシャワーを浴びる。朝のコーヒーを飲むうちに、ヘンリーが暗く不機嫌になる。こんなに早くロンドンに戻らなければならないというつらい現実が立ちはだかっている。アレックスは黙って彼にキスをして、電話をかけると約束をする。もっとほかにしてあげられることがあればいいのだけれど。

アレックスはヘンリーの身支度を見守る。石鹸《せっけん》を塗ってひげを剃り、髪に整髪料をつけ、きょうのためにバーバリーの服を着ている。そして、こんなふうに毎日彼を見られればいいのに、と思っている自分に気づく。ヘンリーを骨抜きにするのは好きだけれど、昨夜の行為ですっかり乱れたベッドに座っていることには、信じられないくらい親密ななにかがある。彼が昼間のヘンリー王子を作りあげるのを見ているのは、自分だけだ。

二日酔いで頭がずきずきするのを感じながら、アレックスは、ヘンリーといままで交わらずに来たのは、こうしたもろもろの感情のせいではないかと思う。

それに、吐きそうだ。たぶん、交わったこととは関係ないけれど。

彼らは廊下で落ちあう。ヘンリーは二日酔いと言っていい状態だけれど、やはりハンサムで、アレックスはかろうじて自分を保っている。ビーはよく休めたらしく、すっきりとして元気で、そのことを得意に思っているようす。スイートルームから出てきたジューン、ノーラ、ペズはよれよれで、カナリアを捕まえた猫のようだが、誰が猫で誰がカナリアなのかは判然としない。ノーラのうなじに口紅の跡がついているけれど、アレックスはなにも尋ねない。

エレベーターの前でみんなに会ったキャッシュが含み笑いを漏らす。片方の手で六杯のコーヒーの載ったトレーを持っている。彼の業務のなかに二日酔いの世話は入っていないが、キャッシュの面倒見のよさはメンドリ並みだ。

「仲間ができたな？」

それでアレックスは、はたと気づく。自分にも友だちができた。いまのぼくには友だちがいる。

8

きみは黒魔術師だ

ヘンリー <hwales@kensingtonemail.com> to A

二〇二〇年六月八日、三：二三PM

アレックス

このメールを書くにあたって、これ以外の言葉はない。ぼくの言葉、慎みの欠如を許してもらいたい。きみはいまいましいくらい美しい。

この一週間、公的行事や会議のために車で走りまわっていたけれど、まるで役に立たなかった。多少は意味のある貢献ができたのであればいいのだが。アレックス・

クレアモント＝ディアスが外でうろついているとわかっているのに、なにができるというのか。気が散ってしかたがない。

本当にどうしようもないほどの役立たずぶりだ。きみの顔のことを思っていないときは、きみの尻か、手か、そのこしゃくな口のことを思っているのだから。そもそも、その口のせいでぼくはこんな苦境に陥ったのだろう。王子に対してそこまで厚かましい口をきいたのは、きみだけだ。きみがはじめてぼくをまぬけ呼ばわりした瞬間、ぼくの運命は決した。ああ、わが祖先よ！　いにしえの王たちよ！　ぼくから冠を取り去り、祖先の土に葬りたまえ。汝《なんじ》らの下半身によってなされた奇跡の御業が、あごにくぼみのあるアメリカ人の男にいじめられることが好きなゲイの跡継ぎによって台無しにされると知ってさえいれば。

前に話したゲイの王の話を覚えているかい？　ぼくが思うに、馬上槍試合できわめて壮健にしてとびきり退屈な騎士に惚れ込み、この騎士をすかさず寝室侍従（実在する肩書きだよ）にしたジェームズ一世なら、こんな苦境にいるぼくを許してくれるかもしれない。

まいったことに、きみが恋しくてたまらない。

キス

ヘンリー

CLAREMONT FOR AMERICA 2020

Re: きみは黒魔術師だ

A <agcd@eclare45.com> to ヘンリー

二〇二〇年六月八日、五：〇二PM

H

それってつまり、きみはジェームズ一世で、ぼくは、どこぞのセクシーでまぬけな股ぐら騎士ってこと？　ぼくはただの筋肉ばかじゃないし、きみが体をはずませるためのただの尻でもないぞ、ヘンリー！！！！

ぼくを美しいと言ったことは、謝らなくていい。そんなことをされたら、ぼくのほうも、ロサンゼルスではきみに恍惚《こうこつ》状態にさせられた。すぐにまたそういう機会がないと死んでしまうと言ったことを、謝らなければならなくなる。なにが慎みの欠如だよ。その点でぼくと争って、勝てると思う？

いいかい、いますぐロンドンへ飛び、その無意味な会議だかなんだかからきみを連れだして、〝ベイビー〟と呼ばれるのが好きだと白状させてやる。この歯できみをめちゃくちゃにしてやるよ、スイートハート。

キス＆ハグ

A

Re: きみは黒魔術師だ

ヘンリー <hwales@kensingtonemail.com> to A

二〇二〇年六月八日、七：二二PM

アレックス

たとえばぼくのように、オクスフォードでイギリス文学の学位を取ると、しょちゅう人から好きなイギリス人作家は誰かと尋ねられる。

それで広報担当チームは無難な回答リストを作成した。リアリズム文学が望ましいというので、ぼくはジョージ・エリオットを挙げた——却下。エリオットのペンネームはメアリー・アン・エヴァンズで、屈強な男性作家じゃない。イギリス小説の礎になった人物を入れたいというので、ダニエル・デフォーを挙げた——却下。英国国教会と距離を置いていたからだ。そこで、ぼくはジョナサン・スウィフトを持ちだした。ほんのできごころだ。アイルランド人の政治風刺作家と聞いて広報担当者たちが集団で心臓発作を起こすところが見たかった。

最終的に彼らが選んだのはディケンズだった。よりによって。彼らの望みは真実ではなく、きわどくないものだった。でも正直なところ、『大いなる遺産』に出てくる廃墟《はいきょ》のような邸宅に住み、毎日ウエディングドレスを着て、みじめに暮らしている芝居がかった女性以上にゲイっぽいものがあるだろうか？

きわどい真実：ぼくが好きなイギリス人作家はジェーン・オースティン。

そこで『分別と多感』の言葉を借りる。〝きみに必要なのは忍耐だけ――より魅力的な名前をつけるなら、希望と呼ぼう〟換言すると、こうなる。近いうちに、きみがみだらなその口から出た言葉を実行してくれることを祈る。

欲求不満のヘンリー

アレックスは誰かからプライベートなメールをやりとりするサーバーに関して警告を受けたことがあったような気がする。けれど、こまかいことはあいまいで、重要な問題だとは思えない。

世のなかには、すぐに喜びが得られるはずなのに、理解するのに時間を要するものがある。ヘンリーのメールの要点も最初のうちはよくわからない。

だが、共和党の大統領候補であるリチャーズがトークショーで、アレックスの母は大統領らしいことをなにひとつ成し遂げていないと司会者のショーン・ハニティーに話しているのを聞いたとき、アレックスは腕で口をおおってひそかに叫びながら、ヘンリーのメールのこんな言葉を思いだす。〝きみはときどき、底に穴が開いた袋から砂糖をこぼしているような話し方をする〟。WASPのハンターが、一日の就労時間のあいだに五回もハーヴァードのボート・チームの話題を持ちだしたときに思いだしたのは、〝ズボンに包まれたきみの尻は罪だ〟。そして見知らぬ人との触れあいに疲れたときにふとよみがえったのは、〝きみが宙に投げだされ、プレイヤド星が消えたら、ぼくのところへ戻ってきてくれ〟

遅ればせながら理解する。

リチャーズが公認候補者の筆頭になれば物騒なことになるという、父の言葉はまちがっていなかった。特定の集団に向けたメッセージや白い歯を見せた笑顔のなかに醜悪さがひそんでいる。アレックスとジューンに投げつけられた右派の解説記事。〝メキシコ人は大統領一家の仕事まで盗んだ〟

選挙に負けるわけにはいかない。アレックスはコーヒーを飲み、選挙遊説に政策立案の仕事を持ち込み、コーヒーをさらに飲み、ヘンリーからのメールを読み、さらにコーヒーを飲む。

ワシントンDCで恒例のLGBTQ＋のイベントが開催されたのは、アレックスがネヴァダ州にいるときだ。彼が〝バイセクシュアルに目覚め〟て以来、初のキャピタル・プライドだ。うらやましくてたまらないアレックスは、その日一日、ツイッターをチェックしてばかりいる――ナショナル・モールに紙吹雪が舞い、ラファエル・ルナがレインボーカラーのバンダナを頭に巻いて中心人物を務めている。アレックスはホテルに戻り、ミニバー相手に愚痴をこぼす。

そんな混沌《こんとん》のなかで最大の明るい材料は、選挙事務長（と母）に対するアレックスの陳情がついに実を結び、ヒューストンのミニッツメイド・パーク野球場で大規模集会をするのが決まったことだ。世論調査はかつてない変化を見せ、〈ポリティコ〉の今週のトップ記事にはこうある。〝二〇二〇年はテキサス州が実際の戦場となるか？〟

「ええ、ヒューストンの集会はあなたの発案だと必ずみんなにわかってもらうようにするわ」母は半分うわの空だ。テキサスへ向かう飛行機のなかで、スピーチの準備を続けている。

「〝不屈の精神〟じゃなくて〝根性〟にして」ジューンが母の肩越しにスピーチ原稿を読んで指摘する。「テキサス人は根性が好きだから」

「あなたたち、ちょっと離れててくれない？」そう言いながらも、母は原稿にジューンの指摘を書き込む。

アレックスは、たとえ世論調査の結果がいいときでも、選挙キャンペーンの多くに対して懐疑的だ。だから、ミニッツメイド・パーク野球場に来て、そのブロックを二周に取り囲む人々の列を見て、舞いあがりそうになる。自分でも得意げなのがわかる。母は立ちあがって多数の聴衆に話しかけ、アレックスは心のなかで、そうだ、テキサス、ろくでなし連中がまちがっていることを証明してやれ、と思う。

つぎの月曜、選挙事務局のドアのカードリーダーに身分証を読み取らせるときも、アレックスの高揚感は続いている。デスクに張りついて何度もくり返しフォーカスグループの検討をすることには飽き飽きだけれど、戦いに挑む気力は充実している。

角を曲がって自分のブースに向かい、WASPのハンターがテキサス・バインダーを持っているのを目撃する。ハンターはすぐにバインダーを戻す。

「ああ、デスクに置きっぱなしだったから」とWASPのハンター。「ふたりで担当する新プロジェクトかと思ってさ」

「ぼくがいままでどんなに止めたくても、そっちの席へ行って、きみが〈スポティファイ〉で流してるドロップキック・マーフィーズのロックを消したことがあるか？」アレックスは詰問する。「ハンター、ぼくは一度だってしてないぞ」

「だが、きみはぼくの鉛筆を何本も盗んだ――」

アレックスは話の途中でバインダーを手に取る。「これは私物だ」

「それ、なんだよ？」ＷＡＳＰのハンターが尋ね、アレックスはバインダーを自分のバッグに押し込む。まさか置き忘れるとは。「そのデータとか選挙区の線とかさ？　なにをするつもりなんだ？」

「べつに」

「きみが推してたヒューストンの集会に関することか？」

「ヒューストンは大成功だった」アレックスはたちまちむきになる。

「なあ……テキサスで民主党が勝てると、本気で思ってるわけじゃないよな？　国内でもっとも後進的な州だぞ」

「きみはボストン出身だ、ハンター。偏見が生まれる場所のもろもろについて、本気で話したいのか？」

「なんだよ、ただ言っただけじゃないか」

「いいか」アレックスは追い打ちをかける。「ぼくが思うに、民主党の州の出身者は、それが理由で自分たちは画一的な偏見とは無縁だと考えてる。でも、白人至上主義者がすべてミシシッピのド田舎の麻薬依存症者ってわけじゃないんだぞ。父親の金でデューク大学やペンシルヴェニア大学に通ってるやつのなかにもたくさんいる」

ＷＡＳＰのハンターはぎくりとしながらも、納得していないようすだ。「だからといって、共和党の州が共和党の州でありつづけるという現実は変わらないよ」冗談めかして、笑い声をあげる。「そういうとこの連中は、投票によって自分たちにどんな利点があるか考えてないみたいだからね」

「ぼくたちがもっとこちらから出かけていく努力をし、彼らを大切に思っていることや、ぼくたちの政策が彼らを助けるものであることが伝わったら、自分たちが見捨てられてないとわかって、投票する気持ちになってくれるかもしれない」アレックスは熱弁をふるう。「考えてみろよ。自分の助けになる主張を持つ候補者が、誰ひとり自分の州に来て有権者に話しかけようとしなかったらどう思う？　あるいは、もし自分が犯罪者かなんかだったら？　投票時ＩＤ提示法なんぞくそ食らえだ。投票所にアクセスできなかったり、投票に行くために仕事を抜けられなかったりする人は？」

「まあね、共和党州の社会的に無視された有権者をひとり残らず魔法みたいに動員することができれば、それはすばらしいさ。でも、選挙キャンペーンに費やせる時間と資源は有限だ。予測にもとづいて優先順位をつけるしかない」合衆国大統領の息子であるアレックスに向かって、選挙キャンペーンの初歩を説くような説教だ。「民主党の州には、　共和党の州ほど偏見をもつ者はいない。　置き去りにされたくなければ、　共和党の州の住民はなにかしら行動すべきだ」

　ありていに言って、　アレックスはそれを実践している。

「きみはテキサス生まれの誰かさんの選挙キャンペーンの仕事をしていることを忘れたのか？」　アレックスの声は、　明らかに大きくなっている。　近くの席のスタッフがこちらを見るほどだが、　知ったことではない。「各州でクー《K》・クラックス《K》・クラン《K》の支部があることについて話すか？　バーモント州では、　人種差別主義者や同性愛嫌悪者が増えつづけていないとでもいうのか？　なあ、　ここで働いてくれることは感謝してるが、　きみは特別じゃない。　ほかの誰かに問題を押しつけて、　ただここに座ってるわけにはいかないんだ。　誰もそんなことはできない」

　アレックスはバッグを手に取って、　部屋を飛びだす。

　ビルの外に出ると、　とっさにスマートフォンを取りだし、　グーグルを開く。　今月は試験がある。　今月、　行われることはわかっている。

〝法学大学院進学適性試験《LSAT》　ワシントンDC地区　テスト会場〟と入力する。

三人の天才とアレックス
二〇二〇年六月二三日、一二：三四PM

アレックス
ジュニパー

バグ
わたしはそんな名前じゃないし、誰の名前でもない
やめて

アレックス
韓国のポップバンドBTSのリーダー
キム・ナムジュン

バグ
あんたの番号をブロックしてやる

おまぬけ殿下💩

アレックス、まさかペズから

Ｋ‐ＰＯＰを吹き込まれたんじゃないだろうな

アレックス

きみだってノーラのせいで

『ル・ポールのドラァグ・レース』に引き込まれたろ

リアル世界の混沌の悪魔

［ドラァグクイーン、ラトリス・ロイヤルの「食べちゃえ！」のＧＩＦ画像］

バグ

なにがしたいのよ、アレックス？？？？

アレックス

ミルウォーキー州でのスピーチ原稿はどこ？

わかってるぞ、姉さんが盗《と》ったんだろ

おまぬけ殿下💩
このグループチャットで
話すことか？

バグ
一部、書きなおしが必要だったのよ！！！
あんたのメッセンジャーバッグの外ポケットに
添削した原稿を戻しておいた

アレックス
こんなことを続けてたら
デイヴィスに殺されるぞ

バグ
デイヴィスは先週の『レイト・ナイト・ウィズ・セス・マイヤーズ』でわたしが調整した話題が好評だったのを観てるから
わたしを殺すはずない

アレックス
なんで石まで入ってるんだよ？

バグ
それは透明な水晶よ
頭脳が明晰《めいせき》になり、いいオーラが得られる
異論は受けつけない
いまはありったけの助けが必要でしょ

アレックス
ぼくの持ちものに呪文をかけるな

リアル世界の混沌の悪魔
魔女を火炙《あぶ》りにしろ

リアル世界の混沌の悪魔
ねえ、この＃明日の学生有権者を探せ、ってやつ
どう思う？

リアル世界の混沌の悪魔
［添付画像］

リアル世界の混沌の悪魔
わたしが目指してるのは、レズビアンの詩人かな
レトロなバーで、セクシーなヨガのインストラクターと出会って
瞑想《めいそう》と陶芸に夢中になる
そして手作りのフルーツボウルを販売する
有能なビジネスウーマンとなって

新たな人生をはじめる

おまぬけ殿下💩
ビッチめ、ぼくまで巻き込むなよ

あ〜〜〜〜〜

アレックス
ノーラのせいでヘンリーが壊れたぞ

リアル世界の混沌の悪魔
(笑)(笑)(笑)

招待状がバッキンガム宮殿から配達証明付き航空郵便で届く。金で縁取りされたカードに、ひょろっと伸びたカリグラフィーで文面が書かれている。〝選手権会長および管理委員会は、アレグザンダー・クレアモント＝ディアスに二〇二〇年七月六日のロイヤルボックスへ臨席を賜れば幸甚に存じます〟

アレックスは写真を撮ってヘンリーにメッセージを送る。

一、いったいこれはなに？　きみの国には貧しい人はいないのか？

二、ぼくだってロイヤルボックスくらい行ったことあるぞ。

ヘンリーからの返信は、〝きみは罪深い厄介者だ〟。追伸で〝来てくれるよね？〟

というわけでアレックスは、一日選挙キャンペーンを休んで、ウィンブルドンに行く。ヘンリーの隣にいたいという、ただそれだけの理由で。

「さて、前もって警告したとおり」ヘンリーがロイヤルボックスのドアに近づきながら言う。「フィリップが来るよ。ほかの貴族も来るから、きみは言葉を交わすことになる。バジルという人だ」

「貴族の相手くらい難なくこなせるのは、実証ずみのはずだけど」

ヘンリーは不信感をあらわにする。「きみは勇敢だ。ぼくも少しは見習わなければ」

外に出ると、このときばかりは太陽がロンドンを明るく照らし、早くもほぼ埋まっている周囲の観覧席に日差しが降りそそいでいる。仕立てのいいスーツを着たデヴィッド・ベッカムが目に留まる。それにしても、彼はどうやって自分はストレートだと確信したのだろう？　ベッカムが立ち去ったあと、そこに残されていた彼の話し相手はビーだった。ふたりに気づいて、ビーがぱっと明るい顔になる。

「アレックス！　ヘンリー！」ビーがざわめくボックス席の奥から朗らかに声をあげる。ライムグリーンのシルクでできたローウエストのワンピースを着て、金色のミツバチの装飾がついた大きなグッチのサングラスをかけている。

「とっても華やかだね」アレックスは言いながら、ビーから頬にキスを受ける。

「あら、ありがとう、ダーリン」ビーはアレックスとヘンリーのそれぞれと腕を組み、ふたりを引き連れて階段をおりる。「じつは、あなたのお姉さんが服選びを手伝ってくれたのよ。アレキサンダー・マックイーン。ジューンは天才だわ、知ってた？」

「しょっちゅうそう聞かされてる」

「ほら、ここよ」最前列だ。「ここがわたしたちの席」

　ヘンリーがロイヤルボックスの最前列の席を見つめている。贅沢な緑色のクッションの上には、分厚くてつややかな『二〇二〇年ウィンブルドン』のプログラムが置かれている。

「最前列の正面？」ヘンリーが緊張気味に言う。「本当に？」

「そうよ、ヘンリー。お忘れかしら。あなたは王族で、ここはロイヤルボックスなのよ」ビーはフォトグラファーたちに手を振る。早くも写真を撮りはじめている。ビーはふたりに身を寄せてささやく。「心配しないで。フォトグラファーたちに、あなたたちの濃厚な親密さを嗅ぎつけられることはないと思うから」

「ハハッ、ビー」ヘンリーは抑揚のない声で応じる。耳をピンク色に染め、不安そうではあるけれど、アレックスとビーのあいだに座る。肘を体にぴったりつけて、アレックスに触れないようにしている。

　昼近くになってフィリップとマーサが到着する。相変わらずフィリップは味もそっけもないハンサムだ。いたずらっぽい笑顔と魅力的な頬骨という、ビーとヘンリーの両方に興味深い特徴を与えた豊かな遺伝子が、その一方でどうしてフィリップに対してはこうも投げやりだったのか、不思議でならない。まるで写真素材のような風貌ではないか。

「おはよう」フィリップがビーの隣の予約席に座る。その目が二度、アレックスを探るように見て、なぜアレックスがここにいることを許されたのか不審に思っていることがわかる。ひょっとすると、実際アレックスがここにいるのは、おかしいのかもしれない。でもアレックスは気にしない。マーサも変な目でこちらを見ているけれど、彼女のほうは、ウエディングケーキの件をまだ根にもっているのかもしれない。

「こんにちは、フィリップ。マーサ」ビーがそつなく挨拶する。アレックスの隣でへンリーが背中をこわばらせるのがわかる。

「ヘンリー」フィリップが言う。ヘンリーの膝の上のプログラムに置いた手がこわばる。「会えてよかった。忙しそうだな。一年のギャップイヤーだから、なにかと走りまわっているんだろう？」

　言葉に含みが感じられる――〝いったいどこでなにをしていたんだ？〟ヘンリーのあごの筋肉が引きつる。

「ああ」ヘンリーが答える。「パーシーとの仕事が山積みでね。大忙しだった」

「そうか、オコンジョ財団、だったか？」とフィリップ。「きょうは、彼が来られなくて残念だった。で、アメリカ人の友人で間に合わせたわけだな？」フィリップは冷淡な笑みをアレックスに向ける。

「おっしゃるとおりです」アレックスは必要以上に大きな声で答え、屈託のない笑みを見せる。

「とはいえ、このボックス席だとパーシーは多少、場違いに見えただろうが」

「フィリップ」ビーがたしなめる。

「おいおい、大げさだぞ、ビー」フィリップは取りあわない。「彼が風変わりだと言いたいだけだ。ほら、あの男の服装ときたら。ウィンブルドンでは派手すぎる」

ヘンリーは穏やかで平然とした顔をしつつ、片方の膝が動いてアレックスの膝にぶつかる。「あれはダシキというアフリカの民族衣装だよ、フィリップ。それにパーシーが着たのは一度だけだ」

「いかにも」フィリップが言う。「批判しているわけじゃない。ただ、ほら、子どものころ、おまえたちもいっしょにわたしの大学の友人と過ごしただろう？　レディ・アガサの息子、いつもウズラ狩りをしていた彼のことを覚えているか？　友人ならほかにもいるんだぞ……立場の似通った」

ヘンリーは唇を引き結んで、無言を貫く。

「誰もがあなたみたいにモンペザ伯と親友になれるわけじゃないのよ、フィリップ」ビーが小さな声で言う。

「いかなる催しであろうと」フィリップはその発言を無視して続ける。「しかるべき社交の輪に入らなければ、結婚相手を見つけることもできないだろう？」軽く笑いを漏らして、観戦に戻る。

「失礼」ヘンリーは言うと、プログラムを席に置いてどこかへ消える。

十分後、アレックスは、けばけばしいフクシアの花が生けられた巨大な花瓶の横にあるクラブハウスでヘンリーを見つける。ヘンリーはアレックスに気づき、じっと見つめる。嚙みしめた唇は、ポケットチーフに縫い取りされたイギリス国旗と同じく真っ赤だ。

「やあ、アレックス」おちついた口調だ。

アレックスは同じ口調で返す。「やあ」

「クラブハウスはもう誰かに見せてもらったかい？」

「いや」

「そうか。じゃ」

ヘンリーは彼の肘の後ろに指を二本添え、アレックスはすぐに従う。

階段をおり、横にある隠し扉を通ってやはり秘密の廊下を通ると、大量の椅子やテーブルクロスが詰め込まれた小部屋があり、古いテニスラケットがひとつ、ぽつりと置いてある。物置部屋のドアが閉まるやいなや、ヘンリーはアレックスをドアに押しつける。

ヘンリーはすぐに身を寄せるが、キスはしない。すぐそばに佇み、アレックスの腰に両手をあて、唇を開いていたずらっぽい笑みを浮かべる。

「ぼくがしたいことがわかる？」低く熱いその声がたちまちアレックスのみぞおちを焦がし、体の芯を熱くする。

「なに？」

「ぼくがしたいのは」ヘンリーが言う。「いま、ぼくがすべきことと正反対のことだ」

アレックスはあごを突きだして、挑むように笑いかける。「だったら、ぼくにしろと言って、スイートハート」

ヘンリーが自分の唇の端を舐めて、アレックスのベルトを引っ張って外す。「ファックしてくれ」

アレックスはうなるように言う。「ウィンブルドンだぞ」

ヘンリーはかすれた笑い声をたてて、身をかがめる。開いた口で熱烈にアレックスの口を奪う。時間がないのがわかっているので、動きが性急だ。アレックスがうめいて肩を引っ張ると、ヘンリーはそのリードに従って、たちまち位置を交代する。アレックスはヘンリーの背中を胸に抱え、ヘンリーはドアに両手をつく。

「つまり、こういうことか」アレックスは言う。「ぼくは、きみの家族へのいやがらせとしてこの物置部屋できみとセックスをしようとしてる。いま起きていることは、そういうこと？」

ヘンリーはトラベルサイズの潤滑油をジャケットに忍ばせてつねに持ち歩いていたようだ。「そのとおり」肩越しにそれを投げてよこす。

「最高だね。面当ての愛の行為ってわけか」その言葉に少しも皮肉はない。アレックスはヘンリーの脚を足で払って開かせる。

本当なら――滑稽なはずだ。熱くて、愚かしくて、ばかげていて、みだらで、新たにリストに書き加えるべき奔放な性的冒険のはずだ。実際そうだ……前回のように、途中で中断したら死んでしまうようなものであるはずがない。アレックスは笑いが湧いてくるのを感じつつ、それを胸におさめている。ヘンリーがなにかを打ち破る助けをしているのがわかっているから。彼の反逆を。

〝きみは勇敢だ。ぼくも少しは見習わなければ〟

ことが終わると、アレックスはヘンリーに強く唇を押しあて、指を髪に深く差し入れて、ヘンリーの息を奪う。息を切らして笑顔でもたれかかってくるヘンリーは、すっかり自分に満足したようすだ。「テニスはもういいだろう？」

そこでふたりは、こっそり人混みの後ろを通って抜けだし、王室警護官やパラソルに邪魔されながらもケンジントン宮殿に戻る。ヘンリーはアレックスを自室に連れていく。

ヘンリーの〝住まい《アパートメント》〟は、〈オランジェリー〉に近い宮殿の北西に位置し、不規則に広がる二十二の部屋からなっている。そこをビーと分けて使っているのだが、天井が高くて重厚なジャカード織りの家具類がならぶその場所には、ふたりらしさがほとんど感じられない。置いてあるものはヘンリーよりビーのもののほうが多い。長椅子の背に革のジャケットがかかっている。ミスター・ウォーブルズが部屋の隅で毛繕いしている。階段の踊り場に飾られているのは、十七世紀のオランダの油絵『用を足す女』だ。ロイヤルコレクションからこの一枚を選ぶのは、ビーぐらいのものだろう。

　アレックスの想像どおり、ヘンリーの寝室は広々として豪華絢爛《けんらん》で、やりきれないほど当たり障りがない。バロック様式の金ぴかのベッド、庭園を見おろす窓。スーツを脱ぐヘンリーを見ながら、ここに住むしかないのはどんな気持ちだろう、と想像する。ヘンリーには部屋の内装を決めることが許されなかったのか、ヘンリーのほうにおしきせのもの以外を求めようという気がなかったのか。眠れない夜のヘンリーは、この個性のない部屋の数々をあてどなく歩きまわっている。博物館にとらわれた鳥のように。

　唯一ヘンリーとビーらしさが感じられるのが二階の小さなリビングルームで、音楽室に改装されている。そこだけは、色彩があふれている。手織りのトルコ製のラグは深紅と紫。黄色っぽい褐色の長椅子。円形のフロアクッションとアンティークのテーブルが、まるでキノコのようにぽんぽんと配置され、壁にはストラトキャスターやフライングVのエレキギター、バイオリン、大小さまざまなハープがならび、部屋の片隅にずんぐりとしたチェロが立てかけてある。

そして中央に鎮座するのはグランドピアノだ。ヘンリーは腰をおろし、物憂げにザ・キラーズの古い曲を思わせるメロディーを弾く。ペダルのそばでビーグル犬のデヴィッドが静かに昼寝をしている。

「ぼくの知らない曲を弾いてくれ」アレックスは言う。

テキサスで高校に通っていたとき、アレックスはもっとも文化的なスポーツ選手だった。政治に夢中な本の虫であり、チームを代表する優秀選手でありながら、上級コースのアメリカ史の課題でドレッド・スコット奴隷裁判のこまかい点の討論までこなした。そして、いまは黒人ジャズ歌手ニーナ・シモンやソウルミュージシャンのオーティス・レディングを聴き、高価なウイスキーを好む。だがヘンリーはそれとはまったく異なる知識をもっている。

それゆえアレックスはただ小さくほほ笑みながらうなずき、これがブラームスの曲調だとか、これはワーグナーだとか、このふたりはロマン派の対極にあるとかいうヘンリーの説明に耳を傾ける。「違いを聴き分けられるかい？」ヘンリーは楽々とすばやく両手を動かしながらもときに脱線し、ロマン派の争いについて唐突に語りだしたり、リストの娘はワーグナーのために夫を捨てたなどといった知識を披露したりする。なんとスキャンダラスな！

ヘンリーはアレクサンドル・スクリャービンのソナタに移り、その作曲家と同じ名前を持つアレックスにウインクする。アンダンテ——第三楽章——が気に入っている、とヘンリーは言う。廃墟《はいきょ》と化した城のイメージを描きだそうとした曲だという話を読んで、暗いおもしろさを感じたのだと。そのあと黙り込んで集中し、しばらく曲に没頭する。そして前触れもなく突然、また曲が変わり、荒々しい和音が戻ってくる。聞き慣れた曲——エルトン・ジョンの楽曲集だ。ヘンリーは目を閉じて、暗譜で演奏している。『僕の歌は君の歌』。おお。

どんどん胸が苦しくなることもないし、長椅子につかまって体を支える必要もない。ヘンリーと恋に落ちるためにこの宮殿にいるのであれば、そうなっていただろう。きょうまで飛行機で行き来してふたりで経験を積み、話だってしてきた。ここにいるのは断じてそんなことのためじゃない。

ふたりは長椅子でけだるげに何時間も愛しあう。アレックスはピアノの上でもしたかったけれど、値段がつけられないほど貴重なアンティークとのことだった。そのあとヘンリーの部屋をふらふら歩いて豪華なベッドに移動する。ヘンリーはアレックスに身を委ねる。苦しくなるほどじっくりと、丹念に体を探らせ、部屋が神聖な場所に変わりそうなほどくり返し神の名を呼ぶ。

限界へと押しやられるヘンリーは、贅沢なベッドカバーの上でとろけて溺れる。それから一時間近く、アレックスはやさしい愛撫《あいぶ》で小さな震えを導きだし、感嘆や快感に満ちた苦悶《くもん》などの複雑な表情に見惚れる。そして鎖骨、くるぶし、膝の裏、手の甲の関節、下唇のくぼみに羽根のように軽く触れる。何度もくり返し触れ、ついには指先だけで、あるいは腿の内側に吹きかける息だけで、指を触れた場所に必ず唇を触れることで、ヘンリーをまたぎりぎりのところへと導く。

ヘンリーはウィンブルドンの物置部屋で言ったのと同じことを言う。ただし、こんどはより丁寧な言葉で。「お願いだ、きみが欲しい」ヘンリーがこんなことを言うなんて、いまだに信じられない。アレックスひとりに向けられた言葉だ。

そして言われたとおりにする。

元の世界に戻ると、ヘンリーはひとことも言わずにアレックスの胸の上で意識を失う。疲れ果てて、骨抜きになって。アレックスは心のなかで笑いながら、汗に濡れた髪を撫で、すぐに聞こえてきた小さな寝息に耳をそばだてる。

けれどアレックスのほうはなかなか眠れない。

ヘンリーが彼の上でよだれを垂らしている。デヴィッドがベッドにもぐり込んできて、ふたりの足元で丸くなる。あと何時間かしたら飛行機に乗って、民主党全国大会の準備に戻らなければならないのに、まだ眠れない。時差ぼけのせいだ。時差ぼけの。

すると何百万キロもの彼方《かなた》から送られてくるように、かつて自分がヘンリーに言った言葉がよみがえる。考えすぎるな、と。

「みなさんの大統領として」選挙事務局の薄型モニターのなかでジェフリー・リチャーズがしゃべっている。「たくさんある重要な目標のひとつが、若者の政治参加を後押しすることです。上院の過半数を維持しつつ下院を奪還するためには、次世代の人々が立ちあがり、戦いに加わる必要があります」

ライブ映像のなかでヴァンダービルト大学の共和党学生組織が喝采し、アレックスは最新版の政策草案の上にゲロを吐くまねをする。

「こちらにどうぞ、ブリタニー」かわいいブロンドの学生が壇上のリチャーズにならび、彼は学生の肩を抱く。「このブリタニーはイベントのまとめ役を務めてくれました。すばらしい集会を開くことができたのは、彼女のこれ以上ないほどの働きのおかげです！」

さらに喝采。一般職のスタッフが画面に向かって丸めた紙を投げつける。
「わが党の未来に希望を与えてくれるのは、ブリタニーのような若者です。だからこそわたしはこの発表ができることを喜んでいます。わたしが大統領となったあかつきには、リチャーズ青年議会プログラムをはじめます。ほかの政治家は人々――とりわけみなさんのような見識ある若者――に対して、執務室に来て、裏でどのような活動が行われているかを見せたがりま――」

アレックスは自分のブースに戻りながら、ヘンリーにメッセージを送る。〝ぼくはきみのお祖母《ばあ》さんと、うちの母親の対立候補であるこのいまいましい死肉食らいが戦うところを見たい〟

民主党全国大会まであと一日。今週に入ってからは、つねにコーヒーポットが空で、アレックスはコーヒーにありつけずにいる。二日前に党の綱領を発表して以来、受信箱はあふれ返り、ＷＡＳＰのハンターは死にものぐるいでメールを送りつづけている。先月アレックスから食らった説教についてはなにも言わないが、自分で選んだ音楽でアレックスを不快にさせないようにヘッドホンをつけるようになった。

アレックスはもう一件、こんどはルナにメッセージを送る。〝アンダーソン・クーパーのニュース番組かなんかに出演してくれない？　綱領としてあなたが書いた税法の一部について説明してくれたら、質問が押し寄せずにすむかもしれない。そのくらいの時間はあるよね、相棒《バト》〟

　この一週間、アレックスはルナにせっせとメッセージを送っている。リチャーズ陣営から、彼の閣僚候補としてさる無党派議員に声をかけたという情報がリークされたからだ。古狸《ふるだぬき》のスタンリー・コナーは、支持の求めをことごとくはねつけた――しまいには、コナーが予備選挙でエレンの敵対候補にならなくてよかったというのが、ルナがアレックスに漏らした本音だ。表立った話はいっさいないものの、誰もがリチャーズの候補者名簿に入るのはコナーだと見なしている。だが、いつ公表されるか、仮に知っているとしてもルナは教えてくれない。

　その一週間、世論調査の結果はふるわず、下院議員のポール・ライアンは、銃器所持の権利を保障する憲法修正第二条について、銃器の所持を神聖な権利とするキリスト教原理主義寄りの考えを示すようになり、オンライン版の〈サロン〉にはいいかげんな憶測記事が掲載される。〝エレン・クレアモントがいわゆる美人でなかったら、選ばれただろうか？〟もし、母が毎朝の瞑想を習慣にしていなければ、いまごろ補佐官のひとりが絞め殺されていたに違いない。

　アレックスとしては、ヘンリーのベッドや体や、延々と続く選挙活動から六千キロ離れた場所が、ひたすら恋しい。いまとなっては、一週間前のウィンブルドンのあとの一夜が夢としか思えない。しかもじれったいことに、ヘンリーはこの数日ニューヨークにいる。ブルックリンのLGBTQ+の若者向けのシェルターの書類仕事で、ペズに同行したのだ。だが忙しすぎるアレックスはそこへ出かけていくだけの時間を捻出できず、それにいくら世間がふたりの友情を好意的に受け止めているといっても、いっしょにいるもっともらしい口実が尽きてきている。

　今回は、二〇一六年にはじめて民主党全国大会へ向かったときの息もつけない旅とは、まったく勝手が違う。当時、父はカリフォルニア州の議員として票を投じて母を当選させ、家族全員で涙を流した。母はアレックスとジューンの紹介を受けて指名受諾演説を行い、ジューンの手は震えていたけれど、アレックスの手は揺るがなかった。観衆から大歓声があがり、アレックスの心もそれに応えた。

　今年は全員がきりきり舞いで、くたびれ果てている。国政を担いながらキャンペーンをこなさなければならず、民主党全国大会のたった一日すら負担に感じる。大会二日めの夜、一家は大統領専用機《エアフォースワン》に乗ってニューヨークに飛ぶ。当初はマリーンワンの予定だったが、ヘリコプター一機では全員が乗りきれなかった。

「その費用対効果の分析はしたの？」離陸時にザハラが電話で話をしている。「だって、わたしが正しいことはわかってるわよね。異議があるなら、いつでも資産は譲渡できるのよ。ええ、そう、わかってる。そうよ、そうだと思った」しばらく黙って聞き、小さな声でつけ加える。「わたしもよ、愛してる」

「ねえ」アレックスは電話を切ったザハラに言う。「仲間に話したいことない？」ザハラは顔を上げようともしない。「ええ、いまのは恋人。そして、だめよ、彼に関する質問は受けつけない」

　にわかに関心を持ったジューンが、読んでいた雑誌を閉じる。「わたしたちに知られずにどうやって恋人を作ったの？」

「ぼくなんか、自分の清潔な下着を見るより、ザハラを見る回数のほうが多いぐらいだよ」アレックスは言う。

「下着をちゃんと替えてないのね」母が客室の向こう側から口をはさむ。

「じかにズボンをはくことが多いんだよ」アレックスはこともなげに言う。「もしかして〝遠いカナダにいる恋人〟みたいに、ほんとはいないのにいるふりをしてる？」アレックスは手で引用符の形を作る。「彼は〝別の学校に行っちゃった〟？」

「あなた、いつか非常口から突き落とされたいの？」ザハラが言い返す。「遠距離よ。でもそんなのじゃないの。質問はこれでおしまい」

キャッシュまで話に入ってきて、レジデントスタッフの恋愛のカリスマである自分は知っておくべきだと主張する。そこで、同僚とはどの程度の情報を共有するのが適切かで論争になるが、キャッシュにアレックスの私生活がどのくらい知られているかを思うと、いまさらながら笑ってしまう。そしてニューヨーク上空を旋回中、ジューンが不意に口をつぐみ、ザハラに注意を向ける。ザハラもさっきから黙り込んでいる。

「ザハラ？」

アレックスが見ると、ザハラは身じろぎひとつしていない。つねに動いているふだんの彼女とあまりにかけ離れているので、ほかのみんなまで凍りつく。ザハラは呆然とした顔でスマートフォンを見つめている。

「ザハラ？」母がひどく深刻な口調で、もう一度声をかける。「どうしたの？」

ようやくザハラは顔を上げ、スマートフォンを握りしめる。「いま〈ポスト〉で、リチャーズの閣僚候補の無党派議員が発表されました」ザハラが答える。「スタンリー・コナーではなく、ラファエル・ルナです」

「いいえ」手にハイヒールをぶらさげたジューンの目は、待ちあわせ場所となったホテルのエレベーター付近の暖色の照明で光っている。編み込みから突きだした髪が怒っているようだ。「わたしと話せただけでも運がよかったと思って。だからこのまま受け入れるか、なにも得られないかのどちらかよ」

〈ポスト〉の記者はまばたきをし、録音機を持つ指にはためらいが見える。一行がニューヨークに到着したときから、彼は大会に関するコメントを求めてジューン個人の番号にずっと電話をかけてきていたが、こんどはルナに関する発言を求めている。めったに腹を立てることのないジューンだけれど、きょうという長い一日を経て、あと三秒で手にしたハイヒールをその男の目に突き立てそうな雰囲気だ。

「あなたはどうです？」男はアレックスに矛先を向ける。

「ぼくよりずっと愛想のいいジューンが黙ってるんだから、ぼくも言わない」

ジューンは目をぎらつかせて男の黒縁眼鏡の前で指をはじく。「アレックスに話しかけないで。わたしの発言はこうよ。〝わたしの母である大統領は、いまもこの選挙戦で勝利に向けて全力を尽くしています。わたしたちがここに来たのは、母を支え、党に希望を与え、結束して母の後ろ盾となるためです〟」

「ですが、ルナ上院議員については——」

「ありがとう。投票はクレアモントに」ジューンは話を打ちきるように言うと、手でアレックスの口をふさぐ。そして彼を引きずって待っていたエレベーターに乗り込み、アレックスが手のひらを舐めると、肘鉄砲を食らわせる。

「あの最低最悪の裏切り者め」客室のある階に着き、アレックスは言う。「二枚舌のばか野郎！　ぼくが――選挙のとき手伝ってやったのに。二十七時間一睡もせずに手伝ったんだぞ。あいつの妹の結婚式にだって出席した。〈ファイブ・ガイズ〉で必ず注文する好みのハンバーガーだって知ってるのに！」

「もういいから、アレックス」ジューンがカードキーを読み取り機に通す。

「さっきのヴァンパイア・ウィークエンドみたいな顔したくそ記者は、なんで姉さんの個人の電話番号を知ってんだよ？」

ジューンはベッドに向かって左右の靴を投げ、それがてんでばらばらの場所に落ちる。「去年あいつと寝たからよ、アレックス。なんだと思ってたの？　ストレスから愚かなセックスに走るのは、あんたの専売特許じゃないんだから」ジューンはベッドにどすんと腰をおろし、イヤリングを外しだす。「全然意味がわからない。そうよ、ルナの最終的な狙いはなんなの？　彼はわたしを潰瘍にさせるために未来からやってきた潜伏スパイかなにかなわけ？」

夜遅い時間――九時過ぎにニューヨークに到着し、そこから何時間も続く危機管理会議になだれ込んだ。いまだアレックスはぴりぴりしているが、顔を上げたジューンの目にやり場のない怒りから来る涙を見て、少しだけ気持ちを抑える。

「ぼくが思うに、ルナはうちが負けると思ってるんじゃないかな」アレックスは静かな声でジューンに話しかける。「それで、リチャーズ陣営に加われば彼をもっと左派寄りにできるかもしれないと思ったのかも。内部から工作するっていうか」

ジューンが疲れた目でアレックスの顔をうかがう。ジューンのほうが年上だけれど、政治はアレックスの得意分野であって、ジューンの専門ではない。もし選べたとしても、自分はこの人生を選んだはずだ。だが、ジューンは違う。

「わたし……寝なきゃだめみたい。できたら来年までずっと、かな。それでも足りないかもしれない。本選挙が終わったら起こして」

「了解、バグ」アレックスはかがんで姉のおでこにキスをする。「起こしてやるよ」

「ありがと、弟ちゃん」

「その呼び方、やめろよな」

「ちっちゃな、かわいい、ちっぽけな弟ちゃん」

「やめろって」

「あんたも寝て」

外の廊下に出ると、キャッシュが待っている。スーツを脱いで私服姿だ。

「ここでうろうろしてたの？」アレックスは尋ねる。

「まあ、そうすべきだと思ってね」

キャッシュは特大の手でアレックスの肩を叩く。「下にバーがあるぞ」

アレックスはちょっと考える。「ああ、そうだね」

ここまで遅い時間だと、ありがたいことに〈ザ・ビークマン〉もひっそりしている。店内は薄暗く、壁と深緑色の革の背もたれの高いスツールがぬくもりのある金色の濃淡に染まっている。アレックスはウイスキーをストレートで頼む。

スマートフォンを見ながら、ウイスキーといっしょに不満を飲みくだす。三時間前にルナにメッセージを送った。〝どういうことだよ？〟と、簡潔に。一時間前に返信が来た。〝理解してもらえるとは思っていない〟

ヘンリーに電話をかけたい。理に叶っている——どちらも世界を結びつける点、小さいながらも人々を引きつける磁極だから。いまは物理の法則が慰めになりそうだ。

くそっ、ウイスキーのせいで感傷的になっている。アレックスはもう一杯注文する。

ヘンリーにメッセージを送ろうかどうか考えつづける。たぶんいまごろは大西洋上のどこかだろう。そんなことを思っていると、耳の近くで、なめらかで温かみのある声がする。空耳に違いない。

「ジントニックを頼む。よろしく」声が言い、生身のヘンリーが隣の席にすべり込んでくる。少ししわになった淡い灰色のボタンダウンシャツとジーンズという格好で。アレックスは一瞬、頭がどうかしたのかと思う。ストレスかなにかのせいでみだらな幻を呼び起こしたのか？　ヘンリーが低い声で言う。「ひとりで飲む姿がひどく深刻に見える」

　そうだ、やっぱり本物のヘンリーだ。「こんな——ここでなにしてるの？」

「世界でもっとも力のある国のお飾りとして、ぼくはつねに国際政治を把握するよう心がけている」

　アレックスは片方の眉を吊りあげる。

　ヘンリーが照れくさそうに首を傾ける。「ぼくは残って、ペズだけ帰ってもらった。心配だったから」

「このとおりだよ」アレックスはウインクする。なにか——切なげな笑み——を彼に見せたくなくて酒を飲む。歯に氷があたって音がする。「あの卑怯者《ひきょうもの》の名前は出さないで」

「乾杯」バーテンダーから酒を受け取って、ヘンリーが言う。

　ヘンリーはひと口飲んで、親指についたライムジュースを舐める。まいった、なんてすてきなんだろう。頬と唇が赤らんでいる。彼のイギリスの血は、ブルックリンの夏の燃えるような暑さに慣れていないのだろう。彼はふわふわしてやわらかそうで、アレックスはその彼に包み込まれたくなる。気がつくと、胸にわだかまっていた不安がようやくゆるんでいる。

　アレックスを心配してようすを見に来てくれるのは、ジューンぐらいなものだ。主な原因はアレックスの側にある。魅力と気まぐれなおしゃべりと頑《かたく》なまでの独立心で、障壁を築いているのだ。ヘンリーはぼくには通用しないよとでも言いたげな顔でこちらを見ている。

「その酒を飲んじゃって、ウェールズ」アレックスは言う。「上にキングサイズのベッドがあって、ぼくを呼んでる」スツールに腰かけたまま体を動かし、カウンターの下にある片方の膝でヘンリーの膝を割って脚を開かせる。

　ヘンリーが横目で見る。「強引だな」

　ヘンリーが飲み終わるまで、ふたりはバーにいる。アレックスはヘンリーがジンの各種ブランドについて語る穏やかな小声に耳を傾けて、このときばかりは彼がひとりで楽しそうに会話を進めてくれることに感謝する。アレックスは目をつぶる。意志の力でこの日の惨事を遠ざけて、忘れてしまいたい。数カ月前、ヘンリーが庭で言った言葉がよみがえる。〝こんなことを考えたことはない？　世のなかの誰でもない人間だったらどんなだろうと？〟

もし自分が何者でもない、歴史とは無関係のふつうの人間だとしたら……いまのアレックスは、男のベルトループを引っ張ってホテルの部屋に連れ込もうとしている、ほろ酔いかげんの二十二歳の青年だ。唇を嚙み、背後にある照明のスイッチを手探りする。この人のことが好きだ、と思う。

ふたりは体を離す。アレックスが目を開けると、ヘンリーがこちらを見ている。

「本当に、その話をしたくないのかい？」

アレックスはうめく。

本当は話したい。ヘンリーにはそれがばれている。

「じつは……」アレックスは口を開き、両手を腰にあてて後ろに下がる。「ぼくは彼のことを二十年後のぼくだと思ってた。彼とはじめて会ったとき、ぼくは十五歳で……畏敬の念をいだいたっていうのかな。まさにこうなりたいと思う人物だった。彼はみんなのことを思い、そのために働いてた。それが正しいことで、ぼくたちは人々の生活をよりよいものにしたかった」

ひとつだけつけた薄明かりのなか、アレックスは向きを変えてベッドの端に座る。

「デンヴァーに行ったあのときほど、政治の世界に進みたいと思ったことはないよ。ぼくによく似たクィア（セクシュアルマイノリティを示す総称）な青年が、デスクで寝てた。彼は州立の学校に通う子どもたちに無料で昼食を提供しようとしてた。それでぼくは、自分にもこういうことができる、と思った。正直に言うと、ぼくは父さんや母さんほどは有能でも聡明《そうめい》でもないかもしれない。でも、こういうふうにはなれると思った」アレックスはうつむく。最後の部分を人に打ち明けるのは、はじめてだ。「そしていま、ぼくはここに座って考えてる。あのろくでなしが裏切った。ひょっとしたら、あれもこれも全部、くだらないたわごとだったのかもしれない。そしてぼくは、現実にはあり得ないくそみたいな魔法を信じてた、ただの世間知らずなガキだったのかもしれない」

　ヘンリーがアレックスの正面に立ち、その腿がアレックスの膝の内側に触れる。ヘンリーは片手を伸ばし、いまだおちつかないアレックスをなだめる。

「ほかの人がなにかを選んだからといって、きみという人間が変わることはない」

「変わる気がする」アレックスは言う。「ぼくは、世のなかには善良な人がいて、いいことをしたいから政治の仕事をするんだと信じてた。だいたいは正しいことをして、そのほとんどが正しい意図にもとづいていると。ぼくはそういうことを信じる人間になりたかった」

ヘンリーが手を動かし、アレックスの肩まで撫であげる。喉のくぼみ、あごの下へと手をすべらせ、ようやくアレックスが顔を上げると、そこにはやさしく揺るぎないヘンリーのまなざしがある。「きみはいまだってそうだ。いまでも心からみんなのことを考えている」ヘンリーはかがんで、アレックスの髪に口づける。「それにきみは善良だ。だいたいのことはおおむね、とてつもなくひどい。だがきみは善良だ」

アレックスはひと息つく。そうだ。ヘンリーはこんなふうに、アレックスの口からあふれでるとりとめのない意識の流れを聞いてくれる。そしてアレックスがたどり着こうとしていた、明確な真実を告げてくれる。アレックスの頭が嵐なら、ヘンリーは雷を受け止める大地だ。ヘンリーの言うとおりであってもらいたい。

アレックスはヘンリーに押されて、ベッドに仰向けに倒れる。彼からキスされているうちに頭のなかが空っぽになり、ヘンリーに服を脱がされる。そしてヘンリーのなかに身を沈めると、こわばっていた肩の筋肉がゆるんでくるのがわかる。ヘンリーがヨットの帆を広げる話をしていたけれど、まさにこんな感じなのだろう。

ヘンリーがアレックスの口に何度もキスをして、静かに言う。「きみは善良だ」

騒音に対処するには早すぎる時間に、激しくドアを叩く音がする。音の鋭さから、声がする前からザハラだとわかる。なぜ事前に電話しないんだ？　スマートフォンに手を伸ばすと、電源が切れている。くそっ。アラームが鳴らなかったわけだ。

「アレックス・クレアモント＝ディアス、もうすぐ七時よ」ザハラがドアの向こうで叫んでいる。「あと十五分で戦略会議がはじまり、わたしはキーを持ってる。あなたが裸だろうと知ったことじゃない。あと三十秒でドアを開けなければ、踏み込ませてもらうわ」

　アレックスは目をこすりながら、自分が素っ裸であることに気づく。背中におおいかぶさっている体をちらりと見る。ヘンリーだ。やはり一糸もまとわぬ素っ裸。

「ああ、くそっ」アレックスは悪態をつく。あわてて体を起こしたせいでシーツが体に絡みつき、手足をばたつかせながら横向きにベッドから出る。

「うーん」ヘンリーがうめく。

「ちくしょう」いま口から出るのは悪態しかない。アレックスはシーツを引きはがし、急いでチノパンをつかんだ。「くそったれのばか野郎」

「なんだ？」ヘンリーが天井に向かってつぶやく。

「いるんでしょ、聞こえてるわよ、アレックス。絶対に――」

　またドアで音がする。ザハラが蹴っているようだ。ヘンリーもあわててベッドから飛びだす。困惑してパニックの表情だけをまとっている素っ裸のヘンリーは、みものだ。カーテンをちらちら見ているから、そこに隠れるつもりらしい。

「なんなんだよ」アレックスはチノパンを引きあげながら続ける。シャツとボクサーパンツを手当たりしだいに拾いあげてヘンリーの胸に押しつけ、クローゼットを指さす。「あそこに入って」

「そうだね」

「ああ、この皮肉な状況の象徴的意味はあとで解釈するとして、行って」アレックスにうながされ、ヘンリーが従う。そして入り口のドアが大きく開かれ、手に保温カップを持ったザハラが立っている。その顔には、わたしが修士号を取ったのはたまたま大統領の関係者であるれっきとした大人の子守をするためではない、と書かれている。

「ああ、おはよう」アレックスは挨拶する。

　ザハラの目が部屋をすばやく見まわす——床のシーツ、寝た跡があるふたつの枕、ナイトテーブルに置かれたふたつのスマートフォン。

「相手の女は誰なの？」ザハラが問い詰め、つかつかとバスルームまで行って、ドアを開ける。バスタブにハリウッドの若手女優でもいると思ったらしい。「彼女に電話を持ち込ませたの？」

「いや、誰もいないって」そう言ったものの、途中で声がかすれる。ザハラがもの問いたげに片眉を吊りあげる。「なに？　きのうは酔っ払っちゃって、それだけだよ。寒いんだけど」

「ええ、本当にとんでもなくお寒いかぎりだわ。きょうという日に二日酔いだなんて」ザハラが責める。

「大丈夫」アレックスは言う。「平気だから」

それが合図であったかのように、クローゼットのドアの奥でドン、ドンと立てつづけに音がして、アレックスのボクサーパンツをはきかけたヘンリーがクローゼットから転がりでてくる。

まるで漫画だ、とアレックスはなかばやけを起こしながら思う。

「あの」ヘンリーが床に転がったまま言う。アレックスのボクサーパンツを腰まで上げ、まばたきをくり返す。「おはようございます」気まずい沈黙。

「わたし――」ザハラが口を開く。「どういうことだか説明してもらいたいかどうかすら、わからない。物理的にも地理的にも、彼がどうしてここにいるんだか。それにいったいなぜ――いえ、いいの、答えないで。わたしになにも言わないで」保温カップの蓋を開けて、コーヒーをごくりと飲む。「なんてこと、わたしのせいなの？　まさか……手はずを整えたときはこんなことになるなんて……なんてこと」

　床から起きあがってシャツを着たヘンリーの耳は真っ赤だ。「あの、参考になるかどうかわかりませんが、これは、そうですね、避けがたいことなんです。少なくともぼくにとっては。だから自分を責めないでください」

　アレックスはヘンリーを見て、自分もなにか言おうと思うが、その前にマニキュアを施したザハラの指で肩を突かれる。

「せめて、楽しめたのならいいけど。こんなこと誰かに知られたら、わたしたち全員破滅だわ」ザハラはヘンリーを指す。「あなたも逃げられない。機密保持契約書に署名してもらう必要はないわね？」

「ぼくが彼の機密保持契約書に署名してる」アレックスは横から言う。ヘンリーの耳が赤色から紫色になって、心配になる。六時間前にはヘンリーの胸でまどろんでいたのに、いまは半裸で事務手続きについて話しあっている。大嫌いな事務手続きについて。「それでカバーできると思う」

「あら、すばらしい」ザハラが言う。「そこまで考えてくれてるなんて、ありがたくて涙が出そう。それで、いつからなの？」

「ええと、新年から」アレックスが答える。

「新年？」ザハラは目を見開いてくり返す。「七カ月も続いてるの？　だからあなたは——なんてこと。あなたは国際関係だかなんだかを楽しんでるんだと思ってた」

「厳密に言えば——」

「最後まで言ったら、わたしは今夜、留置場で過ごすことになる」

　アレックスが顔をしかめる。「頼むから、母さんには言わないでくれよ、ね」

「よく言えたものね」ザハラが声を荒らげる。「はっきり言わせてもらうけど、あなたは外国のリーダーに、しかも男性にナニを突っ込んだのよ。選挙前最大の政治イベントが行われていて、大量の記者がうろつくホテルで。街はカメラだらけ、しかもこういうくだらないことで左右される選挙戦の真っただ中に。ストレスを感じたときに見る悪夢が現実になったようなものなのに、そのことを大統領に話すなって？」

「ええと、その。それが、あの、母さんにカミングアウトしてなくて。まだってことだけど」

　ザハラはまばたきして唇を引き結び、首を絞められたような声を出す。「いいこと」彼女は言う。「いまはこの件に対処してる暇がない。それでなくともあなたのお母さんにはやることがいっぱいあるの。人生の四分の一を生きた息子の、北アメリカとヨーロッパを股にかけた性的危機を処理なんかしてられない——だから、わたしからは伝えない。でも、会議が終わったら、自分で言うのよ」

「わかった」アレックスは吐く息とともに言う。

「二度と彼に会わないと言えば、状況は変わるだろうか？」ザハラが言う。

アレックスはヘンリーを見る。ベッドの隅でよれよれになり、怯えて吐きそうになっている。「いいや」

「どうしようもないわね」ザハラが手で額をこする。「あなたと顔を合わせるたびに寿命が一年縮みそう。わたしは下へ行くから、服を着て、五分で会議に出るのよ。この最低な選挙戦を救うにはどうしたらいいか話しあわないと。それからあなた――」ヘンリーを見る。「いまいましいイギリスにさっさと帰って。もし立ち去るところを誰かに見られたら、この手であの世送りにしてやる。わたしが王室を怖がると思う？」

「了解した」ヘンリーが蚊の鳴くような声で答える。

ザハラは最後にぎろりとヘンリーをにらみつけると、くるりと向きを変え、大股で部屋を出て、叩きつけるようにドアを閉めた。

9

「ええと」アレックスは口を開く。

　テーブルをはさんで向かいに座る母は指を組み、うながすような目を向けてくる。手のひらが汗で湿りはじめる。部屋はせまい。ウエストウイングにある小会議室のひとつだ。母をランチかなにかに誘ってもよかったのだけれど、そう、やはりどこか動揺している。

　たぶん、素直に白状したほうがいい。

「ぼくは、その」言葉を継ぐ。「最近ちょっと自分が変な気がしてて。それで……母さんにも知っておいてもらいたかった。ぼくの母親だし、縁が切れるのも隠しごとをするのもいやだから。それに、その、選挙戦にもかかわる問題なんだ。イメージという点で」

「そう」エレンは言う。声に変化はない。

「そう」アレックスはくり返す。「わかった、言うよ。そう、ぼくは自分がストレートじゃないことに気づいたんだ。じつはバイセクシュアルだと」

　顔を曇らせることも、組んだ指をほどくこともなく、エレンは笑い声をあげる。

「あら、それだけなの、アレックス？　いやだ、もっと大変なことかと思って、身構えちゃったわ！」テーブル越しに手を伸ばし、息子の手に重ねる。「偉いわ、坊や。打ち明けてくれて、本当にうれしい」

　アレックスは笑みを返す。胸でふくらんでいた不安がわずかにしぼんだものの、落とさなければならない爆弾はもうひとつある。「それが、それだけじゃなくてね。なんていうか……ある人に出会って」

　エレンは首を傾ける。「そうなの？　そう、よかったわね。機密保持契約書に署名してもらって――」

「相手は、その」アレックスは母の言葉をさえぎる。「ヘンリーなんだ」

　一拍、間が空く。エレンが眉根を寄せる。「ヘンリー……？」

「そう、ヘンリー」

「ヘンリーって……ヘンリー王子？」

「そう」

「イギリスの？」

「そう」

「つまり、別のヘンリーじゃなくって？」

「違うよ、母さん。ヘンリー王子だよ。あのイギリス王室の」

「彼のことを嫌ってたんじゃないの？　そのあと……仲のいい友だちになったの？」

「どちらもある意味あたってる。でも、その、いまはぼくたち、なんていうか、付き合ってて。もうずいぶんになる。付き合いだして……七カ月ぐらい？　たぶん」

「そう……そういうこと」

　母からじっと見つめられる。まじまじと見られるうちに、アレックスは椅子に座ったまま、もぞもぞと体を動かす。

　母は不意にスマートフォンを手にするや、足で椅子を蹴りさげて、立ちあがろうとする。「わかった、午後の予定は全部キャンセルするわ。資料を準備するのに時間がいるから。一時間後は空いてる？　ここでまた会いましょう。食べるものを頼んでおく。ああ、パスポートとか受領証とか、関係する書類があれば持ってくるのよ、アレックス」

　母はそう言うと、一時間後は空いているかとの問いに対する息子の返事を待とうともせずに後方のドアから部屋を出て廊下に消え、ドアが閉まりきらないうちにアレックスのスマートフォンに通知が現れる。〝母からのカレンダー・リクエスト：午後二時、ウエストウイング一階、国際倫理および性的アイデンティティに関する報告〟

一時間後、部屋には中華料理のテイクアウト用ボックスがいくつか置かれ、パワーポイントのプレゼンテーション資料が映しだされている。最初のスライドは〝外国の王族との性的実験：グレーゾーン〟。アレックスはいまさらながら、屋根から真っ逆さまに飛びおりたくなる。

「ええと」アレックスが腰をおろすと、エレンが口を開く。先ほどアレックスが母に対して用いたのとほぼ同じ声の調子だ。「はじめる前にはっきりさせておきたいの。あなたのことは愛しているし、なにがあっても支えるつもりよ。ただ、正直、こんどのことは戦略的にも国際倫理的にも最悪。だから、万全の準備を整えておく必要がある。その点はいいわね？」

つぎのスライドのタイトルは〝性的指向についての検証：健全ではあるが、相手がイギリス王子である必要はあるか？〟。もっといいタイトルを考える時間がなくて、と母は謝る。アレックスは死が甘い解放を与えてくれることを切実に願う。

そのつぎは〝連邦政府の補助金、旅費、恋人との電話代、そしてあなたのこと〟

母の一番の心配は、息子が連邦政府が資金提供しているプライベートジェットを用いてヘンリーに会いに行っていないかどうか――それはしていなかった。それから、ふたりの関係をすべて網羅する質問票に記入しろと言う。ヘンリーとの関係について小さなチェックボックスにチェックを入れさせるその質問票は、病院の問診票のようで、まちがっている気がする。その半分がまだヘンリーと話しあってもいない事柄とあっては、なおさらだ。

苦悶の時間だが、ようやく終わり、まだ息をしている。それ自体、すごいことだ。母は最後の質問票を手に取り、残りといっしょに封筒におさめて封をする。それから封筒を脇に置き、読書用の眼鏡を外してそれも脇に置く。

「それで」母は前置きする。「ひとつ言っておきたいことがあるの。あなたに負担をかけているのはわかってる。でも、それはあなたを信頼しているからよ。恐ろしく困った子だけど、あなたのことは信頼してる。判断力についてもね。何年か前、本来のあなたと違う人間になれと言ったりしないと約束したわね。だから、大統領としても、母親としても、彼に会うなとは言わない」

エレンはアレックスが理解した証拠にうなずくのを待って、ひと息つく。

「けれど」母は言葉を続ける。「今回の一件はとてつもなく重大なことよ。相手が大学の同級生とか、どこかのインターンってわけじゃないんだから、あなたもよくよく考えてみる必要がある。あなた自身やキャリアはもとより、この大統領選のキャンペーンといまの政府全体をこうして危機にさらしているわ。あなたはまだ若い。でも、これは一生を懸けた決断になる。たとえ彼と生涯をともにしなくても、いったんことが明るみに出たら、その事実は生涯あなたにつきまとう。だから、彼への愛が一生を懸けてもいいものかどうかを見極めなければならない。もしそうでないなら、きっぱりあきらめるのね」

　エレンの両手は前のテーブルの上にある。ふたりのあいだには沈黙が重く垂れ込めている。アレックスは心臓が扁桃腺《へんとうせん》のあたりに引っかかっているような気がする。

　一生。とてつもなく重い言葉だ。それを考えるにはまだ十年ぐらいかかりそうだ。

「それに」エレンは言う。「こんなことはしたくないんだけど、あなたにはキャンペーンから外れてもらう」

　アレックスはかみそりの刃のように鋭い現実に引き戻される。胃がずんと重くなる。

「ちょっと待って――」

「議論の余地はないの、アレックス」母はいかにも残念そうな顔をしているが、そのあごの引きしめ方がなにを表すかはよく知っている。「あまりに危険なの。あなたは欲張りすぎよ。マスコミにはあなたがほかの仕事に専念することになったと伝えて、あなたのデスクは週末のうちに片付けさせる」

エレンが片手を突きだし、アレックスはその手のひらを見る。手をきつく握りしめていたがゆえのしわが刻まれているのに気づいて、アレックスははっとする。

ポケットに手を突っ込み、選挙キャンペーン用のバッジを取りだす。これまでのキャリアのなかではじめて製作したものだ。ほんの数カ月で挫折することになったキャリアだけれど、それを母に手渡す。

「最後にもうひとつ」母は積まれたファイルの下のほうをあさりながら突然事務的な口調になる。「テキサス州の公立学校では性教育なんてまったくしないのよね。それにわたしがあなたとそういう話題に関して話したときにも、このことには触れなかったから――わたしから説明するべきだと思うんだけど――わかっていてほしいのは、コンドームを使う必要があるってことよ。たとえそれがアナルへの挿――」

「大丈夫、わかったから、母さん！」アレックスはなかば叫ぶように言うと、椅子を倒しそうになりながらドアへと急ぐ。

「ちょっと待って、アレックス」母は息子の背中に呼びかける。「これは〈プランド・ペアレントフッド〉（全米家族計画連盟。性と出産に関し、サービスや啓蒙活動を行っている医療サービスＮＧＯ）に配らせた冊子よ。一冊持っていって！　自転車便なんかを使って配布したそうよ！」

CLAREMONT
FOR AMERICA
2020

愚か者とならず者ばかり
A <agcd@eclare45.com>　to ヘンリー
二〇二〇年八月一〇日、一一：〇四AM

H

アレグザンダー・ハミルトン（アメリカの政治家、憲法思想家。独立戦争の際にワシントンの副官を務めた）がジョン・ローレンス（アメリカの軍人、政治家。独立戦争でワシントンの副官を務めた）に送った手紙を読んだことはある？

ぼくはなにを言ってんだろうね。読んだことなんてないに決まってるのに。アメリカ独立戦争の英雄に共感したら、きみは王族の権利を剥奪されてしまうだろう。

じつは選挙キャンペーンの仕事を首になって以来、ぼくにはテレビのニュースを観たり（おかげで日々着実に脳細胞が欠けていってる）、『ハリー・ポッター』シリーズをもう一度読んだり、大学時代のくだらないレポートを整理したりするぐらいしか、やることがなくなっている。レポートを眺めては考える。〝優〟か、そう、この科目で九十八点を取るために徹夜してこれを書いて本当によかった、と。それでどうなったかといえば、最初に就いた仕事をあっさり首になり、自分の部屋に逃げ込んでるわけだ。でかした、アレックス！

きみはいつも宮殿でこんな思いを抱えているのかい？　ああ、つくづくいやになる。

とにかく、ぼくは大学時代のレポートなんかを見なおしていて、ハミルトンの独立戦争時代の手紙のやりとりについて研究したこのレポートを見つけた。まあ、最後まで聞いてくれ。ぼくが思うに、ハミルトンはバイセクシュアルだった可能性がある。ローレンスに宛てた手紙は妻への手紙と同じぐらいロマンティックだ。その半分に〝きみのものである〟とか、〝愛を込めてきみのものである〟と書いてあって、ローレンスが亡くなる前の最後の手紙には〝永遠にきみのものである〟とまで書いてあるんだ。なぜ合衆国建国の父がストレートじゃなかった可能性を語る人がいないのか、理解しがたいよ（チャーナウ（ロン・チャーナウ。アメリカの作家、ジャーナリスト。伝記作家として有名）の伝記は別だ。とてもすばらしいので、添付の伝記を参照）。つまり、ぼくにはなぜかわかっているけど、ってことさ。

とにかく、ハミルトンがローレンスに宛てて書いた手紙のその部分を読んで、きみのことを考えたってわけ。それにたぶん、ぼくのことも。

〝じつのところ、私は不運にも正直者だ。私がすべてに感傷的であることもそれによって説明できるはずだ。如実に。きみにこんなことを伝えるのは、きみがそれをわかってくれていて、私がうぬぼれているなどと非難したりしないからだ。私は議会が大嫌いだ――軍が大嫌いだ――世界が大嫌いだ――私自身が大嫌いだ。この世は愚か者とならず者ばかり。きみ以外は……〟

歴史について考えていると、自分がこの先どこにどうおさまるんだろうと思わずにいられない。そしてきみも。そのときもまだ誰かがこんなふうに書き残してくれているといいなと思うよ。

歴史だって？　そう思うかもしれないけど、きっとぼくたちも多少は作れるさ。

愛情とともにきみのものであり、ゆっくりと正気を失いつつあるアレックス
アメリカ合衆国建国の父を冒瀆した大統領の息子

Re: 愚か者とならず者ばかり
ヘンリー <hwales@kensingtonemail.com> to A
二〇二〇年八月一〇日、四：一八AM

アレックス、マスターベーション的歴史解釈をする大統領の息子

〝添付の伝記を参照〟というフレーズは、きみがぼくに書いてくれたなかで最高にセクシーな表現だ。

ホワイトハウスのなかできみがゆっくりと気力を失っていっていると聞くたびに、ぼくは自分を責めずにいられないし、本当に痛ましいことだと思う。申し訳ない。

もっとましなやり方があったはずなのに、調子に乗っていたせいで、ろくに頭を働かせなかった。きみにとって大事な仕事であることはわかっていたのに。

ぼくはただ……わかるだろう？　きみは選択の幅を広げたほうがいい。きみがぼくと会うのをやめて、そちらに――その仕事に、込み入った事情のないものに――力を入れたいというのなら、ぼくはそれを受け入れる。心から。

それはともかく……信じてもらえないかもしれないが、じつはハミルトンについてはぼくも少し調べてみたことがある。理由はいくつかある。まずは、彼の文章がすばらしいこと。そして、きみが彼にちなんで名づけられたのを知っていたこと（ところで、きみとハミルトンには驚くほど多くの共通点がある。情熱的で頑固なところ、口を閉じておくべきときがわからないところ、などなど）。さらに、セクシーな女性がハミルトンの肖像画にぼくを押しつけて体を奪おうとしたことがあってね。記憶の殿堂においては、そのときの背景込みで思いだすものもあるというわけだ。

きみは独立戦争の兵士ごっこにぼくを誘っているのだろうか？　言っておかなければならないが、ぼくの血管のなかでは英国王ジョージ三世から受け継いだ血がいくらか凝固していて、そのせいでぼくはきみの役に立てない。

あるいは、きみが求めているのは、蠟燭《ろうそく》の明かりのもとで書く情熱的な手紙のやりとりだろうか？

きみに話すべきなのだろうか？　こうして離れていると、きみの体を夢に見る。眠りに落ちたときは、夢のなかできみの体、腰のくびれ、尻の上のそばかすを見る。そして目覚めたときは、きみがそばにいたように感じて、想像ではなく、うなじにきみの手を感じる。きみの肌を肌に感じて体じゅうの骨がうずく。夢のなかでなら、千もの部屋のなかでひとときも息を止め、きみといっしょにいられるのに、結局そんなところはどこにもないのか？

ハミルトンがエリザに宛てた手紙のほうが、さらに気持ちが伝わるだろう。

〝きみに思考を奪われたせいで、わたしはほかのことはなにも考えられなくなっている――きみは一日じゅうわたしの心を支配しているのみならず、眠りのなかにまで押しかけてくる。夢を見るたびにきみに会い――目覚めると、きみの甘さを反芻《はんすう》するために再度目を閉じることができなくなる〟

このメールの最初で述べた選択肢をきみが取ると決めたのなら、それ以降のくだらない部分は読まないでもらいたい。

では。

不幸にもロマンティックな異端者ヘンリー王子
もしくはどうしようもない愚か者

CLAREMONT FOR AMERICA 2020

Re: 愚か者とならず者ばかり

A <agcd@eclare45.com> to ヘンリー

二〇二〇年八月一〇日、五：三八AM

H

つまらないことを言わないで。この状況のどこを取っても、込み入った事情がついてまわる。

それはさておき、きみは作家になるべきだ。いや、もう作家だよ。

こんなことになっても、ぼくはまだきみのことをさらに知りたいと思う。おかしいかな？　ここに座ってただ考えるんだ。ハミルトンのことを知っていて、こんな文章を書くこの人は何者なんだろう？　こんな人がどこから現れたんだろう？　ぼくはなにを誤解していたんだろう、と。

妙だよね。ぼくはむかしから、見ればその人がわかり、直感に従っているかぎり、たいていまちがうことはない。きみに関しても直感は働いたはずなんだけど、それを理解するだけの頭がなかったんだと思う。にもかかわらず、ぼくはそれを追いつづけた。ある方向にやみくもに突き進んでいって、なんとかなってくれと祈ったってわけさ。つまりきみは北極星みたいなものだね。

きみに会いたい、すぐにでも。きみが書いたある一節を何度も読み返してる。どの部分かわかるよね。ぼくのいるここへ戻ってきてもらいたい。きみの体が欲しい。それ以外のきみも。それに、この家から逃げだしたい。テレビに映るジューンとノーラを見て、そのそばにぼくがいないのは拷問だ。

ぼくたちは年に一度、テキサスの湖のほとりにある父の家で過ごすことにしてる。長い週末のあいだ、電波なしで暮らすんだ。湖には桟橋があって、父はいつもなにかとてつもなくおいしい料理を作ってくれる。きみも来ないか？　全身日焼けしたきみが田舎でのんびりする姿を想像せずにいられない。再来週の週末だ。シャーンがザハラか誰かに頼んでオースティンまでのきみの飛行機を手配してくれたら、そこからはうちのほうできみをピックアップする。来ると言ってくれるかな？

きみのもの

アレックス

追伸：アレン・ギンズバーグ（アメリカの詩人。ビート文学を代表するひとり）からピーター・オルロフスキー

（アメリカの詩人、俳優。ギンズバーグとは長年パートナーだった）へ——一九五八年。

〝きみと陽光のようにじかに触れあいたいと願ってやまないぼくは、家が恋しいようにきみが恋しい。ぼくを照らしてくれ、愛しい人、そしてぼくを思ってくれ〟

Re: 愚か者とならず者ばかり

ヘンリー <hwales@kensingtonemail.com>　to A

二〇一〇年八月一〇日、八：二二PM

アレックス

ぼくが北極星だったら、ぼくたちがいったいどこへ向かうことになるのか、考えただけでぞっとする。

ぼくはアイデンティティについて考えをめぐらせている。ぼくのような人間がどこから現れたのかという、きみの疑問についても。ぼくにできる精いっぱいの説明として、物語を書いてみる。

むかしむかし、ある城で生まれた若い王子がいました。その母は王女でありながら学者、父は国一番の美男子にして誰よりも恐れられた騎士でした。王子は幼いころから、望みうるすべてを人々から捧《ささ》げられていました。もっとも美しい絹の衣服、オレンジの温室でとれた熟れた果実。ときに王子はあまりに幸福だったため、王子という身分にうんざりすることなど決してないと感じていました。

王家は代々王子に引き継がれてきましたが、彼のような王子はこれまで生まれたためしがありませんでした。生まれつき心臓が体の外についていたのです。

王子が幼いうちは、家族も成長したら治ると笑い飛ばしていました。けれど成長しても心臓はそのまま外にあり、目に見える場所で赤くどくどくと鼓動していました。王子本人はあまり気にしていませんでしたが、家族の不安はつのるばかり。王国の民がそれに気づいて王子にそむくようになるのではないかと案じたのです。

王子の祖母の女王は高い塔で暮らしていて、ほかの王子の話しかしませんでした。過去にも現在にも、ふつうに生まれた王子たちの話です。

その後、王子の父である騎士が戦場で討ち死にしました。敵の槍は鎧《よろい》を突き抜けて体に突き刺さり、騎士は血を流したまま塵と埃のなかに放りだされることになったのです。そのため、女王が王子の母の心臓をおおって隠しておくようにと、新しい服と鎧を送ってきたときに、王子の母はそれを止めませんでした。いまや彼女も、息子の心臓がその父同様に切り裂かれることを恐れたからです。

そこで王子はその服と鎧を身につけ、それが正しいと信じて疑うことなく、長い年月がたちました。

それも、近くの村に住むなんとも魅力的な農民の少年に出会うまででした。その少年はぞっとするようなひどいことを言ってくるのですが、王子はそれを聞いて、久しぶりに生き返った気分になりました。少年はじつはとても変わり者の魔法使いで、まったくなにもないところから金やウオッカやアプリコット・タルトなどを呼びだすことができました。そして魔法使い自身が、目もくらむような紫の煙のひと吹きで天へ昇るのでした。王国の民たちは言いました。「これは驚いた、みんなびっくりだ」と。

湖のほとりの家《レイクハウス》には、うかがうつもりだ。正直、きみがホワイトハウスから出る気でいてよかった。そこに火をつけて燃やしてしまいそうで心配していたんだ。つまり、ぼくはきみの父上に会うことになるのかな？

きみに会いたい。

キス

ヘンリー

追伸：お涙頂戴的な話で恥ずかしい。読んだらすぐに忘れてくれるといいんだが。

追伸二：ヘンリー・ジェームズ（アメリカ生まれでイギリスで活躍した作家）からヘンドリック・C・アンデルセン（ノルウェー系アメリカ人の彫刻家）へ、一八九九年。

〝すばらしきアメリカ合衆国がさしあたってはきみに残酷でないことを祈る。きみを信じているよ――それをこうして示せるのは私にとって喜びだ。私の心からの揺るぎない希望と願望と共感はきみとともにある。だから、心を強くもち、おのずと生じたきみのアメリカ物語を私に語ってくれたまえ（たぶん、多かれ少なかれ奇妙なものになるのだろうが）。いずれにせよ、かの地の人々がきみによくしてくれますように〟

「やめて」ノーラが助手席に身を乗りだす。「決まりってものがあるんだから。あなただってそれを尊重しなきゃ」

「休暇中に決まりなんてよしてよ」ジューンは言い返し、ノーラの手を払い落とそうとして、アレックスになかばおおいかぶさる格好になる。

「計算ってやつよ」とノーラ。

「ここでは計算に大きな顔はさせない」ジューンがノーラに言う。

「計算はなんにでもついてまわるわ、ジューン」

「乗りだしてくるなよ」アレックスはジューンの肩を押し戻す。

「この件では、わたしに味方しなさいよ！」ジューンがぴしゃりと言ってアレックスの髪を引っ張り、お返しにひどくいやな顔をされる。

「片方のおっぱいを見せてあげる」ノーラがアレックスに言う。「いいほうのおっぱいを」

「どっちもいいじゃない」ジューンが突然、気を変えて、割り込んでくる。

「どっちも見たことあるよ。いまだって見えてるようなもんだし」アレックスはノーラがその日着ているものを示す。すり切れた短いオーバーオールの下には、かろうじて胸が隠れるブラジャーのようなものしか身につけていない。

「ハッシュタグ、休暇の乳首」ジューンは言う。「ねえってば」

　アレックスはため息をつく。

「バグ、悪いけど、ノーラのほうがプレイリスト作りに時間をかけたんだから、接続コードはノーラに譲るべきだ」

　後部座席の女ふたりから勝ち誇った声と不満の声があがる。ノーラは車で聴くのに最高のプレイリストを作るために、サルでもわかるアルゴリズムを生みだしたいと言い放ちながら、自分のスマートフォンをコードにつなぐ。フォー・トップス（一九六〇年代に活躍したアメリカのR&Bコーラスグループ）の『ロコ・イン・アカプルコ』のイントロのトランペットが鳴り響き、アレックスはようやくガソリンスタンドから車を出す。

乗っているジープはアレックスが十歳ぐらいのときから父が手を加えはじめた改造車だ。ふだんはカリフォルニアにあり、年に一度のこの週末に父がテキサスへ乗ってきて、アレックスとジューンが使えるようにオースティンに置いておいてくれる。アレックスはある夏、このジープで峡谷を走って運転を覚えた。いまもむかしと変わらず調子のいいアクセルを踏み込み、シークレットサービスの黒いＳＵＶ二台と車列を組んでインターステートへと向かう。車でどこへ行くにも、もはやほとんどひとりにはなれない。

空はすっきりと晴れ渡り、ヤグルマソウ色の青空が何キロも続いているけれど、早朝の太陽はまだ低くて重苦しい。アレックスはサングラスをかけ、腕はむきだしで、車はドアもルーフも取り外されている。カーステレオの音量を上げると、髪をなびかせる風に乗せてなんでも放りだせそうで、いつになく心が軽い。胸の高揚感以外はどうでもいいような気がしてくる。

そうだよ、ドーパミンの靄に包まれていてなにが悪い？　ぼくは選挙キャンペーンの仕事を取りあげられ、部屋のなかを何日もそわそわと行きつ戻りつして過ごしたのだから——彼のことを一生愛せるのか、と自問しながら。

故郷の暖かく湿った空気を感じながら、あごを上げると、ルームミラーに映った自分と目が合う。ブロンズ色に日焼けした、やわらかそうな口の若いテキサス・ボーイ。ワシントンDCへ発ったときとなにも変わらない。そう、もうきょうは深く考えるのはなしだ。

　格納庫の前に数人の王室警護官と、シャンブレー織りの半袖シャツにショートパンツでしゃれたサングラスをかけ、片方の肩にバーバリーの旅行バッグをかけたヘンリーがいる――これぞ夏の夢。アレックスが片腕を軸にしてジープから外へ飛びおりたとき、ノーラのプレイリストはドリー・パートン（アメリカのカントリー・ミュージックのシンガーソングライター）の『ヒア・ユー・カム・アゲイン』に移っている。

「やあ、きみたちにも会えてうれしいよ！」

　ヘンリーはジューンとノーラに抱きつかれて押しつぶされそうになりながら言う。アレックスは唇を噛んでヘンリーがお返しに彼女たちの腰を抱くのを見守り、それからようやく彼を抱きしめて、その清潔なにおいを吸い込み、笑いながら喉のくぼみに顔を寄せる。

「やあ、愛しい人」

　ヘンリーがアレックスだけに聞こえるように声をひそめて耳の上の髪にささやくと、アレックスは息の仕方を忘れて、力なく笑うしかなくなる。

「ドラムス！」ジープのカーステレオから声がして『サマータイム』のビートが響きはじめ、アレックスは歓声をあげる。王室警護官がシークレットサービスの車に分乗すると、一行は飛行場をあとにする。

ジープが45号線に入るころには、助手席のヘンリーはにこにこしながら音楽に合わせて楽しそうに頭を振っている。アレックスはついつい彼を見てしまう。ヘンリーが――ヘンリー王子が――ここテキサスにいて、いっしょに家に向かっているのだと思うと、目がまわりそうだ。ジューンが座席の下にあるクーラーボックスからメキシコ産のコーラのボトルを四本取りだし、全員に配る。ヘンリーは最初のひと口で文字どおり溶けそうになっている。アレックスは手を伸ばしてヘンリーの空いているほうの手を取り、ふたりのあいだにあるコンソールの上で指を絡めあわせる。

オースティンからＬＢＪ湖まで一時間半かかる。湖に向かうくねくねとした山道に入ると、ヘンリーが訊く。「どうしてＬＢＪ湖っていうんだい？」

「ノーラ？」アレックスは助けを求める。

「ＬＢＪ湖」ノーラが説明をはじめる。「ことリンドン・Ｂ・ジョンソン湖は、コロラド川のダムによって形成された六つの貯水池、テキサス・ハイランド・レイクスのひとつよ。ＬＢＪが大統領だったときに成立させた農村電化法のもとで造られたの。

それに、ＬＢＪはここに家も持ってたし」

「事実だよ」アレックスは言う。

「さらに、興味深い事実もある。ＬＢＪは自分のナニにえらく執着してたんだって」ノーラがつけ加える。「ジャンボと呼んでしじゅう振りまわしてたらしい。そう、部下か記者たちとか、誰の前でも」

「それも事実だ」

「まさにアメリカ政治だね」ヘンリーが言う。「非常におもしろい」

「その手の話をしたいかい、ヘンリー八世？」アレックスは尋ねる。

「それはそれとして」ヘンリーは軽くいなす。「きみたちがここへ来るようになって、どのぐらいになるんだい？」

「父さんがここを買ったのは母さんと別れたときだ。だから、ぼくが十二歳のときだね」アレックスは説明する。「引っ越したあとで、ぼくたちから近いところに家が欲しかったのさ。夏になるとよくここで過ごした」

「そういえば、アレックス、ここではじめて酔っ払ったときのこと、覚えてる？」

ジューンが言う。

「一日じゅうストロベリー・ダイキリを飲んでたんだよな」

「あんた、吐きっぱなしだったわ」愛情のこもった口調でジューンが言う。

車は鬱蒼《うつそう》とした木立に囲まれたドライブウェイに乗り入れ、丘のてっぺんにある家に向かう。むかしから変わらぬ鮮やかなオレンジ色の外壁となだらかなアーチ、背の高いサボテンとアロエの植え込み。アレックスの母は大農場風のインテリアにはまったく興味がなかったので、このレイクハウスを買ったときに、背の高い濃い青緑色のドアや、どっしりとした木の梁《はり》や、ピンクと赤のアクセントのきいたスペイン風のタイルなど、内装をすべて整えたのは父だ。家のぐるりには幅広のポーチがめぐらされ、階段で傾斜地を下って桟橋へ出られるようになっている。湖に面した窓はすべていっぱいに開けられ、カーテンが暖かいそよ風になびいていた。

背後ではシークレットサービスたちが敷地内の安全を確認している——彼らはいっそうのプライバシー保護と警備の必要から、隣の家を借りあげた。ヘンリーはジューンのクーラーボックスを楽々と肩にかつぎ、アレックスはそのことにうっとりしそうになる自分を抑え込む。

家の角を曲がってオスカー・ディアスの大声が近づいてくる。泳いできたらしく、体から水をしたたらせ、甲部が革紐《ひも》で編まれた古びた茶色のワラチ・サンダルをはき、オウムの絵の描かれたトランクス姿で、両腕を太陽に向けて伸ばしている。ジューンはすぐさまその腕のなかにすくい取られる。

「C・J！」オスカーはジューンをぐるぐるとまわし、スタッコ塗りの手すりの上におろす。つぎはノーラで、続くアレックスにも骨が折れそうなほどのハグが待っている。

　ヘンリーが前に進みでると、オスカーは上から下まで彼を眺めまわす――バーバリーの旅行バッグ、肩にかついだクーラーボックス、優美な笑み、差しだした手まですべて。アレックスが友人を連れてきてもいいかと訊き、その友人はイギリスの王子だとなにげなく告げたとき、父は当惑しつつも、なりゆきに任せることにして受け入れてくれた。どういうなりゆきになるかはアレックスにもわからない。

「こんにちは」ヘンリーが挨拶する。「お会いできてうれしいです。ヘンリーです」

　オスカーはヘンリーの手を強く握る。「とんでもないパーティになるが、覚悟はできてるかい？」

　家族で一番の料理人はオスカーだとしても、結婚していたとき、バーベキューはアレックスの母の担当だった。ペンバートンハイツでは必ずしもふつうのことではなかったけれど――メキシコ人の父が家のなかでトレスレチェ・ケーキ（無糖練乳、加糖練乳、クリームの三種類の牛乳に漬けたケーキ）をせっせと漬けているあいだ、ブロンドの母が裏庭でハンバーガーをひっくり返していた――それでうまくいっていた。アレックスは両者の一番いいところを受け継ぐことにしたので、いまはここで唯一スペアリブの焼き網を扱える人間となり、それ以外の料理はオスカーに任せている。

湖に面するレイクハウスのキッチンには、いつも柑橘《かんきつ》類と塩とハーブのにおいが漂っている。父は子どもたちが訪れる週末が来ると、丸々としたトマトと、粘土のようにねっとりとしたアボカドのストックを欠かさない。アレックスはいま、開いた大きな窓を前にして立ち、目の前のカウンターには三つのスペアリブの塊を広げて載せたトレーが置いてある。父はシンクでトウモロコシの皮をむきながら、メキシコの歌手ビセンテ・〝チェンテ〟・フェルナンデスのレコードの調べに合わせてハミングしている。

ブラウンシュガー、パプリカパウダー、オニオンパウダー、チリパウダー、ガーリックパウダー、カイエンペッパー、塩、胡椒。さらにブラウンシュガー。アレックスはそれぞれを手で量ってボウルに入れる。

階段の下の桟橋ではジューンとノーラが即興の馬上槍試合のようなものに夢中だった。動物の形をした浮き輪の背に乗り、プールヌードル（浮力のある発泡ポリエチレンの棒状の遊具）で攻撃しあっている。ほろ酔い気分でシャツを脱いだヘンリーは、片足を杭《くい》に載せて桟橋に立ち、頭がぶっ壊れたのかと思うほど激しく〈シャイナー〉ビールのボトルを振りまわしながら審判役を買ってでている。

アレックスは彼らを眺めて、こっそりほほ笑む。ヘンリーと姉と親友。

「で、そのことについて話したいか？」左側のどこかから父のスペイン語が聞こえてくる。

アレックスは虚を突かれてわずかに飛びあがる。父は一メートルと離れていないバーカウンターに移っていて、メキシコ風焼きトウモロコシ《エローテ》のために大量のコティハチーズとクリームと調味料を混ぜあわせている。

「ええ？」そんなに見え見えなのか？

「ラファエルのことだ」

アレックスは息を吐いて肩を落とすと、スペアリブ用に混ぜあわせたスパイスに注意を戻す。

「ああ、あのくそ野郎か」例のニュースが報道されて以来、父とのあいだでその件が話題に出るのは、メッセージでちょっとした卑猥《ひわい》な冗談をやりとりするときだけだ。裏切られた思いを共有しているのは確かだけれど。「あいつがなにを考えているのか見当がつく？」

「あいつに関しちゃ、おれも悪態がつきたくなる。それに、なにを考えているのか皆目見当がつかない。でもな……」父は混ぜる手を動かしながら、考え込むようにしばし口を閉じる。いくつかの理由を秤《はかり》にかけているのを感じる。父のいつものやり方だ。

「わからないな。これだけ長いあいだいっしょにやってきたんだから、やつがジェフリー・リチャーズ側に寝返ったのには理由があると思いたい。ただ、その理由は計りかねるが」

アレックスは家屋管理室での会話を盗み聞きしたときのことを思いだす。父がすべてを話してくれることはあるのか？　それを訊くには、自分が茂みにもぐり込んでまで立ち聞きしたことを明かさなければならない。父とルナの関係はむかしからそんなふうだった——大人の会話だ。

アレックスとオスカーがはじめてルナに会ったのは、アレックスが父の上院議員選挙の資金集めのパーティに参加したときだ。アレックスは当時十四歳にして、すでにメモを取るようになっていた。ルナは誰はばかることなく襟にゲイ・プライド・フラッグのピンバッジをつけて現れ、アレックスはそのことを書き留めた。

「どうしてラファエルを選んだんだ？」アレックスは訊く。「あのキャンペーンのことは覚えてる。偉大な政治家になりそうな人が大勢いた。もっと楽に当選できそうな人を選んでもおかしくなかったのに」

「つまり、どうしてゲイにサイコロを預けたかってことか？」

アレックスは無表情を保つことに専念する。

「そんなふうに言いたかったわけじゃないけど、でも、そう」

「十六のとき、両親に家から叩きだされたって話を、ラファエルから聞かされたことがあるか？」

アレックスは顔をしかめる。「大学に入る前に苦労したことは知ってたけど、具体的には聞かせてもらってないよ」

「そうか。あいつの両親は真実を知らされてうまく受け止められなかった。ラファエルは二年ほどつらい時期を過ごしたが、おかげでタフになった。われわれと出会った晩は、あいつが家を追いだされてからはじめてカリフォルニアに戻ったときだったんだが、メキシコシティ出身の同志の力になるんだと固く決意していた。オースティンでザハラがおまえの母さんの執務室に現れて、連中がまちがっていることを証明したいと言ったときと同じさ。闘う人間ってのは見ればわかる」

「そうだね」

父はそこでまた口を閉じて調味料をかき混ぜ、チェンテのささやくような歌声だけが空間を満たす。やがてふたたび父が口を開く。

「そう……あの夏、おまえをラファエルの選挙キャンペーンの手伝いに送りだしたのは、おれの選挙キャンペーン担当者のなかでおまえが一番だったからだ。おまえならやれるとわかってた。でも、じつはあいつからおまえが学ぶことも多いだろうと思った。おまえたちには共通点が多かった」

アレックスはしばらく言葉を発しないままでいる。

「正直になるべきなんだろうな」父が言い、アレックスが目を上げると、父は窓の外へ目を向けている。「王子ってのはもっと臆病なもんだと思ってた」

アレックスは笑い、窓の外のヘンリーに目を戻す。午後の日差しを浴びている優美な背中へ。「外見に似合わずタフなんだよ」

「ヨーロッパ人にしては悪くない」父は言う。「ジューンが家に連れてきたなまくらどもの半分よりはましだ」アレックスは手を止め、はっとして父を見る。父は表情を変えずにまだ太い木製のスプーンで調味料をかき混ぜている。「おまえが連れてきた女の子たちの半分よりもましだ。でも、ノーラほどじゃない。ノーラはやっぱりおれの一番のお気に入りだ」アレックスが父を見つめていると、やがて父が目を上げる。

「なんだ？　おまえは自分で思っているほど隠すのがうまくないぞ」

「ど――どうかな」アレックスは口ごもる。「父さんはこういうことについて、その、カトリック教徒として悩むんじゃないかと思ったんだ」

父はスプーンでアレックスの腕を叩き、クリームとチーズの跡を残す。「自分の父親をもう少し信頼しないか？　カリフォルニアでは性的区別のないトイレの守護聖人と呼ばれてるんだぞ。多少は敬ったらどうだ、ばか息子め」

「わかったよ、わかった。悪かった！」アレックスは笑いながら言う。「ただ、わが子となると、話が違うのもわかるから」

父も笑い、あごひげを手でさする。「そうでもないさ。いずれにしろ、おれの場合は。おまえを見てる」

アレックスはまた笑いながら言う。「わかってるよ」

「母さんは知ってるのか？」

「ああ、二週間前に話した」

「どんな反応だった？」

「そうだね、ぼくがバイセクシュアルであることはかまわないって。相手がヘンリーだってことでちょっとショックを受けてた。パワーポイントの資料まで作ってさ」

「そいつはまあそうだろうな」

「選挙キャンペーンは首になった。それで、彼への思いは危険を冒すに値するのかどうか、よく考えてみろと言われた」

「それで、値するのか？」

アレックスはうめく。「頼むから、訊かないで。休暇中なんだから。心安らかに酔っ払ってバーベキューを食べたいよ」

父は悲しげな笑い声をあげる。「あのな、おまえの母親とおれがいっしょになったのは、多くの点でばかげてた。どちらも長続きしないのはわかってたんだと思う。そろって鼻っ柱が強すぎるからな。でも、あの女、おまえの母親は、おれにとってまちがいなく生涯の恋人だ。あんなふうに人を愛することはもうないと思う。燎原《りようげん》の火みたいなものだった。それでおまえとジューンが生まれた。おれのようなくそ野郎にとっては最上のできごとだった。ああいう愛はめったにない。たとえそれが大失敗だったとしても」父は考え込みながら舌打ちする。「ときには飛びだしてから、そこが崖じゃないことを祈るしかないこともあるさ」

アレックスは目を閉じる。「きょうの分の父親のひとり語りはもうすんだ？」

「おまえは根っからのばか息子だな」父はキッチンタオルを息子の頭に投げつける。

「スペアリブを火にかけてこい。きょうじゅうには食べたい」アレックスの背中に向かって叫ぶ。「おまえたちふたりは今夜二段ベッドで寝ろ！　マリアさまが目を光らせてるぞ！」

その晩の夕食は山と積まれたエローテ、サルサ・ベルデがかかったポークタマレス（トウモロコシの粉の生地に味付けした豚肉を入れて蒸した料理）、素焼きのボウルに入れた豚と豆のスープであるフリホーレス・チャロス、それにスペアリブというメニューだ。ヘンリーは勇敢にもすべてを少しずつ皿に盛り、秘密が明かされるのを待つようにじっと見つめている。手づかみでバーベキューを食べた経験がないのは明らかだ。

アレックスは手づかみで食べてみせ、ほくそ笑んでいるのをうまく隠せないまま、ヘンリーが指先でおそるおそるつかんだスペアリブにどう口をつければいいか思案しているようすを眺める。そしてヘンリーがスペアリブに顔を突っ込んで歯で肉を嚙みちぎると、思わず歓呼する。誇らしげに肉を嚙みしめるヘンリーの上唇と鼻先には、べっとりとバーベキューソースがついている。

リビングルームには父の古いギターがある。ジューンがそれをポーチに持ちだして、父と交代で弾く。アレックスのシャンブレーシャツをビキニの上にはおったノーラは裸足でポーチと屋内を行き来し、白桃とブラックベリーがたっぷり入ったサングリアのピッチャーから全員のグラスにお代わりを注いでまわる。

みんなで焚き火を囲み、古いジョニー・キャッシュ（一九五〇年代から一九六〇年代にかけて活躍したアメリカの歌手。主にカントリー・ミュージックで有名）や、セレーナ（一九八〇年代から一九九〇年代にかけて活躍したメキシコ系アメリカ人の歌手。テハーノの女王と呼ばれる）や、イギリスのロックバンドのフリートウッド・マックの歌を歌う。アレックスはセミの鳴き声や、湖の水音や、父の荒っぽい歌声に耳を傾ける。父が眠気に負けてベッドへ去ると、ジューンが歌い手を引き受ける。月のもとでアレックスは温かななにかに包まれるのを感じ、ゆっくりと振り返る。

ヘンリーといっしょにポーチの端にあるブランコへ移ると、アレックスは身を丸めてヘンリーにすり寄り、彼のシャツの襟に顔をうずめる。ヘンリーは片腕をアレックスの肩にまわし、煙のようなにおいがする指でアレックスのあごに触れる。

ジューンは『緑の風のアニー』をつまびいている――〝森のなかの夜のように、きみはぼくの感覚を満たしてくれる〟そよ風が木々の高枝を揺らし、湖水が桟橋にくり返し打ちつける。ヘンリーはうつむいて、アレックスの口を求める。そしてアレックスは……そう、死んでもいいほどに恋に落ちている。

翌朝、アレックスは軽い二日酔いに見舞われながらベッドから転がりでる。肘にはヘンリーの水着が絡まっている。厳密に言うと、寝たのはふたり別々だ。ただ、最初からではなかったけれど。

　キッチンのシンクでグラス一杯の水をいっきに飲みほし、窓の外を見る。湖上には目のくらみそうな太陽が昇っていて、アレックスの胸の底に生まれた確信の小さな石も光り輝いている。

　この場所のおかげだ——ワシントンDCから完全に切り離されて、嗅ぎ慣れた、むかし懐かしいヒマラヤスギや乾燥アルボル（メキシコの唐辛子）の香り、その健全さに包まれている。ぼくのルーツ。外へ出てやわらかい土を指で掘れば、自分のことがなんでもわかる。

　そして実際に理解している。アレックスはヘンリーを愛していて、それは新しい発見でもない。何年も前からヘンリーに恋をしていた。おそらくは〈J-14〉に載った写真をはじめて目にしたときから。病院の備品室で床に押さえつけられ、口を閉じろと言われたときには、ほぼまちがいなく。それほどに長く、それほどに深く、愛してきた。

　アレックスはほほ笑みながらフライパンを手に取る。正気の沙汰ではないけれど、冒さないわけにはいかない。そういうリスクなのがわかる。

ヘンリーがパジャマ姿でキッチンに入ってくるころには、長い緑のテーブルに朝食がならび、アレックスはコンロの前で十二枚めのパンケーキをひっくり返している。

「それってエプロンなのかい？」

アレックスは空いている手でボクサーパンツの上につけている水玉模様のエプロンをつかみ、仕立てのいいスーツでも見せびらかすように振る。「おはよう、ヘンリー」

「悪い」ヘンリーは応じる。「人違いだ。ハンサムで、短気で、背が低くて、午前十時前には愛想よくできない人間を探している。見なかったかな？」

「ばか言うな、百七十五センチは平均身長だ」

ヘンリーは笑い声をあげてキッチンに入ってくると、コンロの前にいるアレックスの背後にすり寄り、頰に軽くキスをする。「きみがさばを読んでいるのは、お見とおしだよ」

コーヒーメーカーまではほんの一歩なのに、アレックスはそれより後ろに手をまわしてヘンリーの髪に差し入れ、彼の顔を引き寄せて、こんどは口にキスをする。ヘンリーは驚いて息を漏らすが、やがて深々としたキスを返してくる。

つかの間、パンケーキやらなにやらがすべて頭から吹き飛ぶ。ヘンリーにとびきりみだらなことを——たぶんエプロンをつけたままで——したいからではなくて、彼を愛しているからだ。そして、みだらなことがあんなによくなるのは愛しているからなんだから、それって驚異的なことじゃないか？

「セックス・ブランチだとは、気づかなかった」突然ノーラの声がして、ヘンリーはあわてて下がり、勢いあまってパンケーキのタネが入ったボウルに尻を突っ込みそうになる。ノーラはいたずらっぽい笑みを浮かべながら、忘れ去られていたコーヒーメーカーに近づく。

「それ、衛生的とは言えないわね」ジューンがあくび混じりに言いながらテーブルの椅子に座る。

「申し訳ない」ヘンリーはばつが悪そうに謝る。

「謝らないで」ノーラが彼に言う。

「ぼくは謝らないよ」アレックスは横から言う。

「二日酔いしちゃった」ジューンがピッチャーに入ったミモザに手を伸ばす。「アレックス、これ全部あんたが作ったの？」

アレックスが肩をすくめると、ジューンは充血した訳知りな目でアレックスを見る。

その日の午後、ボートのエンジン音がうるさく鳴り響くなか、ヘンリーは水平線から帆を突きだしているヨットについてアレックスの父に話しかけ、それをきっかけに船外モーターに関する込み入った議論がはじまる。話から取り残されたアレックスは、舳先《へさき》にもたれて、そのようすを眺めることにする。想像をめぐらすのはたやすい――ヘンリーが毎夏いっしょにレイクハウスに来て、エローテの作り方を習い、きちんとしたクリート結びができるようになって、風変わりな自分の家族の一員にぴったりおさまる未来を。

そのあとみんなで泳ぎに行き、政治について大声で議論し、また交代でギターを弾く。ヘンリーはビキニ姿のジューンとノーラに片腕ずつまわしている自分の写真を自撮りする。ノーラは片手で彼のあごをつかんで顔の横を舐め、ジューンは髪に指を差し入れて彼の首のくぼみに顔を寄せ、天使のような笑みをカメラに向ける。ヘンリーはその写真をペズに送りつけ、怒りを表すでたらめな文字列に泣き顔の絵文字のついたメッセージを受け取り、みんなしてちびりそうになるほど笑い転げる。

いい気分だ。本当に、本当にいい気分だ。

アレックスはその晩、〈シャイナー〉を飲みすぎ、焚き火で焼いたマシュマロを食べすぎて、眠れないまま横たわっている。上のベッドの底板の年輪を見つめ、ここで成人したときのことを思いだす。そばかすだらけで怖いもの知らずだった子どものころのことも。あのころは幸せな世界が永遠に続くように思え、なにもかもが理にかなっているような気がしていた。そしてよく桟橋に服を脱ぎ捨てて、頭から湖に飛び込んだものだ。なにもかもがしかるべき場所におさまっていた。

アレックスの首には子どものころに住んでいた家の鍵が下がっている。けれど、それを鍵穴に挿し込んでいた幼いころの自分について最後に考えたのは、いつだっただろう？

仕事を失うのも、最悪なことではないのかもしれない。

自分のルーツを考えてみる。第一言語と第二言語。子どものころの夢といまの夢、その両方が重なっているところ。ふたつが重なる部分は、ここのどこかにある。足にやさしくまとわりつく水や、古いポケットナイフで彫られた未熟な文字に。そして安定したリズムを響かせる誰かの鼓動に。

「H？」アレックスはささやく。「起きてる？」

ヘンリーはため息をつく。「いつものようにね」

ふたりはポーチで居眠りしている王室警護官のそばを、声をひそめて肩を押しつけあいながら通り過ぎ、草むらを通って桟橋へおりる。高く澄んだ笑い声をあげるヘンリーの日に焼けた肩が暗がりでピンク色に輝き、それを見たアレックスは、明るい気持ちで胸がいっぱいになる。いまなら息継ぎなしに湖の向こう岸まで泳げそうだ。桟橋の端でTシャツを脱ぎ捨て、ボクサーパンツをおろしはじめると、ヘンリーが眉を吊りあげる。アレックスは笑って水に飛び込む。

「きみには困ったものだ」水面に顔を出したアレックスにヘンリーが言う。それでも、わずかなためらいののち、彼も服を脱ぎだす。

　ヘンリーは着ているものを脱ぎ捨てて、水に浮かぶアレックスの頭と肩を見ながら、桟橋の端に立つ。月明かりを受け、その体が長く青白く見える。おおうもののない、やわらかくて白い肌。そのあまりの美しさに、アレックスはあのやわらかい影と白い腿とゆがんだ笑みを切り取ったこの瞬間こそが、ヘンリーの肖像画として歴史に残るべきだと思わずにいられない。ヘンリーの頭のあたりでホタルが光を放ち、髪に留まる。まるで王冠のようだ。

　水に飛び込む姿にも、腹立たしいほどの優美さがある。

「ひとつでいいから、くそかっこよくなくやれないのか？」ヘンリーが水面に顔を出すや、アレックスはそう言って水を浴びせる。

「きみにしてはやけに趣のある発言だね」挑まれたヘンリーは、酒を飲んでいるときのように、にやにやしている。アレックスから横腹に肘鉄砲を食らう以上に喜ばしいことはこの世にないとでも思っているらしい。

「なに言ってんだか」アレックスはヘンリーに向かって足を蹴りだす。

ふたりは月明かりのもと、桟橋周辺を追い駆けてまわり、果ては湖の浅瀬に倒れ込んで、四つん這いになって水面へ戻るのをくり返す。しまいにアレックスがヘンリーの腰をつかまえ、動きを封じて濡れた口を脈打つヘンリーの喉にすべらせる。このまま永遠に脚を絡めあわせていたい。ヘンリーの鼻に新たに散ったそばかすを頭上の星とくらべ、彼に星座の名前をつけさせたくなる。

「やあ」ヘンリーの口から呼吸ひとつ分のところへ口を寄せ、アレックスは言う。ヘンリーの完璧な鼻から水滴が転がり落ち、口のなかへ消える。

「やあ」ヘンリーが答え、アレックスの胸に思いが浮かぶ。ああ、彼を愛している。その思いがくり返し胸を打ち、ヘンリーのやさしい笑みを見ながらそれを口に出さずにいるのがどんどんむずかしくなる。

アレックスは少しだけ足を蹴りだし、ゆっくりとふたりの体をまわす。「ここでのきみは元気そうだね」

ヘンリーの笑みがゆがみ、少しはにかんだようになる。彼はうつむき、あごでアレックスのあごを軽くかすめる。「そうかな?」

「ああ」アレックスはヘンリーの濡れた髪を指に巻きつける。「来てくれてうれしい」

思わず言葉が口からこぼれる。「ここのところ、えらくきつかったから。ぼくには……本当にこれが必要だったんだ」

ヘンリーの指がやさしく責めるようにアレックスの胸を軽くつつく。「きみはあれこれ背負いすぎだ」

むかしから反射的に〝そんなことはない〟とか、〝ぼくが望んでやってることだから〟と言い返すのがならいだったけれど、いまはその言葉を呑み込んで、「わかってる」とだけ言う。それが事実であることにも気づいている。「ぼくがいまなにを考えてるかわかる？」

「なにかな？」

「大統領就任式が終わったら、たとえば来年とか、きみとここへまた来たいと考えてる。ふたりきりで。それで、なんにもストレスを感じずに月を眺めて過ごすんだ」

「そうか」ヘンリーが言う。「それはすてきだね。実現はむずかしいかもしれないが」

「いいから、考えてみて。来年だよ。母さんが再選されたら、選挙の心配をしなくてよくなる。ぼくもようやく息がつけるってわけ。ああ、きっとすばらしいよ。朝はぼくがミガス（残り物のパンに具材や香辛料を加えて炒めた料理）を作る。それで、一日じゅう泳いで、服なんか着ないで桟橋で愛を交わすんだ。近所の誰かに見られたって、かまうもんか」

「いや、そうはいかない。わかっているはずだ。いつになったってそれは変わらないんだ」

アレックスは身を引き離すが、ヘンリーの顔から内心の思いは読み取れない。

「ぼくの言いたいことはわかるはずだけど」

ヘンリーはただアレックスを見つめている。ヘンリーが本当の意味で自分を見るのははじめてかもしれないという感覚を振り払えない。ヘンリーとのあいだで意識して愛という言葉を持ちだすのはこれがはじめてかもしれない。その思いはありありと顔に表れているに違いないけれど。

ヘンリーの目の奥をなにかがよぎる。「この話はどこへ向かうのかな？」

アレックスはヘンリーに伝えずにいられないあらゆることを言葉にするすべを探る。

「ジューンに言われるんだ。とくに理由もないのに、たまにお尻に火がついたみたいになるって」アレックスは切りだす。「ぼくにはわからないけど。よく言うよね、一日ずつ着実に進めろって。ぼくは一度に十年も先に進めてしまうんだと思う。高校のときは、そうするしかなかった。そう、そのころは両親がいがみあってて、ジューンは家を出て大学へ行くことになってた。ときどきはほかの男がシャワーを浴びるのを見つめたりもしたけど、まっすぐ前を見ていれば、そういうことにとらわれずにすむと思ってた。あるいはこの授業に、このインターンシップに、この仕事に集中すればって。自分がなりたい人物を思い描き、脳のなかのありとあらゆるおかしな熱望をそこに集めれば、脳の配線をやりなおせるんじゃないかと思ってた。その熱望をほかのことに生かせるんじゃないかと思ったんだ。ぼくはどうしたらただありのままの自分でいられるのか、学んでこなかったらしい」アレックスはひと息ついた。「それで、いまこうしてここにいる。きみと。ここから一日ずつ着実に進むべきじゃないかと思ってる。それで……自分の感覚に正直になる」

　ヘンリーはなにも言わない。

「ヘンリー」アレックスは両の手のひらでヘンリーの顔を包む。濡れた親指の腹で頬骨をなぞろうと手を動かすと、まわりで静かにさざなみが立つ。

　セミと風と湖はいまもどこかで音をたてているはずだけれど、すべての音が遠のいて静寂が広がる。聞こえるのは耳の奥で響いている自分の鼓動だけだ。

「ヘンリー、ぼくは――」

　そのとき不意にヘンリーが動く。アレックスの抱擁をのがれて水中にもぐり、アレックスからその先の言葉を発する機会を奪う。

　桟橋のそばで浮きあがったヘンリーの前髪は、額に張りついている。振り返ったアレックスは喪失感のあまり、息もできずにヘンリーを見つめる。ヘンリーは湖の水を吐いて、アレックスのほうに水しぶきを飛ばす。アレックスは無理に声をあげて笑う。「くそっ」ヘンリーは体に留まった虫をはたき落とす。「この獰猛《どうもう》な生き物はなんだ？」

「蚊だよ」アレックスは教えてやる。

「最悪だな」ヘンリーは見くだすように言う。「ぼくは外来の病気にかかるのか」

「え……なんて？」

「ぼくはただフィリップが跡継ぎで、ぼくがその予備だと言いたいだけだ。もしあの神経質な男が三十五歳で心臓発作を起こして倒れて、ぼくがマラリアにかかったら、いったいどうなるんだ？」

　アレックスはふたたび弱々しい笑い声をあげるけれど、つかまえる直前に手から奪われたものがあるという感覚だけが強烈に残っている。ヘンリーの口調は軽く、早口で、その場しのぎのものだ。マスコミ向けの声。

「なんにしろ、ぼくは疲れた」ヘンリーが言っている。彼が振り返って湖から桟橋に上がり、震える脚にショートパンツを引っ張りあげるのをアレックスはなすすべもなく見守る。「きみがかまわなければ、ぼくはもうベッドに入るよ」

アレックスは言葉を失ったまま、ヘンリーが長い桟橋を歩いて暗闇へと姿を消すのを見送る。

えぐられたような、ひりひりとした感覚が奥歯の陰から湧いてきて、喉を下り、胸に入り込んで、みぞおちへと落ちる。なにかがおかしい。わかっているのに、不安が強すぎるせいで、それを押し戻して問いただす勇気がもてない。それで突如、この関係に愛を持ち込むことの危険に気づく。なにかがうまくいかなくなったとき、自分にはそれにどう耐えていいかわからない。

そんな思いがアレックスの心に忍び込んだのは、ホワイトハウスの庭でヘンリーにつかまえられ、あれほどの確信をもってキスをされて以来はじめてのことだ。決断を下すのが自分でないとしたら？　ヘンリーのなにもかもに――彼の書く言葉や、真摯な嘆きの深さに――これほどに夢中になってしまったせいで、それが彼という人であり、誰に対しても同じ態度で接するのだということを見落としているのだとしたら？

自分は絶対にしないと誓ったこと、忌み嫌ってきたことをしたのか？　そう、あまりに現実離れしていたせいで、王子と恋に落ちたのか？

ふたりの部屋に戻ると、ヘンリーはすでにベッドに入り、黙ってこちらに背を向けている。

翌朝、部屋にヘンリーの姿はない。

目覚めたアレックスは、空のベッドが整えられ、枕がきっちりとブランケットの下にたくし込まれているのを知る。蝶番《ちょうつがい》から外れそうになるほどに勢いよくドアを開けてパティオに走りでたが、そこもやっぱり空だ。裏庭にも、桟橋にも姿はない。彼がそこにいたのが嘘のように。

キッチンに行き、メモを見つける。

アレックス
家族の事情で早く帰らなければならなくなった。王室警護官とともに発つ。
きみを起こしたくなかった。
すべてに感謝するよ。
キス

それがヘンリーからの最後のメッセージとなる。

10

一日め、ヘンリーに五件のメッセージを送る。二日めには二件。三日めはゼロ。生まれてこのかた、ひたすら話しまくってきたせいで、誰かがもうなにも聞きたくないと思っているサインに気づけなかった。

まずはスマートフォンのチェックを一時間ごとではなく二時間ごとにして、時間が過ぎるのをじっと耐えることからはじめる。何度かは、選挙に関する新聞記事を読み耽ることによって、何時間かチェックせずにすませる。そしてそのたびに、なにか届いているのではという希望がしゃっくりのように襲ってくる。届いているわけもないのに。

これまで、自分のことを向こう見ずだと思ってきた。いまならわかる――愛を遠ざけることだけが、ここまで完全に自分を失わずにいる唯一の方法だったのだ。愚かにも愛に向かって突き進み、恋に溺れ、みじめな男になり果てている。仕事では気晴らしにならない。〝恋に落ちた人だけが言ったりやったりすること〟の罠が作動してしまった。

だから、そうする代わりに。

火曜の夜はこっそりレジデンスの屋上にのぼり、何度も執拗に行きつ戻りつして、最後にはかかとの皮膚が裂けてローファーに血が滲むはめになる。

選挙事務局のデスクにあった〝クレアモントを大統領に〟と書かれたマグカップは箱におさめられて戻ってきたが、失ったものを否応《いやおう》なしに突きつけられるので、バスルームの洗面台で叩き割る。

アールグレイの香りがキッチンから漂ってくると、喉が締めつけられる。

ブロンドにまつわる夢が、指に絡みついている。

ハミルトンがローレンスに宛てた手紙から引用した二行のメール――〝私の繊細さにつけ込んで、許しもなしに心のなかへ忍び込んだりしてはいけなかった〟――は、下書きのまま削除する。

五日め、ラファエル・ルナが五度めの応援演説を行う。リチャーズ側のマイノリティ戦略だ。アレックスは一瞬、気持ちのうえで行き詰まる。なにかを壊すか、自分を壊すか？　結局、連邦議会議事堂の外の舗道にスマートフォンを叩きつける。画面は日付が変わる前に交換したけれど、ヘンリーからのメッセージが魔法のように出現することはない。

七日めの朝、クローゼットの奥をあさっていて、青緑のシルクを見つける。ペズが作らせたくだらないキモノだ。ロサンゼルスのあの夜以来、しまいっぱなしになっていた。

隅に押し戻そうとしたとき、たもとになにかがあるのを感じる。出てきたのは小さく四角に折りたたまれた紙。あの夜のホテルにあった便箋だ。アレックスのなかのすべてが配置しなおされたあの夜の。現れたのはヘンリーの筆記体だ。

親愛なるティスベー
壁がなければいいのに。
愛を込めて、ピューラモス

大あわてでスマートフォンをつかんだので、うっかり床に落としてまた画面を割りそうになる。検索すると、ピューラモスとティスベーはギリシア神話に登場する恋人たちで、敵対する一族の子弟として結ばれない運命なのだとわかる。ふたりが会話をする唯一の方法は、両家のあいだに建てられた壁の隙間を通してだった。

もういい――この紙切れが最後のひと押しになる。

そこからの行動については、あとになったとき、A地点からB地点に移動するまでのホワイトノイズとしてしか思いだせないだろう。まずはキャッシュにメッセージを送る――〝今後二十四時間、なにしてる？〟そして緊急用のクレジットカードを財布から引っ張りだし、航空券を二枚購入。ファーストクラスでノンストップ。二時間後には搭乗だ。ワシントン・ダレス国際空港からヒースロー空港へ。


ワシントン・ダレス国際空港の滑走路から〝ぬけぬけと電話をかけてきた〟アレックスに車を手配することを、ザハラはどうにか聞き入れてくれる。夜九時ごろ、到着した先のロンドンは暗く土砂降りで、キャッシュとふたり、ケンジントン宮殿の裏門をくぐって車から降りるや、ずぶ濡れになる。

誰かが無線で知らせたのだろう、シャーンがヘンリーのアパートメントの入り口に、非の打ち所のない灰色のピーコート姿で立っている。黒い傘に守られて濡れることなく、不動の姿勢で。

「ミスター・クレアモント＝ディアス」シャーンが言う。「ようこそお越しくださいました」

挨拶している暇はない。「どけ、シャーン」

「ミズ・バンクストンから事前に連絡がありまして、こちらへ向かっていらっしゃるとうかがいました」シャーンが言う。「スムーズに門をくぐられたことでお察しになったかと思いますが、大騒ぎになるなら、人目につかないところがいいと考えたしだいでして」

「どけ」

シャーンはほほ笑む。ふたりの不運なアメリカ人がゆっくりとずぶ濡れになっていくさまを眺めて純粋に楽しんでいるようだ。「ご承知のとおり、ずいぶん遅い時間ですし、わたくしが命じれば警備の者にあなた方を追い払わせることも可能です。王室のどなたもあなたを宮殿に招いてはいらっしゃいません」

「知るか」アレックスは嚙みつくように言う。「ヘンリーに会わなきゃならない」

「あいにくそれはできかねます。王子は睡眠を邪魔されることを望まれません」

「いらいらするな——ヘンリー！」アレックスはシャーンをかわし、ヘンリーの寝室の窓に向かって叫びだす。明かりがついている。見あげる眼球に、大きな雨粒がもろに落ちてくる。「ヘンリー、この野郎！」

「アレックス――」背後でキャッシュが不安そうな声を出す。

「おい、腰抜けヘンリー、ここへおりてこい！」

「はしたない」シャーンが穏やかに言う。

「そうか？」アレックスの大声はやまない。「このまま叫びつづけていたら、どこの新聞が一番に乗り込んで来るだろうな？」ふたたび窓のほうを向き、両腕を振りまわしはじめる。「ヘンリー！　聞こえないのか、このくそったれ殿下！」

シャーンが指先でイヤホンに触れる。「チーム・ブラボー、問題発生――」

「どういうことだ、アレックス、なにをしているんだ？」

また叫ぼうとして口を開けたまま、アレックスは動きを止める。入り口をふさぐシャーンの背後にヘンリーがいる。裸足のまま着古したスウェット姿で。心臓がずんと下がって尻から抜け落ちそうになる。ヘンリーのほうは不興顔だ。

腕をおろしてアレックスは言う。「ぼくをなかに入れるよう言ってくれ」

ヘンリーがため息をつき、鼻梁をつまむ。「大丈夫だ。通していい」

「そりゃどうも」アレックスはぎろりとシャーンを見る。こいつはこちらが低体温症で死んでも平気らしい。アレックスが水をしたたらせながら宮殿に入り、ぐっしょり濡れた靴を脱ぐと、キャッシュとシャーンはドアの後ろに消える。

ヘンリーは先に立って歩くばかりで、足を止めて話しかけてこようともしない。アレックスはしかたなくあとに続いて大階段をのぼり、王子の部屋へ向かう。

「ご機嫌だな」アレックスは背中に向かってどなり、できるだけしずくを落として歩く。こんな敷物、だめにしてやる。「一週間も音沙汰なしで、ぼくを褐色の肌のジョン・キューザックよろしく雨のなかに立たせたあげく（ジョン・キューザックには雨に降られてびしょ濡れになる映画が多数ある）、話しかけもしないとはね。なんて楽しいひとときだ。きみたちがいとこ同士で結婚しなくちゃならない理由がよくわかるってもんさ」

「誰かに聞かれる恐れがある場所で、こういうことは控えたい」ヘンリーは言うと、階段の踊り場を左に折れる。

アレックスは足音を響かせて続き、王子のあとから寝室に入る。「こういうことって？」アレックスは尋ね、ヘンリーはドアを閉める。「なにをするつもりだ、ヘンリー？」

ヘンリーがついに振り返ると、もう雨粒に襲われていないアレックスの目にも、王子の目の下の皮膚が紫色がかった紙のようで、縁がピンク色になっているのがわかる。肩にはこの数カ月見ていなかった緊張があり、少なくともその原因はアレックスではない。

「文句があるなら、言えば」ヘンリーが淡々と言う。「気がすんだら帰ってくれ」

アレックスは彼を見つめる。「つまりぼくたちは終わりってことか？」

ヘンリーは答えない。

なにかがアレックスの喉に込みあげてくる。怒りか、混乱か、痛みか、胆汁か。許しがたいことに、泣きだしそうだ。

「本気なのか？」非力さと憤りをぶつける。服からはまだ水がしたたっている。「いったいどういうことなんだよ？　つい先週には何通もメッセージをよこして、ぼくに会いたい、ぼくの父親に会うことになるのかって書いてたんだぞ？　放っておけばそのうち縁が切れると思ったか？　ぼくにはそんな終わり方はできない、ヘンリー」

ヘンリーは部屋の向かいにあるみごとな彫刻の施された暖炉に歩み寄り、マントルピースにもたれる。「ぼくにはきみほど気持ちがないと思っているのか？」

「きみの態度は、まさにそう言ってる」

「あいにく時間がないので、きみのまちがいをすべて正すことはで——」

「あのさ、二十秒でいいから頭のにぶいまぬけでいるのをやめないか？」

「はるばるここまでぼくを侮辱しに来てくれてうれしい——」

「おい、ぼくはきみを愛してるんだぞ」アレックスはなかば叫ぶように言う。ついに口にした。もう取り消せない。ヘンリーはマントルピースにもたれたまま、微動だにしない。王子がごくりと唾を呑み、あごの筋肉を引きつらせるのを見て、アレックスは不安で失神しそうになる。「ああ、まったく、面倒かけさせやがって。それでも、ぼくはきみを愛してる」

小さなカチッという音が静寂を破る。ヘンリーが印章指輪を外してマントルピースに置いたのだ。彼は指輪のなくなった手を握りしめて胸に押しあて、暖炉の火がその顔に深い陰影を与えている。「それがなにを意味するか、わかっているのか?」

「もちろん――」

「アレックス、お願いだ」ヘンリーがついに振り返ってアレックスを見る。ゆがんで悲しみに満ちた顔をしている。「やめてくれ。これこそが理由なんだ。ぼくにはできない。理由はきみもわかっているはずだ。だから、頼む、ぼくに言わせないでくれ」

アレックスは唾を呑み込む。「幸せになる努力すらしないのか?」

「やめてくれ」ヘンリーが言う。「生まれてからずっと、幸せになる努力をしてきた。ぼくが生まれつきもっているのは国であって、幸せじゃない」

アレックスはポケットから濡れた紙を取りだし――〝壁がなければいいのに〟とい

う手紙だ――荒々しくヘンリーに投げつけて、彼が拾いあげるのを見る。「じゃあ、それはいったいどういう意味だ？　これを望んでないって言うんなら」

　ヘンリーは数カ月前に自分が書いた文章を見つめる。「アレックス、ティスベーとピューラモスは、最後にはどちらも死ぬんだよ」

「なんだよ」アレックスはうめく。「つまり、きみにとってはこの先ずっと、現実にはならないってことか？」

　ついにヘンリーが自制心を失う。

「本気でそう思っているなら、きみは救いようのない愚か者だ」激高した声で言い、手のなかの紙を握りしめる。「きみにはじめて触れたときから、ぼくがいつ、きみを愛していないようなふりをした？　自分のことしか考えていないきみは、きみ自身とぼくに愛されているかどうかしか頭になくて、ぼくが王位継承者だという事実はどうでもいいのか？　少なくともきみには、公人にならないという道が選べる。でも、ぼくはこの宮殿、この家族のなかで、生まれて死んでいかなければならない。だからのこのこ訪ねてきて愛しているかと訊くようなことはしないでくれ。それですべてが崩壊するかもしれないんだぞ」

　アレックスは無言だ。身動きせず、呼吸すら忘れて、その場に立ちつくしている。

ヘンリーはこちらを見ない。マントルピースの上のどこかを見つめて、いらいらと髪を引っ張っている。

「問題にならないはずだったんだ」ヘンリーの声がかすれる。「きみの一部を手に入れて、なにも言うまいと思っていた。きみに知られる必要はない、そのうちきみはぼくに飽きて去っていくと。なぜならぼくは――」不意に言葉を切り、震える手で頼りなくあたりを示す。「まさかこの場に立って、できない選択を突きつけられるとは考えてもみなかった。まさか……愛を返してもらえるとは思いもしなかったから」

「そう」アレックスは言う。「それはおあいにくさま。そしてきみには選択肢がある」

「いや、ない。わかるだろう？」

「やってみようとすることはできる」アレックスは訴える。これほど単純な真実があるだろうか、という気分になっている。「きみはなにを求めてる？」

「きみを求めている――」

「だったら手に入れろよ」

「――だけどこれは望んでいない」

ヘンリーをつかんで揺さぶりたい。顔面に向かってわめき、値のつけられないほど高価なアンティークをひとつ残らず壊したい。「それはいったいどういう意味だ？」

「望んでいないんだ！」ヘンリーが叫ぶ。怒りと恐れをたたえた目が潤んで光る。「わからないのか？　ぼくはきみとは違う。向こう見ずにはなれないし、支えてくれる家族もいない。自分がどういう人間であるかを明らかにしながら、政治の世界でのキャリアを夢見るようなことはしない。そんなことをすれば、この情け知らずの世界はさらにぼくを切り刻み、分析しようとするだろう。きみを愛し求めながら、そういう人生を望まないことはできる。それは許されているし、ぼくが嘘つきだということにもならない。ごくわずかな自衛本能を備えた人間ということになるだけだ。ぼくはきみとは違う。押しかけてきて、ぼくを臆病者呼ばわりするのはやめてくれ」

　アレックスは息を吸い込む。「臆病者呼ばわりなんかしてない」

「ああ」ヘンリーが目をしばたたく。「そうか。言いたいことはわかるだろう」

「ぼくがきみの人生をうらやましがると思うのか？　王子の妻であるマーサみたいな人生を？　金メッキの鳥籠を？　人前ではほとんど話すこともできず、意見を述べることも――」

「だったら、ぼくたちはここでなにをしている？　なぜ口論しなければならない？　ぼくたちが歩まなくてはならない人生がそれほど相容れないのなら」

「きみがそれを望んでないからさ！」アレックスは強弁する。「きみはこんなことは望んでない。むしろ憎んでる」

「ぼくの望みを勝手に決めつけるな」ヘンリーが言う。「なにも知らないくせに」

「たしかにぼくは王室の一員じゃない」アレックスはいまいましいラグを横切ってヘンリーの空間に踏み込む。「だけど生まれた家に人生を決められるのがどんなものかはわかる。ぼくたちの人生は……たいして違わない。肝心な部分は変わらないんだ。きみは与えられたものを受け取って、世界をよりよくしたい。ぼくも同じだ。ぼくたちならできる――いっしょに実現する方法を探そう」

ヘンリーが無言でこちらを見ている。その頭のなかで天秤《てんびん》がゆらゆらと揺れているのが、アレックスには見えるような気がする。

「できるとは思えない」

引っぱたかれたようにのけぞって、アレックスは背を向ける。「そうか」しばらくして言う。「そうか、わかった。ぼくは帰る」

「よかった」

「帰るよ」アレックスは振り返って、身を乗りだす。「きみに帰れと言われたら、すぐにでも」

「アレックス」

　ふたりはいまや顔を突きあわせている。もし今夜、心を打ち砕かれるのなら、ヘンリーには正しく立ち向かうだけの気骨を持ってもらいたい。「ぼくとはもう終わりだと言え。そうすればぼくは機上の人だ。簡単だろう？　きみはこの塔のなかで生涯、みじめな暮らしを送りながら、悲しい詩でもつづればいい。さあ、言えよ」

「やめろ」ヘンリーが声をうわずらせて、アレックスのシャツの襟をつかんだとき、アレックスは悟る。自分は一生、この頑固で救いがたい男を愛しつづけるのだと。

「言え」口元にほほ笑みらしき影をたたえて挑発する。「帰れ、と」

　気がつけば壁に押さえつけられて唇を重ねられていた。狂おしく、激しく。舌の上に広がったかすかな血の味を笑顔で受け入れ、ヘンリーの口に舌をねじ込みながら両手でブロンドをつかむ。ヘンリーのうめき声が背筋に響く。

　壁際で揉みあっていると、ヘンリーに持ちあげられて後ろ向きに運ばれる。ベッドのほうへ。マットレスに着地してはずみ、つかの間、ヘンリーに見おろされる。いまその頭のなかを駆けめぐる思いを知ることができるなら、なんだって差しだす。

　そのとき、はたと気づく。ヘンリーは泣いていた。

　アレックスは唾を呑む。

　問題はそこだ――アレックスにはわからないのだ。これからすることがふたりを決定的に結びつけるなにかなのか、それとも最後の行為なのか。後者だとしたら耐えられそうにない。それでも手に入れないまま家に帰ることはできない。

「来て」

ヘンリーをゆっくり深く奪う。もしこれが最後なら、ふたりのわななきもあえぎ声もさらに激しく、もっと口を湿らせ、まつげを濡らそう。いやになるほど月並みだけれど、象牙色のシーツの上のアレックスは愛に溺れている。愚かで耐えがたい愛に心を奪われ、ヘンリーからも愛されている。せめて今夜はそれを胸に刻みたい。たとえ朝になったら、ふたりして忘れたふりをしなくてはならないとしても。

ヘンリーがアレックスの手のひらのほうを向き、下唇を手首の付け根にあてたまま達する。扇のように頬に広がるまつげと、耳まで染めるピンク色。アレックスはすべてをつぶさに脳裏に刻み込もうとする。そして回転の早すぎる自分の頭に命ずる――このときを見のがすな。これはぼくの大切な人だ。

長い時間をかけてヘンリーの体が鎮まるころには、外は真っ暗で、暖炉の火の消えた室内は驚くほど静かだ。アレックスは横向きになり、指二本で自分の胸に触れる。鎖につけた鍵のすぐ横だ。皮膚の下の心臓はいつものように打っている。こんなことがあるだろうか。

長い静寂のあと、ヘンリーが傍らで身じろぎして仰向けになり、シーツでふたりをおおう。アレックスはなにか言おうと言葉を探したものの、ひとつとして見つからない。

アレックスはひとりぼっちで目覚めた。

昨夜のできごとが刻まれた胸のまわりにあるもののすべてを再確認するには、少し時間がかかる。精巧な金のヘッドボード、刺繍が施された分厚い羽毛の上掛け、その下のやわらかな綾織《あやお》りのブランケットは、この部屋で実際にヘンリーが選んだ唯一のものだ。シーツに手をすべらせて、ベッドのヘンリーの側を撫でると、ひんやりしている。

早朝のケンジントン宮殿は灰色でどんよりしている。マントルピースの上の時計によるとまだ七時前で、カーテンのあいだからのぞく大きな一枚ガラスの見晴らし窓には、激しい雨が叩きつけている。

ヘンリーの部屋にはヘンリーらしさがないけれど、朝の静けさのなかだと、ところどころに彼を見つけられる。デスクに積まれた定期刊行物の一番上には、飛行機に乗っていたときにバッグのなかで爆発したペンのインクに汚れた一冊が載っている。

大きすぎるカーディガンは着古されて両肘につぎがあてられ、窓辺のアンティークのウイングバックチェアにかけられている。ドアノブからは愛犬デヴィッドのリードがぶらさがっている。

そして隣のナイトテーブルには〈ル・モンド〉が、巨大な革装丁のオスカー・ワイルド全集の一冊の下に突っ込まれている。見覚えのある日付。パリ。ならんで目覚めたはじめての日。

アレックスはきつく目を閉じる。生まれてはじめて、人の人生に首を突っ込むのはやめなければ、と思う。ヘンリーに任せて、彼から与えられるものを受け入れよう。シーツはヘンリーのにおいがする。アレックスはわかっていることを挙げていく。

一、ヘンリーはここにいない。

二、ヘンリーは昨夜、いかなる形の未来にもイエスと言っていない。

三、なにかに染みついたヘンリーのにおいを嗅ぐのはおそらくこれが最後になる。

それでも四、マントルピースの時計の横にはいまもヘンリーの指輪がある。

ドアノブがまわり、まぶたを開くとヘンリーがいる。マグカップふたつを手に、内心を読み取りがたいかすかな笑みを浮かべて。やわらかなスウェット姿に戻り、髪は朝露で湿っている。

「寝起きのきみの頭は一見の価値があるね」ヘンリーは静寂を破り、部屋に入ってきてマットレスの端に膝をつき、マグカップを差しだす。コーヒーだ。砂糖ひと匙《さじ》とシナモンが加えてある。これから捨てられるのだから、自分の好みの味をヘンリーが知っていることについて、なにも感じたくない。でも感じずにいられない。

だが、ふたたびこちらを向いたヘンリーは、目覚めのコーヒーを口にするアレックスを見て、こんどはにっこりし、手を伸ばして上掛けの上からアレックスの片足に触れる。

「おはよう」アレックスはマグカップの縁越しにうかがいながら、探るように言う。

「今朝は……あまり怒ってないみたいだね」

ヘンリーがあきれた顔で笑う。「よく言うよ。ぷりぷりしながら宮殿に突撃してきて、ぼくを〝頭のにぶいまぬけ〟と呼んだのはぼくじゃないぞ」

「弁解させて」アレックスは言う。「きみは実際、頭のにぶいまぬけだった」

ヘンリーは動きを止め、紅茶をひと口飲んで、マグカップをナイトテーブルに置く。

「たしかに」認めて前かがみになると、片手をアレックスのマグカップに添えて中身がこぼれないようにしてから、唇に唇を押しあてる。歯磨き粉とアールグレイの味がする。ひょっとしたら、捨てられずにすむかもしれない。

「ねえ」アレックスは体を引いたヘンリーに尋ねる。「どこへ行ってたんだ？」

ヘンリーはそれには答えず、濡れたスニーカーを床に脱ぎ捨ててからベッドに載ってきて、アレックスの開いた脚のあいだに座る。両手をアレックスの腿に置いて注意を惹きつけ、まっすぐ目を見る。澄んだ青い目は揺るぎない。

「走りたかった」ヘンリーが言う。「少し頭をすっきりさせて、考えたかった……これからのことを。ジェーン・オースティンの小説じゃないが、さながらペンバリー館で熟考するミスター・ダーシーだ。途中でフィリップに出くわした。言っていなかったが、フィリップとマーサは今週、こっちに来ていてね。アンマー・ホールを修理中なんだ。兄はテレビ出演かなにかのために早起きをして、トーストを食べていた。ただのトースト。なにもつけずにトーストを食べる人を見たことはあるかい？　悲惨だったよ」

アレックスは唇を噛む。「この話はどこへ向かってる？」

「兄と少し話した。さいわいフィリップは知らないようだった。きみが昨夜……訪ねてきたことを。だがマーサのこと、所有している土地のこと、ふたりが努力しはじめたまだ見ぬ後継者のことなんかを話しつづけた。フィリップは子どもが大嫌いなんだけどね。そんなことをしていたら急に……きのうの夜きみが言ったことがすべてよみがえってきた。そして、ああ、そのとおりだ、と思った。計画に従うだけの人生。フィリップが不幸だというんじゃない。うまくやっている。じつにうまく。うまくやりきる人生だ」羽毛の上掛けの糸を引っ張っていたヘンリーが顔を上げて、まっすぐアレックスの目を見る。「だけど、ぼくにはそれでは足りない」

アレックスの心臓が一瞬、止まる。「そうなのか？」

ヘンリーが手を伸ばし、親指でアレックスの頰骨に触れる。「ぼくは……こういう話をきみみたいにじょうずにできない。でも、ずっと考えてきた……自分のことを知ってから、いや、その前から、自分はなにかが違うと感じていた――そしてこの数年、ぼくの頭が考えたおかしなことのすべてを経て――自分のことを隠しておくべき問題だと思うようになった。自分自身も、自分が望むことも、信用できなかった。きみと出会うまでは、自分になにが起きようとかまわなかった。ぼくに選択肢があるなんて思いもしなかった」手を動かし、指先で巻き毛をアレックスの耳にかける。「だがきみはぼくにそれがあるかのように接する」

アレックスの喉を痛いほど圧迫しているものがある。それをどうにか呑み込み、手を伸ばして、ヘンリーがナイトテーブルに置いたマグカップのそばに、自分のマグカップを置く。

「あるさ」

「徐々に信じはじめているよ」ヘンリーが言う。「そう信じさせてくれるきみがいなかったら、いったいどれだけ時間がかかっていたことか」

「きみはなにも悪くない」アレックスは言う。「そうだな、ときどき頭のにぶいまぬけになることをのぞけば」

ヘンリーがまた笑う。その声は感傷的で、目尻にはしわが寄っている。アレックスは心臓が喉元までせりあがるのを感じる。それは美しく装飾された天井まで上がって、部屋全体に行き渡り、いまも暖炉の上に置かれている輝く金の指輪へと至る。

「それについては悪かった」ヘンリーが言う。「ぼくは――まだ心の準備ができていなかったんだ。湖でのあの夜……はじめて、きみが実際にその言葉を口にするかもしれないという考えが浮かんで、それで動揺してしまった。愚かでずるいことだったし、もう二度としない」

「そうしてくれ」アレックスは言う。「じゃあ、つまり……〝のった〟ってことだね？」

「そういうことだ」ヘンリーは不安そうに眉根を寄せつつ、しゃべりつづける。「とてつもなく怖いし、ぼくの生活はふつうとはかけ離れているが、この一週間、きみをあきらめようとがんばりつづけて死ぬような思いをした。それで今朝、目が覚めてきみを見たとたん……がんばる気力を失った。公表することが許される日が来るかどうかはわからないが……公表したい。いつか。この世界にぼくがレガシーにできることがあるとしたら、それは真実であってほしい。ぼくのすべてをきみに捧げられるように、きみが望むどんな形ででも、そして一生もののチャンスを差しだせるように。もし待ってもらえるなら、ぼくの挑戦に手を貸してくれないか」

アレックスは彼を見て、そのすべてを自分のうちに取り込む。そこにいるのは、ケンジントン宮殿の年代物のシャンデリアの下に座る、何世紀も続く王室の人間だ。手を伸ばして顔に触れ、自分の指を見て、同じその手が母の大統領就任式で聖書をつかんだのだと思う。

その重みに直撃される。なかったことにするなど、ふたりとも絶対にできない。

「わかった」アレックスは言う。「いっしょに歴史を作ろう」

ヘンリーは天を仰ぎ、笑顔のキスでアレックスの口をふさいだ。ふたり同時に枕の山に倒れ込む。ヘンリーの湿った髪とスウェットパンツ、アレックスのむきだしの腕と脚が、豪奢《ごうしゃ》な寝具のなかで絡みあう。

子どものころ、誰もアレックスの名前など知らなかったとき、彼はおとぎ話のような愛を夢想した。それは、ある日突然、ドラゴンの背に乗って人生に舞いおりてくるようなものだった。少し大きくなると、愛の不思議さを学ぶことになった。どれほど求めても壊れてしまうことがある。そのどちらもが正しいと証明される日が来るとは、思っていなかった。

体を這うヘンリーの手はのんびりとやさしく、ふたりはいつまでも愛撫を交わし、めったにない贅沢に浸る。しばし休んでそれぞれに冷めたコーヒーと紅茶を飲みほし、ヘンリーの指示でスコーンとカシスジャムが寝室に運ばれる。午前中はだらだらとベッドのなかで過ごし、『ブリティッシュ　ベイクオフ』でコメディアンのメル＆スーがティーケーキのことでいがみあうのをヘンリーのノートパソコンで見て、やみつつある雨音を聞いている。

そのどこかの時点で、アレックスはベッドの足元からジーンズを発掘し、スマートフォンを取りだす。ザハラから三件の不在着信、母からは不吉なボイスメールが一件、ジューンとノーラとのグループチャットには未読メッセージが四十七件も溜まっている。

アレックス、いまZから聞いたけど、ロンドンですって？？？

アレックス、嘘でしょ

ばかなことをやらかして、それがばれたら、わたしがこの手で殺してやる

でも彼のあとを追ったんだ！！！　超ジェーン・オースティン

戻ったら顔にパンチしてやる。わたしに言わないなんて信じられない

どうなった？？？　いまヘンリーといっしょ？？？？？

パンチしてやる

四十七件のメッセージのうちの四十六件がジューンからで、四十七件めはノーラからふたり宛に、コンバースの白のチャックテイラーをどこに置いたか知らないかと尋ねる内容だ。アレックスは返信した――〝そのスニーカーならぼくのベッドの下にあるよ。それと、ヘンリーがよろしくって〟

メッセージが送信されるが早いか、スマートフォンがジューンからの着信を知らせて鳴りはじめ、姉はスピーカーに切り替えて洗いざらい話せと要求する。それが終わるとアレックスは、ザハラの激怒にみずから直面するよりはと、ヘンリーに頼んでシャーンに電話をかけてもらう。

「ひとつ頼みたいんだが、その、ミズ・バンクストンに電話をかけて、アレックスは無事でぼくといっしょだと伝えてもらえないか？」

「かしこまりました」シャーンが言う。「彼の出発に備えて車を手配いたしましょうか？」

「ええと」ヘンリーは言い淀《よど》み、アレックスを見て口だけを動かして〝泊まる？〟と尋ねる。アレックスはうなずく。「あしたになるかな」

べらぼうに長い沈黙をはさんで、シャーンの声がする。「彼女には伝えておきます」それ以外のことならなんでも喜んでやると言わんばかりの口ぶりだ。

ヘンリーが電話を切るとアレックスは笑ったが、ふたたびスマートフォンを手にして、待ちかまえている母からのボイスメールに向きあう。親指を再生ボタンの上でさまよわせていると、ヘンリーに脇腹をこづかれる。

「どのみちいつかは結果に向きあわなければならない」ヘンリーが言う。

アレックスはため息をつく。「言ってなかったと思うけど、母さんは、その……。解雇されたとき、母に言われたんだ。きみとのこと、千パーセント本気じゃないなら、別れなくちゃだめだって」

ヘンリーが耳の後ろに鼻をすりつけてくる。「千パーセント？」

「ああ、いい気になるなよ」

ヘンリーがまたこづいてきたので、アレックスは笑って彼の頭をつかまえ、何度か激しく頬にキスをしてから、彼の顔を枕に押しつける。ようやく手を離したときには、ヘンリーは乱れた髪で顔を紅潮させ、どう見ても喜んでいた。

「ぼくもそのことは考えていた」ヘンリーが言う。「ぼくと付き合っていたら、きみはいつまでたってもキャリアを築けないんじゃないかと。三十までに議員になるんだったね？」

「よしてくれ。この顔を見ろよ。みんなに愛される顔だ。ほかはおいおい解決していくさ」不信感丸出しのヘンリーの顔に、アレックスはまたもやため息をつく。「そりゃ、ぼくだってわからないよ。他国の王子と付き合いながら、どうやったら議員でいられるのか。それはつまり、解決すべき問題があるってことだ。それでも、ぼくよりはるかに大きな問題を抱えた悪人がしょっちゅう当選してる」

ヘンリーが射るような目で見る。その目を向けられると、標本箱に虫ピンで留められた虫になった気分だ。「本当に恐れていないのか？　これから起こるかもしれないことを？」

「いや、もちろん恐れてる」アレックスは言う。「選挙が終わるまでは絶対に伏せとかなきゃならない。知られたら、面倒なことになるのもわかってる。でももしこちらが先回りして、最適なタイミングでうまく公表できれば、なんとかなると思う」

「いつから考えていたんだ？」

「意識的に？　そうだな、民主党全国大会のころから。完全否定してたけど、意識下ではかなり前からだよ。遅くとも、きみにキスされてからは」

ヘンリーは枕からじっと見あげる。「そうか……それはなかなかの驚きだ」

「そっちは？」

「ぼく？」ヘンリーが言う。「なにを言っているんだ、アレックス。最初からだ」

「最初？」

「オリンピックから」

「オリンピック？」アレックスはヘンリーの頭の下から枕を引き抜く。「だがあれは――だって――」

「そうだよ、アレックス。ぼくたちが出会った日だ。気づいていただろう？」ヘンリーが手を伸ばして枕を奪い返す。「〝そっちは？〟と彼は言った。まるで知らないみたいに――」

「黙れ」アレックスはにたにたしながら、枕を取りあげようとするのをやめると、ヘンリーに馬乗りになってキスでマットレスに押さえつける。ブランケットを引き寄せてふたりでくるまり、笑い声と、口と手の営みに没頭する。ほどなくヘンリーはアレックスのスマートフォンの上に転がり、尻でボイスメールのボタンを押す。

〝そこつ者ディアス、手の施しようがないほどロマンティックな小悪党〟アメリカ合衆国大統領の声がベッドのなかでくぐもっている。〝一生ものなんでしょうね。用心なさいよ〟

午前二時に警護なしで宮殿を抜けだすというのは、意外にもヘンリーの発案だ。ヘンリーはフード付きパーカーと帽子――世界共通のお忍び用ユニフォームだ――をふたり分出してきて、宮殿の反対側からわざと騒々しくビーが出かけていく隙に、ふたりで庭園を駆け抜ける。いまは誰もいないサウス・ケンジントンの濡れた舗道に立ち、背の高い赤レンガの建物にはさまれている。標識には――。

「おい、冗談だろ？」アレックスは言う。「プリンス・配偶者《コンソート》・ロードだって？　大変だ、これといっしょに写真を撮らないと」

「まだだ！」ヘンリーが肩越しに言い、アレックスの腕を引っ張って走りつづけろと合図する。「止まるな、うすのろ」

　別の通りに入って柱のあいだのくぼみ《アルコーヴ》に身をひそめると、ヘンリーがパーカーのポケットからいくつも鍵のついた輪状のキーホルダーを取りだす。「王子でいることのまか不思議のひとつ——丁寧に頼めばどんな鍵でも渡してもらえる」

　ヘンリーが一見、なんの変哲もない壁際を探るようすを、アレックスはぽかんと見ている。「てっきり、フェリス・ビューラー（映画『フェリスはある朝突然に』の主人公。仮病で高校を休み、両親や校長の目を盗みながらガールフレンドと親友とシカゴの街で遊びまくる）はぼくのほうだと思ってた」

「じゃあ、ぼくは彼のガールフレンドのスローンか？」ヘンリーは言いながらドアを押し開け、アレックスの手を引いて広々とした暗い広場に入る。

　地面は傾斜しており、白いタイルに走るふたりの足音が響く。頑丈なヴィクトリア朝様式のレンガ壁が夜にそびえて中庭を囲んでいる。アレックスは、ああ、と思う。ヴィクトリア＆アルバート博物館。ヘンリーはＶ＆Ａの鍵を持っているのか。

　入り口に待ち受けているのは、年配の屈強な守衛だ。

「感謝の言葉もないよ、ギャビン」ヘンリーが握手の際に厚みのある紙幣をそっと握らせていることに、アレックスは気づく。

「今夜は〈ルネサンスシティ〉に？」ギャビンが尋ねる。

「頼めるかな」ヘンリーは言う。

　ふたりはふたたび歩きだし、中国の美術品やフランスの彫刻の部屋を足早に抜ける。ヘンリーは部屋から部屋へと流れるように移動し、黒い石でできた仏像や〈洗礼者ヨハネ〉の裸像の前を、一歩として迷うことなく進む。

「こんなこと、よくするのか？」

　ヘンリーが笑う。「これは、いうなれば、ぼくのささやかな秘密でね。小さいころは、父と母が開館前の早い時間によく連れてきてくれた。芸術に触れさせたかったんだろう。とりわけ歴史に」歩調をゆるめて、巨大な像を指さす。木の虎がヨーロッパの兵士の服装をした男に襲いかかっており、説明札には〈ティプーの虎〉とある。

「母はぼくたちをこの前に連れてきて、ぼくにささやいたものだ。『ごらんなさい、あの人は虎に食べられているでしょう？　それはね、わたしの曾曾曾曾《そうそうそうそう》お祖父《じい》さまがこれをインドから盗んだせいなのよ。わたしは返すべきだと思うけれど、あなたのお祖《ば》母《あ》さまは首を縦に振らないの』」

　傍らからヘンリーの横顔を見ていたアレックスは、その顔に一瞬、苦痛の表情を認める。だが、王子はそれを振り払うようにしてふたたびアレックスの手を取ると、またもや走りだす。

「いまは夜間に来るんだ」ヘンリーが言う。「守衛の上のほうの何人かと知り合いでね。くり返しここへ来るのは、どれだけたくさんの場所へ行き、たくさんの人に会っても、たくさんの本を読んでも、すべては学べないことを確認できるからじゃないかと思う。ウェストミンスターみたいなものだ。彫刻やステンドグラスをひとつひとつ見ていくと、そこに豊かな物語があって、どれも理由があってそこに置かれているのがわかる。すべてに意味があり、意図があるんだ。たとえば、『十二夜』、『エピシーン』、『ドン・ジュアン』に登場する巨大な四柱式のベッドの〈グレート・ベッド・オブ・ウェア〉は、ここにある。すべてが物語で、永遠に終わらない。すばらしいと思わないか？　そしてアーカイブときたら、もう、何時間でも過ごせるよ、じつに――ん」

　言葉が途切れたのは、階段のなかほどでアレックスが後ろに引き寄せてキスをしたからだ。

「もしもし」唇が離れると、ヘンリーが言う。「いまのはなにかな」

「べつに」アレックスは肩をすくめる。「きみを底無しに愛してるってだけ」

廊下の先には広々とした吹き抜けがあり、どの方向にも別の部屋が続いている。頭上の照明はいくつかだけついていて、見あげれば高い丸天井から巨大なシャンデリアが下がり、青や緑や黄色のガラスの螺旋や球が煌めきを放つ。その奥の階段の踊り場には、精巧な鉄製の内陣仕切りがそびえ立っている。

「こっちだ」ヘンリーはアレックスの手を引き、大きなアーチ型の入り口から光があふれだしている左手へと導く。「ギャビンに頼んで、明かりをつけておいてもらった。ここがぼくのお気に入りの部屋だ」

アレックスも以前スミソニアン博物館を訪れて、かつてユリシーズ・S・グラント（第十八代アメリカ合衆国大統領。南北戦争時の北軍の総司令官）の義父が使っていた部屋で眠ったことがあるものの、ヘンリーに手を引かれて大理石の柱のあいだを抜けると、息を呑まずにいられない。

半分だけの明かりのなかで、部屋が息を吹き返している。漆黒のロンドンの空にどこまでも伸びあがっていくかのような丸天井。その下にはフィレンツェのどこかの町の広場を模したかのような部屋があり、柱や祭壇やアーチが置かれている。部屋のそここに重厚な台座に載った像が配置され、そのあいだに水盤の深い噴水が据えられている。黒い入り口の向こうには数々の彫像が、スレートに刻まれた〈キリストの復活〉とともに控えている。後ろの壁全体を占めるのは巨大なゴシック様式の内陣仕切りで、大理石を彫って作られたそれを、黒と金からなる壮麗かつ神聖な聖人像が飾っている。

ふたたび口を開いたヘンリーの声はやわらかで、魔法を壊すまいとしているかのようだ。

「夜のここにいると、本物のイタリアの広場《ピアッツァ》を歩いているような気分になる」ヘンリーが言う。「でも、まわりには誰もいないから、触れられたり、ぽかんと見られたり、盗み撮りをされたりする心配はいらない。ただ、ここにいられる」

見ると、ヘンリーは期待しつつ、うかがうような表情をしている。それで、自分が彼をレイクハウスへ連れていったときと同じなのだと気づく。そう、自分にとってもっとも神聖な場所へ。

アレックスはヘンリーの手をぎゅっと握る。「全部教えて」

その願いに応えて、ヘンリーが順番に作品を解説してくれる。等身大のゼファーの彫像――ゼファーというのはギリシア神話の西風の神で、ピエトロ・フランカヴィッラによって生を得て、頭には王冠をいただき、片足を雲に載せている。膝をついて泉に映ったわが身に見とれるナルキッソスは、かつてはミケランジェロの失われたキューピッド像と考えられていたが、実際はバレリオ・チョーリの作だ――「ほら、わかるかい？　指の関節を漆喰《しっくい》で修復しなければならなかった箇所だ」プロセルピナを冥府へさらっていくプルートー、金の羊毛を手にしたイアソン。

　そして最初の像に戻る。ペリシテ人を殺すサムソン――この部屋に入ったとき、アレックスに息を呑ませた像だ。こんな像は見たことがない。なめらかな筋肉、肉のへこみ、息遣い、血の通った命、すべてがジャンボローニャの手によって大理石から削りだされている。もし触れたなら、肌にぬくもりがあるのではないか。

「皮肉だと思わないか？」ヘンリーが像を見あげる。「呪われたゲイの王位継承者であるぼくが、こうしてヴィクトリア女王の博物館に来て、彼女がどんなにあの同性愛禁止法を愛していたかを考えるというのは」にやりとする。「そういえば……覚えているかな、ゲイの王、ジェームズ一世について聞かせた話を」

「筋肉ばかのスコットランド人の恋人がいた人？」

「そう、それだ。彼の一番のお気に入りはジョージ・ヴィリアーズという男だった。〝イギリス一美しい肉体の男〟と称された人物だよ。ジェームズ王は彼にぞっこんで、それは誰もが知るところだった。テオフィル・ド・ヴィヨーという詩人などはこれについて詩を書いている」ヘンリーは咳払いをして、詩をそらんずる。「〝ある男はムッシュー・ル・グランを奪い、またある男はトネール伯を奪い、広く知られているとおり、英国王はバッキンガム公を奪う〟」アレックスはきょとんとしていたに違いない。ヘンリーが補足したからだ。「フランス語だと韻を踏んでいる。それはさておき。知っていたかな、ジェームズ王欽定《きんてい》訳聖書が存在するのは、ジェームズがヴィリアーズとの関係をひけらかすことに英国国教会が激怒したので、それをなだめるためだったんだ」

「冗談だよね」

「ジェームズは枢密院の前でこう言い放った。〝キリストにヨハネあり、われにジョージあり〟」

「なんてこった《ジーザス》」

「まさに」ヘンリーはまだ像を見あげているが、アレックスはその彼から目をそらすことができない。思いに耽り、よこしまな笑みを浮かべているその顔から。「そしてジェームズの息子であるチャールズ一世こそ、われらがサムソンがここにいる理由だ。フィレンツェを離れた唯一のジャンボローニャの作品でね。スペイン王からチャールズへの贈り物だったんだが、チャールズはこの巨大で途方もなく貴重な傑作をヴィリアーズに与えた。それから数世紀後、こうしてここにいるというわけだ。われわれが所有するなかでもっとも美しい作品のひとつであり、盗品でもない。必要だったのは、ヴィリアーズと、クィアな国王とのふしだらな関係だけ。ぼくに言わせるなら、もしイギリス内のゲイの国家的ランドマークの登記簿があるとすれば、サムソンはまちがいなく、そこに記載されている」

ヘンリーはサムソンをわが子と思っているのか、子どもを自慢する親さながらの笑顔になり、アレックスまで誇らしくなる。

スマートフォンを取りだして撮影の準備をする。ラフな格好でそこに佇むヘンリーは、世界でもっともすばらしい芸術作品のひとつのそばで、やわらかにほほ笑んでいる。

「なにをしているんだ？」

「ゲイの国家的ランドマークの写真を撮ってる」アレックスは言う。「彫像もね」

しょうがないなと言いたげにヘンリーが笑うので、アレックスはふたりの距離を詰めて彼の野球帽を奪い、つま先立ちになって眉間にキスをする。

「不思議だよ」ヘンリーが言う。「自分のなかで一番許されない部分だと思っていたものなのに、きみはそれを一番の長所みたいに扱う」

「そうさ」アレックスは言う。「きみを愛する理由のトップスリーは、まずは脳みそ、つぎが股間、最後が革命的なゲイ・アイコンになろうとしてる状況だからね」

「きみこそ、ヴィクトリア女王の最悪の悪夢だ」

「だからこそ、きみはぼくを愛してる」

「ああ、そのとおりだ。ぼくはずっと、同性愛嫌悪の先祖たちをなにより激怒させた男に首ったけだった」

「彼らが人種差別主義者だったことを忘れるなよ」

「もちろんだ」ヘンリーが真顔でうなずく。「次回はジョージ三世の作品をいくつか訪ねて、彼が激怒して熱くなるあまり、燃えあがらないかどうか見てみよう」

部屋の奥にある大理石の内陣仕切りの向こうには、ふたつめの奥行きのある部屋があり、こちらには教会の遺物がひしめいている。ステンドグラスと聖人の像を過ぎると、部屋の最深部に教会からまるごと運んでこられた主祭壇の備わった礼拝堂がある。説明札によれば、もともとは十五世紀のフィレンツェにあったサンタキアラ教会の後陣だそうで、じつにみごとだ。アッシジの聖キアラと聖フランチェスコの像とともにアルコーヴの奥に設置され、本物の礼拝堂のしつらえになっている。

「以前は」ヘンリーが言う。「もっと凝った筋書きを思い描いた。愛する誰かをここへ連れてきて、礼拝堂に入って、彼もぼくと同じくらい喜んでくれて、いっしょに聖母マリアの前でスローダンスを踊る。まあ……くだらない思春期の妄想だね」

ヘンリーが少しためらってから、ポケットのスマートフォンを取りだす。いくつかボタンを押して片手をアレックスに差しだしたとき、小さなスピーカーから静かにエルトン・ジョンの『僕の歌は君の歌』が流れだす。

アレックスはふっと笑う。「ワルツは踊れるかと訊かないの？」

「ワルツはなし」ヘンリーが言う。「好きだったことはない」

アレックスが手を取ると、ヘンリーは緊張した聖職志願者のような面持ちで礼拝堂のほうを向く。薄明かりのなかで彼の頬がくぼんで見える。彼は礼拝堂へとアレックスを導く。

唇が重なったとき、アレックスには教理問答書にあったうろ覚えの格言が翻訳交じりで聞こえた気がする。〝わたしの息子《イ・ホ・ミ・オ》よ、はちみつ《デ・ラ・ミエル》を食べなさい、体によくて《ポルケ・エス・ブエナ》、ミツバチの巣は舌に甘い〟そこでアレックスは考える。聖キアラはぼくたちをどう思うだろう？　ゆっくりとその場でターンする、途方に暮れたダビデとヨナタンのようなぼくたちを。

ヘンリーの手を口元に引き寄せて、指の関節にキスする。皮膚を通して青く見える静脈、脈拍、これらの壁の内側に永遠に保存される由緒ある血筋。そして心のなかで唱える——父と子と精霊の御名《みな》において、アーメン。

ヘンリーがチャーターしたプライベートジェットで帰国することになったアレックスは、アメリカに着いたらすぐに食らうであろう叱責を恐れつつ、深く考えないようにする。滑走路に立ち、風で髪が額に叩きつけられるなか、ヘンリーがジャケットの内側を探る。

「ねえ」ヘンリーはこぶしに握った手をポケットから引き抜く。アレックスの片手を取って手のひらを上に向けさせ、なにか小さくて固いものをつかませる。「きみに知っておいてもらいたい。大丈夫、ぼくは千パーセントだ」

ヘンリーが手を引っ込めたとき、アレックスのたこのできた手のひらの中央にあったのは、あの印象指輪だ。

「え？」アレックスははじかれたように視線を上げてヘンリーの顔を探るが、そこにあるのは穏やかな笑みのみ。「これはさすがに——」

「持っていてくれ」ヘンリーが言う。「もううんざりなんだ」

専用の滑走路とはいえ、やはり人に見られる危険はあるので、アレックスはただヘンリーを抱きしめて、熱を込めてささやく。「マジでめちゃくちゃ愛してる」

巡航高度に入ると、アレックスは首に下げた鎖を外し、古い家の鍵とともに指輪を通す。いっしょになってやさしい音色をたてるそれらを、シャツの下にしまい込む。仲良くならぶふたつのわが家。

11

CLAREMONT FOR AMERICA

故郷のあれこれ

A <agcd@eclare45.com>　to ヘンリー

二〇二〇年九月二日、五：一二PM

H

帰国して三時間たった。早くも寂しい。まいったな。

あのさ、ぼくはさっき、きみのことを勇敢だと言ったか？　ぼくはまだ覚えてるよ。きみが病院であの女の子にルーク・スカイウォーカーについて話したことを。

「どこの出身でも、どんな家系でも関係ない――自分らしく生きればすばらしい人になれることは、彼を見ればわかる」と。きみを見てもわかるよ、愛するヘンリー。

（それはそうと、ぼくたちの関係からいえば、ハン・ソロは絶対にぼくで、きみはレイアでまちがいない。反論しようとしても無駄だ。これが正解だから）

テキサスのこともまた考えてた。これなら選挙のあれこれにいらついたとき、気晴らしになる。まだきみに披露していないことがたくさんある。オースティンもまだ攻略してないしね。〈フランクリン・バーベキュー〉にはぜひ、連れていきたい。長い時間ならばなくちゃならないけど、それも経験のうちだよ。王室の一員が何時間もならんで牛の肉を食らう姿を見たい。

ぼくが帰国する前にきみが言ったことについて、あのあと考えてみた？　家族にカミングアウトするって話。そうする義務はないからね。ただ、この話をしたときのきみは、希望にあふれてた。

ぼくはしばらくこちらにいる。ホワイトハウスに缶詰めになって（少なくともロンドン行きのことで、母さんに殺されないかぎり）きみを応援してる。

愛してる。

たくさんのハグとキスを

A

追伸：ヴィタ・サックヴィル＝ウェスト（イギリスの作家、詩人。同性愛の傾向があったとされる）からヴァージニア・ウルフへ——一九二七年。

〝私にとってはまぎれもない事実。信じようにも信じられないくらいあなたが恋しい。あんなに覚悟していたのに〟

Re: 故郷のあれこれ

ヘンリー <hwales@kensingtonemail.com> to A
二〇二〇年九月三日、二：四九AM

アレックス

まさに、まいった、のひとことに尽きる。やっとの思いで、バッグに荷物を詰めて永久に姿を消す衝動を抑えている。きみの部屋に転がり込んで、世捨て人のように暮らすのもありかもしれない。きみに食事を運んでもらい、きみがドアのところで誰かの応対をするあいだ、変装したぼくは片隅の暗がりで息をひそめている。なんとも痛ましい『ジェーン・エア』だ。

〈デイリー・メール〉は、躍起になってぼくの行方に関する憶測を書き立てるだろう。自分にいやけが差して、断崖絶壁のセント・キルダの島に姿をくらましたのか、とかね。真実はぼくたちだけが知っている。ぼくがきみのベッドにのんびり寝転んで本を読んだり、小さいシュークリームを食べたり、とめどなく愛しあって最後にはチョコレートソースの海に果てたりすることを。ぼくが望むのはそんなところだ。

だが、残念ながらいまは身動きが取れない。祖母は、ぼくがいつ入隊するのかと、しょっちゅう母に尋ねている。フィリップがぼくの年のときには、すでに入隊して一年たっていたのを知っているか、とね。ぼくも今後の方針を決めなければならないのは、わかっている。ギャップイヤーとして許容される日数の期限が迫っているんだ。どうか、ええと——アメリカの政治家はこういうときなんて言うんだろう？——ぼくのことを忘れずに祈ってくれ。

オースティンは楽しそうだ。二、三カ月して、少しおちついたころに訪問するのはどうだろう？　週末の休暇を長めに取れるかもしれない。きみのお母さんの家には行けるのかな？　きみの部屋を見てみたい。ラクロスのトロフィーはまだ置いてあるのかい？　ポスターが貼ったままだといいのだけれど。誰のポスターがあるか、あててみようか？　ハン・ソロにバラク・オバマ、それに……最高裁判事のルース・ベイダー・ギンズバーグだ。

(ぼくのレイアに対してきみがハン・ソロだという所見には賛成する。きみはまちがいなく、ぼくたちを小惑星帯に誘導する、薄汚いナーフ飼いだ。ぼくが好きなのは申し分のない男たちだけれどね)

家族にカミングアウトすることについては、あれからも考えている。それがいまここにいる理由の一部だ。フィリップに打ち明けるとき、ひとりがいやなら同席するとビーが言ってくれたので、たぶん頼むと思う。くどいようだが、ぼくのことを忘れずに祈っていてくれ。

どうしようもなく愛している。すぐにでも戻ってきてもらいたい。新しいベッドを選ぶのにきみが必要だ。あの巨大な金色の怪物は捨てることにした。

きみのもの

ヘンリー

追伸：ラドクリフ・ホール（イギリスの詩人、作家。レズビアンだった）からエフゲーニャ・ソウリーネ（ラドクリフが愛した白系ロシア人）へ、一九三四年。

〝愛しい人へ。あなたがイギリスへ来ることを私がどれほど心待ちにしているか、お気づきでしょうか。私にとってはとても意味のあることなのです。それはこの世のすべて。まことに私の肉体はすべてあなたのもの。あなたの肉体はすべて私の、最愛のものであるように……ふたりでいればなにもかまうことはない。恋い焦がれるふたりは最後には結ばれるのです〟

CLAREMONT FOR AMERICA 2020

Re: 故郷のあれこれ

A <agcd@eclare45.com>　to ヘンリー

二〇二〇年九月三日、六：二〇AM

H

嘘だろ。入隊するつもりなの？　その件については、調べたことがなかった。ザハラに言って誰かに資料をまとめて持ってきてもらうよ。でも、どういうことなんだ？　ちょくちょく留守にしなければならないのか？　ひょっとして危険なの？？？　それともただ、軍服を着てデスクに向かうってだけのこと？　どうしてぼくがそっちに行ったとき、この話題が出なかったんだい？？？？

悪い。パニックを起こした。いつかはやってくるはずのことだったのに、なぜか忘れてた。きみがどうするか決めたら、それがどんな決断であれ応援する。だから、物憂げに窓から外を眺める練習をする必要があるなら、教えてくれよ。戦場から帰還する恋人を待つんだとしたらね。

たまに無性に腹が立つ。きみが自分の人生について言いたいことを言わないことに。ぼくが思い描く幸せなきみは、宮殿外のどこかのアパートメントでデスクに向かい、クィアな人生の名詩選をしたためている。そこにはぼくもいる。きみのシャンプーを使い果たして、きみを引き連れて雑貨店に出かけるんだ。そしてもちろん、毎朝同じぐらいの時間に目を覚ます。

大統領選挙が終わったら、これからのことを考えられる。できたらしばらくは同じ場所に住みたいけれど、きみに果たすべき義務があるのはわかっている。ぼくがきみを信じていることだけは、頭に入れておいてくれ。

フィリップに話す件については、いい考えだと思う。ことごとく失敗したら、ぼくがしたように救いようのないうすのろのまねをしたらいい。そのうち、家族の大半が自分たちで答えを見つけるよ。

愛してる。ビーによろしく。

A

追伸：エレノア・ルーズヴェルト（第三十二代大統領フランクリン・ルーズヴェルトの妻。アメリカ国連代表、婦人運動家、文筆家）からロレーナ・ヒコック（アメリカのジャーナリスト。エレノアとレズビアンの関係にあったのではないかとされる）へ――一九三三年。

〝あなたがいなくてひどく寂しい。一日のうちで最高にすてきなのは、あなたに手紙を書いている時間。あなたのほうが怒濤《どとう》の暮らしを送っているけれど、私はその同じだけの時間をあなたを思って寂しく過ごしています……どうかワシントンにたっぷり心を寄せて。ここには、あなたの心に寄り添う私がいるのだから〟

Re: 故郷のあれこれ

ヘンリー <hwales@kensingtonemail.com>　to A

二〇二〇年九月四日、七：五八ＰＭ

アレックス

きみは、なにかが信じられないほど悲惨でうまくいかなくて、自分なんか大砲に詰められて宇宙空間の無常な漆黒の闇に飛ばされてしまいたい、と思ったことがあるだろうか？

ぼくは自分にどんな意味があるのか、あるいは何者なのかで、思い悩むことがある。前にも書いたけれど、さっさと荷物をまとめたほうがいいのかもしれない。きみのベッドに横たわり、自由のないまま死を迎えるのも悪くない。ぶくぶく太って、性の虜になり、青春の絶頂期に朽ち果てるんだ。〝プリンス・オブ・ウェールズ、ヘンリー王子ここに眠る。王子は生きたように死んだ。とくに計画のないまま、ただアレをくわえて〟

フィリップに話したよ。きみとは特定せずに――ぼくのことを。

具体的には、入隊のことを話しあった。フィリップとシャーンとぼくとで。できれば王室の伝統には従いたくない、軍隊に入ったところで誰かの役に立てるとは思えない、とフィリップに伝えた。兄は、王室の男子に引き継がれてきた伝統を軽視するのはなぜか、と訊いてきた。ぼくはこの会話から一目散《ストレート》に（ふう）逃げだしたかったんだと思う。なぜなら、臆面もなくこう言ったんだ。「ぼくが王室のほかの男たちとは違うからだ。まずは正真正銘のゲイという点からしてもね、フィリップ」

シャーンがフィリップをどうにかぼくから引き離したころには、フィリップはぼくをさんざんに罵っていた。「自分を見失っているか、思い違いかだ」とか「伝統は未来永劫《えいごう》維持するものだ」とか「受け継がれてきたものを尊重しろ」とかね。正直に言うと、ほとんど思いだせない。詰まるところ、兄はぼくが本来そうであるべき異性愛者《ヘテロセクシュアル》の世継ぎでなかったことには驚いていなかったんだと思う。そうではなくて、ぼくが本来そうであるべきヘテロセクシュアルの世継ぎのふりをしつづけなかったことに驚いたようだ。

たしかにぼくたちは家族にカミングアウトすることが最初の一歩になると思っていたし、そう願ってきた。世間に知れたらどうなるか、この反応はさい先のいい兆候とは言えない。よくわからないが。正直に言うと、ぼくはやけになって大量のジャファケーキを食べてしまった。

ときには、ニューヨークへ引っ越して、あちらで若者向けのシェルターを作るというペズの計画を引き継ぐことも夢想する。とにかく行って、それきり帰らない。出ていくときに、なにかを焼き払うかもしれないが、それはそれで悪くない。

こんな話はどうかな。きみは気づいているだろうか？　きみと初対面のときになにを思ったか、きみにちゃんと話したことがないのを。

なにしろ、ぼくにとって、思い出とはつらいものだ。思い出には傷つけられることが多い。興味深いことに、悲嘆というのは、その後の人生すべて、自分を形成する重要な年月すべてにつきまとう。そのせいで、振り返るのがつらくなる。そこに空白が、急に手が届かなくなったものがあるからだ。そうなると、一からシステムを作りなおすしかない。

ぼくはいま、暗くて埃っぽいバッキンガム宮殿の部屋の数々を思い浮かべながら考えている。はたしてぼく自身とぼくの人生とこれまでの人生には、覚えておく価値があるのだろうか？　たとえばビーがリハビリ施設を抜けだして、ぼくが泣きながら死なないでほしいと訴えた夜のこと。あの夜のことは、ピンク色のピオニーの壁紙が張られ、床の中央に金色のハープが置かれた部屋にしまってある。また十七歳のとき、兄の大学の学友が相手だった初体験は、ひどくせまい掃除用具入れを見つけて、そこに押し込んである。そして父の最期の夜、父の顔から生気が抜けていったこと、手のにおい、熱、待って待って待ちつづけて、とうとうもう待たなくてもよくなったときのことは、一番広い部屋である舞踏室にある。暗くてだだっ広いその部屋の窓は閉められ、カーテンが引かれていて、ドアには鍵がかかっている。

でも、きみにはじめて会ったときのこと。あのリオでのこと。ぼくはその思い出を宮殿の庭園に運んだ。ウラジロサトウカエデの葉に押しつけ、ウォータールー花瓶に向かって暗唱した。どの部屋にもおさまりきらなかったからだ。

ノーラとジューンと言葉を交わすきみは、幸せそうで生き生きとしていた。ぼくには手の届かない次元に住んでいて、とても美しかった。きみはいまより長い髪をしていた。まだ大統領の息子ではなかったけれど、きみには臆するところがなかった。ポケットに黄色いイペの花を挿していた。

いままで目にしたことのなかで一番信じがたいことだ、とぼくは思った。そして安全のためにきみとは距離を取ったほうがいい、こんなにすてきな人がぼくを愛することがあったら、ぼくは燃えあがってしまう、と。

当時のぼくはのんきな愚か者だったから、それでもきみに夢中になった。きみが真夜中のとんでもない時間に電話をかけてきたとき、ぼくはきみを愛していた。むかつくようなトイレでぼくにキスをしたときも、ホテルのバーで口を尖らせたときも、きみはぼくを幸せにしてくれた。ぼくのように心がすり切れた籠の鳥にはあり得ない形で幸せにしてくれた。ぼくはきみを愛した。

そして、不可解なことが起きた。きみは無謀にもぼくの愛に応えてくれた。こんなことがあっていいのか？

いまでもときどき、信じられなくなる。

フィリップとの話し合いがうまくいかなかったことは残念だ。もっといい知らせができればよかったのだけれど。

きみのもの

ヘンリー

追伸：ミケランジェロからトマーゾ・カヴァリエーリ（ローマの貴族。ミケランジェロより三十歳以上年下ながら、親友とも恋人ともされた）へ、一五三三年。

〝私にはよくわかっている。いまこのときにも、食物の名と同じくらいたやすくあなたの名を忘れうることを。いや、食物の名を忘れるほうがよりたやすい。食物は哀れにもわが身を養うだけのもの。それに引き換えあなたの名は、わが身と魂の双方に滋養を与え、それぞれを甘美で満たすゆえ、あなたのことを心に留めているかぎり、疲弊も死の恐怖もわが身に感じることはない。考えてみてもらいたい――両の目がその定めを満たすことができるならば、私はどのような境遇にもわが身を見いだすことか〟

CLAREMONT FOR AMERICA 2020

Re: 故郷のあれこれ
A <agcd@eclare45.com> to ヘンリー
二〇二〇年九月四日、八：三一PM

H

なんてことだ。

残念だったね。ほかに言葉が見つからないよ。気の毒でならない。ジューンとノーラが愛していると伝えてくれって。ただし、ぼくほどの愛じゃないから。言うまでもなく。

ぼくのことは心配しないで。ふたりで立ち向かおう。ただ時間はかかるかもしれない。ぼくはこれまでも辛抱強くやってきた。きみから教わったことは多い。

まったく、どう書いたらもっとうまく伝わるんだろう？

これはどうかな。きみのメールできみに会えない寂しさがつのるのか、和らぐのかはわからない。きみの書いた文章を読むと、自分がとても澄みきった海の真ん中に突きでた奇妙な岩のような気分になることがある。ぼくを愛するきみの気持ちは、きみ自身より、ほかのなにより、はるかに大きい。それをこの目で見られただけでも運がいいのに、その愛を受ける側にいるとは、自分の運のよさが信じられないほどだ。ここまでくると、たんなる運を超越して運命のように感じる。カトリックの神は、きみがこういうことを書く相手としてぼくを作った。アヴェ・マリアの祈りを五回唱えよう。感謝します《ムチャス・グラシアス》、マリアさま《サンタ・マリア》。

文章ではきみにかなわないけど、きみに宛てたリストなら書ける。

不完全リスト：プリンス・オブ・ウェールズ、ヘンリー王子の好きなところ
一、ぼくからからかわれたときの笑い声
二、極上のコロンをまとったときのにおい。洗い立てのリネンみたいなのに、なぜか若草のにおいでもある（どんな魔法を使ってるんだ？）

三、強そうに見せようとして、あごをそびやかしたところ
四、ピアノを弾いているときの手
五、きみのおかげでわかった自分自身のことすべて
六、『ジェダイの帰還』を『スター・ウォーズ』シリーズで最高（まちがいだけどね）だと思っていること。どうしてそうなるかというと、実際のきみはあくまでハッピーエンドにこだわる、血気盛んで厄介な、頭でっかちのロマンティストだから
七、ジョン・キーツの詩を暗唱できること
八、映画『プリシラ』のベルナデットの独白「元気を出して」をまねできること
九、一生懸命なこと
十、これまでずっと一生懸命やってきたこと
十一、挑戦しつづけると決意していること
十二、きみに肩を抱かれると、まわりのつまらない世界がなにも気にならなくなること
十三、きみがロンドンに持ち帰ったあの〈ル・モンド〉と、それを捨てずにナイトテーブルに置いていること（知ってるよ、この目で見たんだ）

十四、朝、目覚めたときのきみの表情
十五、肩幅とウエストの比率
十六、大きくて、親切で、非常識で、確固としたきみの心
十七、同じぐらい大きなきみのアレ
十八、前の一文を読んだときのきみの顔
十九、朝、目覚めたときのきみの表情（もう書いたけど、好きすぎるからもう一度）
二十、ずっとぼくを愛してくれていること

きみが愛してると言ってくれてから、最後の一項目のことをずっと考えている。ぼくはつくづくばかだったと思う。ぼくはたまに考えるのをやめられなくなるけれど、いまはすべてがはじまったあの夜、ぼくの部屋できみに言ったことに立ち戻っている。そして民主党全国大会のあと、きみが会うのをやめようかと言ったとき、自分がそれをはねつけたこと、ときにはきみとの関係をつまらないもののように扱ったことに。ぼくはきみが差しだしてくれているものを知りもしなかった。きみを傷つける連中をひとり残らずとっちめたいけれど、そのなかにはぼく

も入っているよね？　最初からずっとだ。許してほしい。きみには華麗で、強くて、圧倒的にすてきな存在でいてもらいたい。会えなくて寂しいよ。寂しくて寂しくて、愛してる。これを送ったらすぐ電話をかけるけど、こういうことは書いて送ったほうがきみが喜ぶのを知っているから。

A

追伸：リヒャルト・ワーグナーからエリザ・ヴィレ（ドイツの作家、詩人。ワーグナーからの書簡とともに、その思い出をつづった本を出版）へ、ルートヴィヒ二世について――一八六四年。

（覚えてる？　ワーグナーを弾いてくれたよね。ワーグナーはくそったれだけど、これはたいしたものだ）

〝私を敬愛する若い王がいるのは事実です。私たちの関係はあなたにはおわかりいただけません。私は若いころ見た夢のひとつを思いだします。私はシェイクスピアが生きている夢を見ました。実際に会って話をしたのです。その夢が残した印象は、いまも忘れていません。そのあと、ベートーヴェンに会えたらと思いましたが、すでにこの世にはいませんでした。私といると、この愛すべき男の心には、似たようななにかがよぎるのでしょう。彼は、私が本当に彼のものになったことが信じられないと言います。どなたも私宛の彼の手紙には驚きと歓喜を禁じ得ないでしょう〟

12

コーヒーが入った保温カップとファイルの束を抱えて現れたザハラの薬指には、ダイヤモンドの指輪が輝いている。ジューンの部屋で朝食をかき込んでから、ピッツバーグの政治集会にふたりして出発する予定だったが、ジューンはそれを見てうっかりワッフルをベッドカバーに取り落とす。

「あらま、Z、いったいそれはなに？　婚約でもしたの？」

ザハラは指輪を見おろし、肩をすくめる。「週末は休暇をもらったわ」

ジューンはぽかんと口を開けて相手を見る。

「誰と付き合ってるか、いつぼくたちに教えてくれるつもり？」アレックスは口をはさむ。「それに、どうやって付き合ってるかも」

「だめ、言わない。選挙活動周辺で起きているあなたの極秘の関係についてのたわごとも訊かないから、プリンセス」

「ごもっとも」アレックスはしぶしぶ引きさがる。

ザハラはその話題を却下してつぎに移り、ジューンはパジャマのズボンでベッドカバーについたシロップを拭きだす。「今朝は話さなければならないことがたくさんあるのよ。だから集中して、クレアモントたち」

ザハラはふたりに、両面印刷した箇条書きの予定表を渡すや、内容の説明に入る。木曜日にシーダーラピッズで行われる有権者登録促進運動（アレックスはわざと排除されている）まで来ると、ザハラのスマートフォンから通知音がしたので、彼女はそれを手に取って無造作にスクロールする。

「じゃあ、ふたりには着替えて出かける支度を……時間は……」ザハラがうわの空になって、画面に目を凝らす。「時間は、えー……」その顔が恐ろしい衝撃に引きつる。

「ちょっと、なんなの」

「どうした——？」アレックスが口を開くや、膝の上で自分のスマートフォンが振動しだし、見おろすとCNNのプッシュ通知だ。〝民主党全国大会開催ホテルにおけるヘンリー王子の監視カメラ映像流出〟

「くそっ」とアレックス。

ジューンが肩越しにのぞき込む。〝匿名の情報筋〟が、民主党全国大会の夜、〈ザ・

ビークマン〉のロビーで撮影された監視カメラの映像を、なんらかの方法で入手したという。

たしかに……決定的なものではないが、キャッシュに付き添われ、肩を抱きあいながらバーから出てくるふたりの姿がはっきりととらえられている。映像はエレベーターのところで切り替わり、ヘンリーがアレックスの腰に腕をまわしてキャッシュと話している。そして三人が最上階で降りたところで終わる。

ザハラは首を絞めそうな勢いでアレックスをにらむ。「説明してもらえる？　どうして人生の、よりによってきょうという日に、なおもわたしを悩ませるのか」

「ぼくにもわからない」アレックスは消え入りそうな声で言う。「これが——スクープになるなんて——だって、これよりもきわどいことをしてる——」

「それを聞いてわたしの気分がよくなると思う？」

「ぼくはただ、いったい誰がエレベーターホールの映像を流出させたのかと思って。誰がチェックしてるんだろう。芸能人がいたとは思えないし……」

ジューンのスマートフォンの甲高い通知音が割って入り、ジューンは画面を見て毒づく。「なんなのよ。〈ポスト〉の例の記者が、あんたとヘンリーの関係をめぐる憶測についての見解を求めてきたわ。民主党全国大会のあと、あんたが選挙キャンペーンから退いたことと関係があるのかって」ジューンは見開いた目で、アレックスとザハラを交互に見る。「これって、かなりまずい状況よね」

「ご機嫌な状況でないのは確かね」ザハラが言う。スマートフォンに鼻をうずめるようにして猛烈に打ち込んでいるのは、おそらく報道チームに宛てた鼻息の荒いメールだ。「必要なのは陽動作戦よ。あなたをデートかなにかに送りださないと」

「どうなるの、わたしたちがもし――」ジューンが口をはさもうとする。

「そう、デートよ」ザハラが言う。「あなたとヘンリーそれぞれがデートするの」

「わたしに――」ジューンがもう一度、言いかける。

「でも、いったい誰に連絡をすればいいの？　この時点でふたりのうちどちらかとでっちあげのデートをしてくれる女の子なんている？」ザハラは両手の付け根で目をこする。「カムフラージュになってくれる子が？」

「わたしに考えがある！」ジューンがついに叫ぶように言う。アレックスとザハラがそちらを見ると、彼女は唇を嚙んでアレックスを見る。「あんたが気に入るかどうかわからないけど」

　ジューンがスマートフォンを裏返して、ふたりに画面を向ける。テキサスでペズに送るために撮った写真の一枚で、ジューンとヘンリーが桟橋でくつろいでいる。

ジューンが写真をトリミングしてノーラをカットしたので、映っているのはふたりだけだ。サングラスをかけたヘンリーは満面に笑みを浮かべ、ジューンはヘンリーの頬にキスをしている。

「わたしもホテルのその階にいたわ」ジューンは言う。「だから、否定も肯定もしなくていい。ただなにかをほのめかすだけで、炎上するのを抑えることはできる」

アレックスは唾を呑み込む。

ジューンはいつだって身を挺《てい》して自分を守ってくれる。それはわかっているけれど、こんなことまで？　自分からはとても頼めない。

だが、実際問題として……うまくいきそうだ。ヘンリーとジューンのＳＮＳ上の友人関係は、その半分がコリン・ファースのＧＩＦ画像だとしても、よく記事になっている。前後の文脈を無視して見れば、この写真はどう見ても恋人同士——いっしょに休暇を過ごす、楽しそうでお似合いのヘテロセクシュアルカップルだ。アレックスはザハラを見る。

「悪くないわね」ザハラが言う。「ヘンリーにも仲間に入ってもらう必要があるわ。あなた、できる？」

アレックスは息を吐く。こんなことは断然やりたくないけれど、ほかに選択肢があるとは思えない。「ああ、そうだね。わかった、やってみる」

「まさにぼくたちふたりがしたくないと言ってたとおりのことなんだけどね」アレックスは電話口で言う。

「わかっている」ヘンリーが電話の向こうで応じる。声が震えている。フィリップが別回線で電話を待っているのだ。「でも」

「ああ」とアレックス。「でも、だね」

ジューンがテキサスでの写真をアップロードすると、すぐに話題となり、新たな一番人気の投稿になる。

数時間であらゆるところに拡散する。〈バズフィード〉はヘンリーとジューンの関係を紹介する記事を載せ、その先頭にロイヤル・ウエディングでふたりが踊る例の写真を掲載する。ロサンゼルスの夜の写真を探しだし、ツイッターのやりとりを分析する。ある記事には、こう書かれる。〝ゴールを決められないのかと思われていたジューン・クレアモント＝ディアスが、じつはひそかに理想の王子さまを手に入れていた？〟また別の記事は、〝殿下の親友アレックスがふたりを引きあわせたのか？〟と憶測する。

　ジューンはほっとしている。なんとか弟を守る方法が見つかったからだが、それはとりもなおさず世間が答えや証拠を見つけようとジューンの生活を掘り起こすことを意味し、アレックスはそういうことをする人たちを殺したくなる。それに、世間の人たちの肩をつかんで揺さぶり、ヘンリーはぼくのものだ、と言いたい衝動にも駆られる。それには、アレックスとヘンリーの関係を信じてもらうことが肝心なのだけれど。誤解されたと感じるのはまちがっている。でも、世間はそのニュースに夢中になり、〈FOXニュース〉を炎上させるであろう嘘と真実の唯一の違いは、ジェンダー絡みの点だけだ……なんという、腹立たしさ。

　ヘンリーは言葉少なだ。けれど話の端々から、フィリップがかんかんになっていることと、女王陛下が当惑しながらもヘンリーにようやく女性の恋人ができたことを喜んでいることが伝わってくる。アレックスはそのことに嫌悪を感じる。自分を偽らせる抑圧的な慣習――アレックスはそうしたことのすべてからヘンリーを守る避難所になろうとしてきた。自分の側がそれを強いることは絶対にないはずだった。

　これはまずい。壁に包囲され、胃が痙攣し、失敗したらあとがないまずさだ。アレックスがロンドンに行き、ジャンボローニャの彫刻の前でヘンリーにキスをしてからまだ二週間とたっていない。それなのにこんな状況になるとは。

自分たちの隠しポケットには、もうひとつ売り物になるものがある。アレックスの人生でもっとも利用度の高い関係だ。ノーラが鮮やかな赤い口紅をつけてレジデンスにやってきて、冷静で辛抱強い指先をアレックスのこめかみに押しあてて言う。「わたしをデートに連れてくのよ」

近所の大学周辺を選んだのは、大勢の人がこっそり写真を撮ってあらゆる媒体に投稿するのをあて込んでのことだ。ノーラがアレックスの後ろポケットに手を差し入れると、アレックスは身を寄せる彼女の体や、頬に触れるおなじみの巻き毛に意識を集中しようとする。

ほんの一瞬、これが現実だったら楽なのにと頭の片隅で考えることを自分に許す。親友との居心地のいい、肩肘張らない関係に戻って、〈ジャンボ・スライス〉の外でノーラの下品な冗談に笑いながら、その腰のあたりにピザを食べたあとの脂ぎった指紋を残す。世間の人たちが望むように彼女と相思相愛の関係でいられたら、それ以上なにを望むことがあるだろう。

でもノーラもアレックスもそうできず、心は大西洋上を飛ぶ飛行機のなかにある。あしたジューンとのランチを首尾よく写真におさめるため、ヘンリーがワシントンDCに向かっているのだ。アレックスがその夜ベッドに入ると、ザハラがアレックスとノーラに関するツイッターのスレッドを大量に送ってきて、気分が悪くなる。

ヘンリーは真夜中に到着したが、レジデンスに近づくことすら許されず、街の反対側にあるホテルに隔離される。翌朝、電話をかけてきた彼の声は疲れきっている。アレックスはスマートフォンを握りしめ、きみが帰国するまでになんとか会えるようにする、と約束する。

「頼むよ」ヘンリーの声は消え入りそうだ。

この時点で、アレックスの母親と政府関係者ならびに報道関係者の半数は、北朝鮮のミサイル発射実験の対応に追われ、誰もこの日の朝にジューンがアレックスをSUVに同乗させたことに気づかない。ジューンは弟の肘をしっかりつかんだまま気のない冗談を飛ばし、目指すカフェの一ブロック手前で車が停まると、申し訳なさそうな笑みを浮かべる。

「あんたがここにいるって彼に伝えるからね。なにはともあれ、少しは気が楽になるだろうから」

「ありがとう」アレックスは言い、ドアを開けて車外に出ようとする姉の手首をつかみ、さらに言う。「ほんとに、ありがとう」

ジューンは弟の手をぎゅっと握ってからエイミーとともに去り、アレックスは人目につかないせまい裏通りにシークレットサービスたちとともに残される。背後にはシークレットサービスの車がもう一台控え、胃にはねじれるような感覚がある。

たっぷり一時間後、ジューンがメッセージを送ってくる。〝すべて終了〟のあとに、〝連れてくわ〟とある。

姉たちは戻る前に段取りをつけていた。エイミーがジューンとヘンリーを裏通りまで連れて戻り、政治犯のごとく車を入れ替えるのだ。アレックスは前の座席に黙って座っているふたりのシークレットサービスのほうに身を乗りだす。彼らが今回のことをどの程度理解しているか知らないが、正直なところ、どうでもいい。

「あの、しばらくひとりにしてくれないかな」

ふたりは目を見交わしつつも、外に出る。しばらくして別の車が横付けになり、開きかけたドアの向こうにヘンリーがいる。緊張して悲しげな面持ちだけれど、腕を伸ばせば届く位置にいる。

アレックスはとっさにヘンリーの肩をつかんで車内に引き入れ、背後でドアが閉まる。ヘンリーを抱きかかえ、近くで見ると、彼の顔が青ざめ、目の焦点が定まっていないことがわかる。こんなひどい状態の彼を見るのは、はじめてだ。感情の爆発や涙のほうがまだましで、これではまるで抜け殻だ。

「やあ」アレックスが声をかけても、ヘンリーの視線は定まらない。アレックスは座席の中央に移動し、彼の視線の先に入る。「ねえ、ぼくを見て。ほら、ぼくはここにいるよ」

ヘンリーの両手が震え、呼吸が浅くなってきて、パニック発作が迫っている兆候にアレックスは気づく。両手でヘンリーの片方の手首をつかむと、親指の下に速まった脈動を感じる。

ようやくヘンリーの目がアレックスをとらえる。「いやだ」ヘンリーは言う。「こんなことはしたくない」

「わかってる」アレックスは言う。

「以前は……なんとか我慢できた」ヘンリーは話しだす。「なにもなかったから――ほかの可能性なんてなにも。でも、ああ、これは――恥ずべきことだ。ただの茶番だ。しかも、どうしてジューンとノーラが利用されなければならない？ 祖母は専属のフォトグラファーを同行させたがった。きみはそれをわかっていてやったのか？」ヘンリーが息を吸い込む。それが喉に絡まり、息を吐く体が激しく痙攣する。「アレックス、こんなことはしたくない」

「わかってる」アレックスはくり返し、親指の腹でヘンリーの眉を撫でる。「わかってるよ。ぼくもいやだ」

「こんなの、まったくフェアじゃない！」ヘンリーは続ける。声が割れそうになっている。「あちこちでこれより何千倍もひどいことをしてきたいまいましいぼくの先祖のことは、誰も気にしなかったのに！」

「ベイビー」アレックスは呼びかけ、ヘンリーのあごに触れておちつかせようとする。「そうだね、残念だよ。だけど、これが永遠に続くわけじゃない、わかるだろ？　約束する」

　ヘンリーは目を閉じ、鼻から息を吐く。「きみを信じたい。心から。でも怖いんだ。許されることは永遠にないんじゃないかって」

　ヘンリーのためなら闘うこともいとわない。彼を傷つけようとするあらゆる人、あらゆるものから、守ってやりたい。だがいまは、自分が冷静にならなければならない。ヘンリーの首の横をそっと撫でていると、やがて目が開いてくる。アレックスはやさしくほほ笑み、彼と額を合わせる。

「いいかい」アレックスは話す。「こんなことは二度とないようにする。いま、ここではっきりさせておくよ。いざとなったら、きみのお祖母さんとも本気で闘うから。いいね？　ほら、彼女、お年寄りだろ。勝つのはぼくだ」

「ぼくはそこまで身のほど知らずじゃないよ」ヘンリーがかすかに笑う。「祖母は邪悪な驚きにあふれている」

　アレックスは笑い声をあげ、ヘンリーの肩をつかむ。

「まじめな話だけど」アレックスが言うと、ヘンリーがこちらを見る。彼は美しくて、生気にあふれ、心を痛めている。そして、アレックスが進んで自分の人生を懸けようと思える人だ。「ぼくだっていまの状態はいやでたまらない。それはわかる。でもふたりでなんとかするんだ。なんとかやっていけるようにするんだよ。きみとぼく、歴史を味方につけてね。ぼくたちは闘おうとしてる。なぜならきみが懸かっているからね。この先、いまきみを愛しているように、ほかの人を愛せるとは思えない。だから約束する。いつの日かぼくたちは、ありのままでいられるようになる。ほかのやつらなんか、くそ食らえだ」

　アレックスがヘンリーのうなじを引き寄せて激しくキスをすると、ヘンリーは膝を中央のコンソールボックスにぶつけながら、両手をアレックスの頬に添える。車の窓は黒く着色されているが、公の場でキスをしているようなものだ。無謀なのはわかっていながら、アレックスの頭のなかにあるのは、ふたりがひそかにやりとりしてきた過去の人々の書簡だ。歴史に埋もれずに伝えられた言葉の数々。「夢を見るたびにきみに会い……どうかワシントンにたっぷり心を寄せて……家が恋しいようにきみが恋しい……恋い焦がれるふたり……私を敬愛する若い王」

いつか絶対に、とアレックスは心に誓う。ぼくたちもいつか。

静かな耳のなかでうなる小さな羽音のように不安を感じる。短気なスズメバチみたいだ。寝入りばなに襲われ、はっと目を覚まし、レジデンスのなかを行きつ戻りつするときもついてまわる。誰かに監視されているという感覚がどんどん強くなっていく。最悪なのは終わりが見えないことだ。少なくとも大統領選挙が終わるまではこのままでいなければならず、終わっても、女王が公然と禁止する可能性が立ちはだかっている。理想主義的なヘンリーがそれを全面的に受け入れるとは思えないが、だからといってその可能性がないとは言いきれない。

依然アレックスはワシントンＤＣで目を覚まし、ヘンリーはロンドンで目を覚まし、世間は目を覚ますと、ふたりが別の誰かと恋愛中だと噂する。アレックスがノーラの手を握った写真。ジューンが正式にイギリス王室からの求婚を受け入れるかどうかをめぐって憶測が飛ぶ。渦中のふたり、ヘンリーとアレックスは、『饗宴《きょうえん》』の最悪の事例となる。まっぷたつに引き裂かれたまま、血を流しながら別々の人生を歩む。

　そんなことを考えるだけで気が滅入る。プラトンを引用するような人間になったのは、ヘンリーがいたからにほかならない。ヘンリーと古典。宮殿のなかのヘンリーは、恋をして、苦悶して、もはやあまり語ろうとしない。

　ふたりがどんなに努力したところで、引き裂かれていないふりをすることはできない。見え透いたごまかしがふたりに襲いかかり、神聖だった日々を奪い取る——ロサンゼルスの夜、湖畔の週末、リオでのがしたチャンス——そして、より耳に心地いいなにかが記録媒体のテープに上書きされる。いわく、さわやかな若い男ふたりが、きれいな若い女ふたりに恋をした、と。若い男同士が惹かれあうことなど断じてなかった、と。

　ヘンリーにはそんなことを知らせたくない。それでなくとも苦しい日々を送り、一族からは軽蔑のまなざしを向けられ、事情を知るフィリップにはつらくあたられているのだから。電話ではおちついて元気そうにふるまっているけれど、アレックスはだまされない。

　もっと若くてそれほど大きな心配ごとがないころ、人生のハードルがいまよりうんと低いころなら、自滅寸前まで追い込まれていたかもしれない。もしいまカリフォルニアにいたら、こっそりジープを拝借して、ドアを外した状態でN.W.A（ヒップホップグループ）

を大音量で流しながら一〇一号線をかっ飛ばし、舗道の染みになりかけていたのではないか。テキサスなら、酒のキャビネットから〈メーカーズマーク〉のボトルをちょろまかしてラクロスチームの半分といっしょに酔っ払い、そのまま窓からリアムの部屋に忍び込んで、朝までには全部忘れていることを祈っていただろう。

　最初の大統領選挙討論会は数週間後に迫っている。アレックスには気をまぎらせようにも仕事がないので、やきもきしながらストレスを抱えたあげく、みずからを痛めつけるように長時間走り、足にまめを作って納得している。いっそ自分に火を放ちたいくらいだが、かといって人に燃えているところを見せる心の余裕はない。

　終業時間が終わったあと、借りていたファイルを返そうと、箱を抱えてダークセン上院議員会館にある父の執務室に行くと、上階からマディ・ウォーターズ（歌手、ギタリストであり、シカゴ・ブルースの父）の歌声がかすかに聞こえ、それでアレックスは思いあたる。そういえば、自分の代わりに火を放っていい人物がひとりだけいる。

　ラファエル・ルナは執務室の開いた窓にもたれて、タバコを吸っていた。ライターの脇には握りつぶしたマールボロの空箱がふたつ、窓の下枠には吸い殻があふれそうな灰皿がある。ドアの音に振り向いたルナは、驚いて咳《せ》き込むように煙を吐きだした。

「そういうのって自殺行為なんじゃないかな」アレックスは声をかける。あの夏、デンヴァーで五百回は同じことを言ったが、今回ばかりは、そうなるがいいという念がこもっている。

「小僧――」

「その呼び方はやめてくれ」

ルナが後ろを向いてタバコを揉み消し、そのあごの筋肉が引きつるのがわかる。相変わらずハンサムだけれど、いけ好かない野郎だ。「ここはおまえの来るところじゃない」

「知るか」アレックスは応じる。「あんたがぼくと実際に話す度胸があるかどうか知りたかっただけだ」

「アメリカ合衆国の上院議員に向かって話してることはわかってるんだろうな」ルナがやんわりたしなめる。

「ああ、図体《ずうたい》のでかいくそ野郎」アレックスは椅子を足で蹴ってひっくり返し、ルナに近づく。「重要なくそ仕事をしてるってか？　ジェフリー・リチャーズに寝返った腰抜けが、どうやったらあんたに投票してくれた人々の役に立ててるんだか、教えてもらいたいもんだ」

「いったいなにをしに来たんだ、アレックス、え？」ルナは微動だにしない。「おれに喧嘩を吹っかけたいのか？」

「理由が知りたい」

ルナのあごの筋肉がふたたび引きつる。「おまえには理解できない。おまえは——」

「神に懸けて誓う。ぼくが若すぎるというんなら、キレてやる」

「もうキレてるんじゃないのか？」尋ねるルナの口調は穏やかだが、アレックスの顔に殺意がよぎったに違いない。ルナはすぐに片手を上げる。「わかった、タイミングがよくない。そうだ、ひどいことに見えるのはわかる。だがな——政治の仕事には、おまえには想像もできないような流動的な部分がある。おまえの家族がおれにしてくれたことには感謝してる。それは変わらない。だが——」

「あんたがぼくたちにどんな恩義を感じてようが、知ったこっちゃない。ぼくはあんたを信じてたんだ」アレックスは言う。「ばかにするのもたいがいにしろよ。ぼくになにができて、なにを見てきたか、あんただって知ってるはずだ。話してくれれば、理解した」

ルナの口から漏れるタバコの煙を吸ってしまうほど、顔を近づけている。ルナの顔をのぞき込むと、充血した暗い瞳とこけた頬骨に、どこか見覚えがある気がする。シークレットサービスの車の後部座席でヘンリーが見せた表情だ。

「リチャーズに弱みを握られてる？」アレックスは尋ねる。「彼にやらされてるのか？」

ルナがためらう。「必要なことをしているまでだ、アレックス。おれの判断だ。誰にも強要されてない」

「だったら、理由を教えてくれ」

ルナは大きく深呼吸をする。「だめだ」

アレックスはルナの頬に自分のこぶしが食い込む場面を想像し、二歩下がって、こぶしが届かないところに身を置く。

「デンヴァーでの、あの夜のことだ」アレックスは抑えた調子で話す。声が震える。「ピザを頼んでさ。あんたが子どもたちの写真を見せてくれた。この子たちのために裁判をしてるんだって。で、ボールダーの市長からもらった上等なスコッチのボトルを開けた。へべれけになったぼくは、選挙事務局の床の汚らしいカーペットの上に寝そべって思った。神さま、彼みたいになれたらいいのに、と。あんたは勇敢で、ものごとに立ち向かってた。ぼくには不思議でならなかった。みんながあんたのことをもう知ってるのに、毎日起きあがって、人のために働く不屈の精神をもてるのはなんでだろうって」

　アレックスは一瞬、ルナに心が通じたと思った。ルナは目を閉じて、窓の下枠をつかんでいる。だが、あらためてアレックスを見たルナのまなざしは険しい。

「世間はおれのことなど、これっぽっちもわかってない。その半分もだ。それはおまえも変わらない」ルナは言う。「いいか、アレックス、悪いことは言わないから、おれみたいになるな。別のロールモデルを探せ」

　ついに限界に達したアレックスは、あごを突きだして、吐き捨てるように言う。

「いまさら手遅れだ」

　その言葉は、アレックスがさっき蹴ってひっくり返した椅子のような質量をもって、ふたりのあいだで宙づりになる。ルナが目をしばたたく。「なにを言ってるんだ？」

「わかってるだろ。ずっと前からわかってたはずだ。ぼく自身が気づくより前から」

「まさか――」ルナは口ごもり、その言葉を振り払おうとする。「おまえはおれとは違う」

　アレックスはまっすぐルナに視線を向ける。「いや、よく似てる。それに、ぼくがなにを言ってるか、わかってるはずだ」

「わかった、いいぞ、小僧」ルナがようやく言う。「参謀が欲しいんだな？　だったら、アドバイスはこうだ。誰にも言うな。すてきな女性を見つけて結婚しろ。おまえはおれより運に恵まれてる——おまえならやれるし、嘘をつくわけでもない」

アレックスの口から唐突に言葉が飛びだす。あまりの速さに止めることができず、ただ盗み聞きされるのを恐れて、すんでのところで英語からスペイン語に切り替える。

「嘘をつくことになる《セリア・ウナ・メンティラ》。相手が彼じゃなければ《ポルケ・ノ・セリア・エル》」

ルナがその意味を理解したことが即座にわかる。いきなり後ずさりをして、背中が窓の下枠にぶつかったからだ。

「そんなたわごとをおれに話すな、アレックス！」言いながら、ジャケットの内ポケットを手探りし、もうひと箱タバコを取りだす。箱を振って一本出すと、ライターを探す。「しかも、なにを考えてるんだ？　おれは選挙戦の敵方だぞ！　そんな話を聞くわけにいかない！　そんなんで、よく政治家になるなんて言えるな！」

「嘘をついたり、こそこそしたり、自分を偽ったりすることが政治だなんて、誰が決めたんだ？」

「ずっとそういうもんなんだ、アレックス！」

「だったら、あんたはいつからそんなものの信奉者になった？」アレックスは吐き捨てる。「あんたと、ぼくと、ぼくの家族と、大統領選をともに戦う仲間たち——ぼくたちはみんな善良であろうとしてきた！　うわべだけ飾った、平均どおり二・五人の子どもがいる政治家なんか、ちっとも興味がない。ぼくたちが目指したのは、人々の力になることだろう？　そのために闘うんじゃなかったのかよ？　実際のぼくを人々に見せることがいったいそれのどこと矛盾するんだ？　実際のあんたを見せることが、ラファエル？」

「アレックス、やめてくれ。頼む。なんてことだ。いいから、もう帰れ。おれは知らないことにする。おまえも口にするな。もっと慎重に行動するんだ」

「なんだよ」アレックスは両手を腰にあて、悲痛な声をあげる。「わかってるのか？　ぼくはただ信じてたんじゃない、あんたを信じきってたんだ」

「わかってた」ルナはアレックスのほうを見ていない。「こんなことになって残念だ。さあ、もう帰ってくれ」

「ラファエル――」

「アレックス、行け」

アレックスは部屋を出て、ドアを閉める。

レジデンスへ戻り、ヘンリーに電話をかける。彼は電話に出ず、メッセージが届く。

〝悪い。フィリップと話し合いの最中だ。愛している〟

アレックスはベッド下の暗がりを手探りし、目当てのものを取りだす。〈メーカーズマーク〉のボトルだ。緊急用のとっておき。

「乾杯《サルード》」アレックスはつぶやき、栓を開ける。

CLAREMONT FOR AMERICA 2020

地図に関するへたな隠喩

A <agcd@eclare45.com> to ヘンリー

二〇二〇年九月二五日、三：二一AM

h

ウイスキーを飲んだ。我慢して読んで。

きみのすることで好きなこと。好きなこと。ぼくを夢中にさせる。いつもそのことを考えてしまう。

きみの唇の端と、その動くところ。なにか忘れているんじゃないかと恐れているように引き結ばれて心配そうな。以前はそれが嫌いだった。不満を表す、きみのちょっとした癖かと思ってたから。

それでもぼくはきみの唇にキスした。その端に、それが動くところに。いまではもう数えきれないくらい。ぼくはそれを記憶した。きみという地図におけるその地形を。その世界を描く作業はいまも続いている。ぼくはそれを知っている。その場所を重要地点に加えた。そしてほら、インチからマイルへと展開し、きみの緯度と経度を読む。ロザリアが歌うようにきみの座標を朗唱する。

好きなところ、きみの唇、その場所。きみが本音を明かすまいとするときの唇の形。欲に駆られたくだらないやつがきみをつかもうとしたとき、きみがよくやるあれとはまったく違う。ぼくが言うのはきみの真実。きみの心臓の、不思議で完璧な形。きみの胸の外にある心臓の。

きみの地図に指をつける。指はウェールズの緑の丘を見つける。涼しげな湖、白亜層の岸。このうえなく神聖な、祈りの輪のなかにある、意志から彫りだされたきみの最古層。ぼくはきみの背骨の尾根をのぼって息絶える。

もしそれをデスクに広げられたら、ぼくはぼくが指でつまんだきみの唇の端を見つける。そしてそれを平らにし、あらゆる古い地図がそうであるように、きみの地図では場所を示すために聖人の名前が使われる。これで名前の一覧は手に入った――聖人の名は奇跡に結びつけられている。

ときにはのんびりしてくれよ、いいね。きみは考えすぎる。

どうしようもなく愛する者

a

追伸：ウィルフレッド・オーエン（第一次世界大戦を題材にした詩で知られるイギリスの詩人）からジークフリード・サッスーン（第一次大戦に従軍し、武功十字勲章を受けるが、体験から反戦論者となった詩人、作家）へ――一九一七年。

〝そしてきみはぼくの人生を修復してくれた。たとえ、それが短いものであろうとも。きみがぼくに光をあてたのではない。ぼくはずっと迷える彗星《すいせい》だった。けれど、きみはぼくを修復した。ひと月のあいだ、ぼくはきみのまわりをめぐる衛星だったけれど、やがて飛びだして軌道上の暗い星となり、きみは燃え立つ〟

Re: 地図に関するへたな隠喩

ヘンリー <hwales@kensingtonemail.com>　to A

二〇二〇年九月二五日、六：〇七AM

ジャン・コクトー（フランスの芸術家。詩人、小説家、劇作家、画家、映画監督など、その活動は多岐にわたった）からジャン・マレー（フランスの俳優。コクトーの長年の愛人であったとされる）へ、一九三九年。

〝ぼくを助けてくれたことに心から感謝する。ぼくが溺れているのを見たきみは、なんの躊躇《ちゅうちょ》もなく水に飛び込んだ〟

ナイトテーブルに置いたスマートフォンの音で、アレックスは深い眠りから飛び起きる。ベッドから落ちそうになりながら、手探りでスマートフォンをつかんで電話に出る。

「なに？」

「なんてことをしてくれたの？」ザハラはどなっているも同然だ。ヒールが床を叩く音と低く毒づく声がして、小走りでどこかへ向かっているのがわかる。

「うーん」アレックスは目をこすり、電話に意識を戻そうとする。自分がなんてことをしたか？「具体的に言ってくれる？」

「ニュースをチェックするのね、この盛りのついた小悪魔――どうしたら写真を撮られるほど不注意になれるわけ？　神に懸けて――」

アレックスにはザハラの言葉が最後まで耳に入らない。それというのも彼の胃は床を突き抜けて、二階下の地下室まで急降下したからだ。

「くそっ」

震える手でザハラとの通話をスピーカーに切り替え、グーグルを開いて、自分の名を打ち込む。

速報：ヘンリー王子とアレックス・クレアモント＝ディアスのロマンスを激写

世も末：大統領の息子とヘンリー王子――ふたりは完全にできている

大統領執務室《オーバル・オフィス》ならぬオーラル・オフィス：読み応えあり、大統領の息子からヘンリー王子への熱烈なメールの数々

イギリス王室、ヘンリー王子とアメリカ合衆国大統領の息子の情事報道に対するコメントを拒否

ヘンリー王子と大統領の息子の関係を聞いたときのリアクションを完璧に描写するＧＩＦ画像二十五選

ぼくを相手に大統領の息子に口を使わせないで

喉の奥からヒステリックな笑いが湧いてくる。

部屋のドアがばっと開き、ザハラが明かりのスイッチを叩く。激しい怒りにこわばった表情も、まぎれもない恐怖は隠せない。アレックスの脳に一瞬、ヘッドボード

の裏にある非常ボタンが浮かぶ。でも、シークレットサービスは自分が出血多量でこと切れる前に発見してくれるだろうか？

「通信を禁止するから」

　ザハラはアレックスを殴る代わりに、その手からスマートフォンをひったくり、ブラウスの胸に押し込む。急いでいたせいでボタンがずれている。アレックスの半裸にもまばたきひとつせず、腕いっぱいに抱えていた新聞をベッドカバーの上にどさりとおろす。

〝ヘンリー女王！〟〈デイリー・メール〉二十部が巨大な活字で宣言する。〝合衆国大統領の息子とのゲイ情事の内幕！〟

　表紙を飾るのは、カフェの裏手に停めた車の後部座席でキスを交わす、まぎれもないアレックスとヘンリーの引き伸ばした写真。フロントガラス越しに望遠レンズで撮られたものだ。窓は着色ガラスだったが、くそいまいましいフロントガラスのことをうっかり忘れていた。

　ページの下には小さな写真二枚が載っている。一枚は〈ザ・ビークマン〉のエレベーターに乗るふたり。もう一枚はウィンブルドンでならんで座るふたり。アレックスがなにやら耳元でささやき、ヘンリーはいかにも親しげで穏やかな笑みを浮かべている。

　くそっ、まずった、やっちまった。大変なことになった。自分も、ヘンリーも。しかも、なんてことだ、母の選挙戦まで巻き添えを食う。政治家になるという自分の夢もこれでおしまい。耳鳴りがして、吐きそうだ。

「くそっ」アレックスはもう一度言う。「スマートフォンを出して。ヘンリーに連絡しないと――」

「いいえ、絶対にだめ」ザハラは言う。「メールの流出経路がまだわからないのよ。どこから漏れたかわかるまで、連絡は取らせない」

「そんな――どういうこと？　ヘンリーは大丈夫なの？」ああ、ヘンリー。こうなると、怯えたヘンリーの青く大きな目のことしか考えられない。彼の呼吸は浅く速く、ケンジントン宮殿の自室に閉じこめられ、ひとり絶望の淵《ふち》であごをこわばらせ、喉の奥をひりつかせている。

「大統領はいま、通信課のメンバーをなるべくたくさん集めて協議してる。午前三時にベッドから引きずりださせた人たちだけだけど」ザハラはアレックスの質問を無視して言う。その手にあるスマートフォンは、ひっきりなしに音を発している。「現政権におけるゲイ・防衛準備態勢《デフコン》5になりつつあるわね。いいかげん、服を着たらどうなの」

　ザハラがアレックスの部屋のクローゼットに消えると、アレックスは心臓が激しく打つのを感じながら、新聞をめくって記事を見る。中面にはさらに写真が載っている。紙面を眺めてみるけれど、あまりのことに情報を処理できない。

　つぎのページには見覚えのある文章がある。活字となって注釈のついたメールの抜粋だ。そのひとつには〝ヘンリー王子は隠れた詩人？〟と見出しがついている。それはもう何千回も読んだフレーズではじまっている。

〝きみに話すべきなのだろうか？　こうして離れていると、きみの体を夢に見る……〟

「くそっ！」三度めに言い、新聞を床に叩きつける。この文章を読んでいいのはぼくだけだ。新聞でそれを目にするのは胸くそが悪い。「やつらはいったいどうやって手に入れたんだ？」

「そこよ」ザハラも認める。「あなたたちが書いたのに」ザハラはアレックスに白のボタンダウンシャツとジーンズを放り投げ、アレックスはベッドから出ようとして頭から倒れる。ザハラは果敢にも片腕を差しだしてジーンズをはくアレックスを支え、きついことを言われたにもかかわらず、アレックスは彼女に対する感謝で胸が詰まる。

「一刻も早くヘンリーと話さないと。想像すらできない――ああ、話さないと」

「靴をはいて。走るわよ」ザハラがぴしゃりという。「最優先課題はダメージコントロール。感情じゃない」

アレックスはスニーカーをひっつかみ、まだ完全にはきらないうちにザハラとともに部屋を飛びだして、ウエストウイングへ向かう。頭はこの状況に対応しようとあがき、この先どうなるのか五千とおりもの可能性に思いをめぐらす。これから十年にわたって人気の急落した自分は議会から締めだしを食い、ヘンリーの名は王室の系譜から削り取られて、息子のことを受け入れられない激戦州のせいで母は二期めを落とす。動揺が激しすぎて、なにに一番怒りをぶつけたらいいのかわからない。自分なのか、〈デイリー・メール〉なのか、王室なのか、愚かなこの国全体なのか。

ザハラがあるドアの前で急停止したので、アレックスは追突しそうになる。

ドアを押し開けると、部屋じゅうが静まり返る。

テーブルの上座で母がまなじりを決して、きっぱり言う。

「出てって」

アレックスは最初、自分が言われたのだと思う。だが母はテーブルについている一同に視線を投げる。

「聞こえたでしょう？　みんな退席して、いますぐ」大統領は言う。「息子と話さなきゃならないの」

13

「座って」母に言われて、アレックスは胃が縮む思いがする。この先の展開がまったく読めない——自分を育てた親のことはわかっていても、その同じ人間が世界の指導者となるとどういう態度に出るか、見当もつかない。

言われたとおりに座り、ふたりのあいだに沈黙が流れる。母は考え込むように両手を組んで唇にあてている。疲れた顔だ。

「大丈夫？」母が口を開く。アレックスが驚いて顔を上げると、母の目は少しも怒っていない。

大統領はスキャンダルで辞職に追い込まれる危機に瀕しながら、息を乱すこともなく、息子が答えるのを待っている。

あっ。

そういえば、自分の気持ちを、いっさい考えていない。とくに理由があったわけではなく、そんな暇がなかっただけだ。自分の気持ちをなんと言えばいいのか考えてみて、ひとことではとても言い表せないのに気づくと、頭のなかでなにかが震え、思考が完全に停止する。

　ふだん自分の置かれた境遇をいやだと思うことはあまりないが、このときばかりはそう思う。本当なら、この話は別の場面でしたかった——母とダイニングテーブルをはさんで差し向かいに座り、すてきで立派な恋人について、自分のアイデンティティについて話す。ウエストウイングの記者会見室で、暴露されたメールのコピーがテーブルに広げられているという、こんな状況ではなく。

「ぼくは……」自分の声が震えているのにびっくりして、あらためて口を開く。「さあ、どうだろう。ただ、こんな形で知らせたくなかった。いずれ、きちんと話す機会があると思ってたから」

　母の顔がどことなく和らぐと同時に引きしまる。たぶん訊かれた以上のことを答えたからだ。

　母は手を伸ばしてアレックスの手を包み込む。

「よく聞いて」母はあごを引き、険しい顔になる。議会をにらみ倒すときや、横暴な輩《やから》を威嚇するときに使う顔だ。彼の手を握る母の手は力強くて頼もしい。半分パニックになりながらも、ワシントン将軍に率いられて戦闘に突入するのはこんな感じかなと思う。「わたしはあなたの母親よ。大統領になる前もあなたの母親だったし、これからもずっと墓に入るその日まで、あなたの母親。あなたはわたしの子ども。だから、あなたがこんどのことに関して真剣なら、わたしはあなたの味方よ」

アレックスは黙っている。

でも、討論会はどうなる？　大統領戦は？

母は目をそらさない。このふたつに関してはなにも言わないほうがいい。母が自分でなんとかするだろう。

「それで、彼とのことは真剣なの？」

それについては悩む余地がない。これまでずっと思っていたことを口に出すのみだ。

「ああ」アレックスは言う。「心から」

エレン・クレアモントはゆっくりと息を吐き、秘密めいたかすかな笑みを浮かべる。決して公の場では見せないたぐいの、いたずらっぽくて偽りのない笑みだ。むかし、トラヴィス郡の小さなキッチンで母の脚にまとわりついていた子どものころも、こんな笑みを見ていた。

「だったら、やってやろうじゃないの」

〈ワシントン・ポスト〉

アレックス・クレアモント＝ディアスとヘンリー王子の交際の証拠が明るみに出るなか、ホワイトハウスは沈黙

二〇二〇年九月二十七日

〝歴史について考えていると、自分がこの先どこにどうおさまるんだろうと思わずにいられない〟――大統領の息子アレックス・クレアモント＝ディアスがヘンリー王子に宛てた無数のメールのうち、今朝〈デイリー・メール〉が転載した一通にこう書かれている。〝そしてきみも〟

大統領の息子とヘンリー王子との恋が突如、公になったため、その答えは意外にも早く出そうだ。この組み合わせは、アメリカ合衆国のクレアモント大統領の二期めがかかった投票までに二カ月を切った時点で、世界のふたつの大国に多大な影響を及ぼす。

イギリスのタブロイド紙にスキャンダルの証拠を渡した人物を突き止めようと、連邦捜査局《FBI》やクレアモント政権の保安担当者たちが躍起になっている一方で、ただでさえ衆目を集める大統領一家は沈黙を貫き、大統領の息子から公式な声明は出されていない。

「大統領一家はこれまでも、私生活と大統領職の政治と外交を切り離してきました」ホワイトハウスのデイヴィス・サザーランド報道官は今朝、あらかじめ用意した声明で手短に述べた。「一家はこのきわめてプライベートな問題に関して、アメリカ国民に寛容と理解を求めています」

〈デイリー・メール〉は今朝の号で、大統領の息子アレックス・クレアモント＝ディアスは遅くとも今年の二月からヘンリー王子と精神的にも肉体的にも親密な関係にあったことが入手したメールや写真からわかると伝えている。

各メールの全文は『ウォータールー文書』のタイトルでウィキリークスにアップロードされているが、この名前の由来は、ヘンリー王子が書いたメールの一通に、バッキンガム宮殿のウォータールー花瓶への言及があったためと思われる。メールは日曜日の夜まで頻繁に取り交わされており、ホワイトハウスの居住者専用メールサーバーから盗みだされたものと思われる。

　共和党の大統領候補、ジェフリー・リチャーズ上院議員は本日の記者会見でつぎのように述べた。「外交問題と伝統的な家族観の問題に同時に取り組めるのかというクレアモント大統領に対する疑義はさておき、わたしはこの専用メールサーバーに強い危機感をいだく。はたしてこのサーバーからどのような情報が拡散したものか？」

　アメリカの有権者はクレアモント大統領のサーバーがほかにどのような使われ方をしたかを知る権利があると、リチャーズ議員はつけ加えた。

　この専用サーバーはジョージ・W・ブッシュ政権が設置したものと同様で、大統領一家とホワイトハウス幹部の日常業務や私信だけに使われていると、クレアモント政権に近い情報筋は主張している。

専門家らが取り急ぎ、『ウォータールー文書』をひととおり検《あらた》めたところ、大統領の息子とヘンリー王子の親密さを示す以外に、機密情報やその他の重要な情報が漏洩《ろうえい》した痕跡は見つからなかった。

果てしなく耐えがたい五時間、アレックスはウエストウイングの部屋から部屋へと連れまわされ、母の政権が手配したあらゆる戦略家、広報担当者、危機管理マネージャーとおぼしき人々と話をする。

はっきり思いだせるのは、母を廊下のアルコーヴに引き寄せて、「ラファエルに話したんだ」と告げたことだ。

母は目をみはる。「自分がバイセクシュアルだってラファエル・ルナに打ち明けたの？」

「ラファエル・ルナにヘンリーのことを話した」アレックスははっきり言う。「二日前に」

母は理由も訊かず、険しい顔でため息をつく。ふたりでその告白の影響について思いをめぐらしたうえで、母が言う。「今回の件とは無関係よ。あの写真はそれより前に撮られたものだもの。彼がばらしたんじゃない」

アレックスは自身の人間関係やそれが自分の世界に与える影響について検討するため、賛否両論のリストをはじめ、結果が異なるさまざまなモデル、チャートやグラフ、多くのデータなどに、いやになるほど目を通す。そこにある確かな事実や数字が、おまえの自業自得だ、と訴えているようだ。自分が誰を傷つけたか、見てみろよ、と。

自分にいやけは差すものの、後悔はなく、だからこそこんなだめな人間はまったく政治家には向いていないのだろうが、ヘンリーとのことは悔やんでいない。

果てしなく耐えがたい五時間、ヘンリーに連絡を試みることすら許されない。報道官が声明の草案を書く。ふつうの覚え書きのようにも読める。

その五時間、アレックスはシャワーも浴びず、着替えもせず、笑いも泣きもしない。午前八時、ようやく解放されるが、外出は禁止で、さらに指示が出るまでレジデンス内で待機するように言われる。

それでようやくスマートフォンを手にして電話をかけたものの、ヘンリーは出ず、メッセージを送っても返信はない。完全に音信不通だ。

エイミーは彼に付き添って柱廊を歩き、階段をのぼるあいだ、ひとことも口をきかない。ふたりがイーストベッドルームとウエストベッドルームをつなぐ廊下まで来たとき、彼らの姿が目に入る。

髪を頭頂部でおおざっぱにまとめ、ピンクのバスローブを着て、目の縁を赤くしているジューン。体にぴったりした黒のワンピースを着て、先の尖ったピンヒールをはいた、険しい顔つきの母。裸足でパジャマ姿のレオ。そして、革のダッフルバッグをまだ肩にかけたまま、困り果てて疲れきった顔をしている父。

みんながいっせいにこちらを向き、アレックスは自身よりもはるかに大きな波に呑まれるのを感じる。子どものころ、メキシコ湾の浜辺にがに股で立っていて、波に足をさらわれそうになったときのように。思わず喉から声が漏れる。自分でもわからないくらいかすかな声。ジューンがまず駆け寄ってきて、ほかのみんなも続く。腕と腕、手と手を合わせ、アレックスを抱き寄せ、顔に触れ、とうとう彼は床にしゃがみ込む。くそいまいましいダサい柄の、大嫌いなアンティークのラグに座り、ラグとその編み目を見つめ、耳のなかで響くメキシコ湾の波音を聞いた。どこか冷静にこれはパニック発作だ、だから息ができないんだと思いながら、それでもラグを見つめ、パニック発作を起こし、肺が機能しない理由がわかっていても、それで機能が戻ることはない。

アレックスは自分の部屋へ、ベッドへと運ばれるのをうっすらと認識している。ベッドの上にはまだ、あの憎たらしい新聞が広げられたままで、誰かがその上に彼を座らせようとし、彼はそこに座り、頭のなかでけんめいに、苦心してリストを作ろうとする。

一、

一、

一、

　眠りは浅く、何度も目覚め、汗をかいては目覚め、目覚めては震える。短く断片的な夢を見て、場面が異常にふくらんだり消えたりする。自分が戦争に行っている夢を見る。泥だらけの塹壕《ざんごう》にいて、胸ポケットには赤く染まったラブレターが入っている。トラヴィス郡の家の夢を見る。ドアには鍵がかけられている、ふたたび彼を入れないために。そして王冠をつけた人の夢を見る。

　一度、レイクハウスの短い夢を見る。家は月明かりのもとオレンジ色の光を放ち、彼は湖のなかに立ち、首まで水に浸かっている。ヘンリーは裸で桟橋に座り、ジューンとノーラもいる。ふたりは互いの手を組みあわせている。ふたりのあいだの草地にはペズがいて、ビーは湿った土にピンクの指先を突っ込んでいる。

　すぐ横の林のなかから、枝がぽき、ぽき、ぽきと折れる音がする。

「見て」ヘンリーが言い、頭上の星空を指さす。

そのときアレックスは〝聞こえないの？〟と言おうとする。〝なにかがこっちに来るよ〟と。それで口を開く——そこからホタルがいっせいに飛びだすが、声は出ない。目を開けると、ジューンが横で枕にもたれて座っている。バスローブ姿のまま、下唇に指をあてて爪を噛みながらアレックスのようすをうかがっている。ジューンが手を伸ばしてきて手を握る。彼はその手を握り返す。

夢の合間に、廊下から低い話し声がするのを聞く。

「応答ゼロです」ザハラの声だ。「完全無視。誰もこちらの電話に出ません」

「そんなことがあっていいわけ？　わたしは大統領よ」

「わたしに考えがあります。やらせてください。外交儀礼からは、多少、外れますが」

ツイート——大統領一家はわれわれアメリカ国民に嘘をついていた‼　ほかにどんな嘘をついているやら？？！？！

ツイート——やっぱりな。アレックスはゲイだと思ってた。だから言っただろ、ビッチ。

ツイート――うちの十二歳の娘が泣きっぱなし。小さいころからずっとヘンリー王子と結婚するって言ってたのに。失恋しちゃった。

ツイート――この件の隠蔽に税金が使われていないと言われて素直に信じられるだろうか？

ツイート――笑笑笑。メールの二十二ページを見て。アレックスのビッチぶりがわかるよ。

ツイート――うっそぉぉぉ！　ヘンリーの大学の同級生がアップしたパーティでの彼の写真、見た？　どっから見ても「ゲイですけど、なにか？」って感じで悲鳴止まらず。

ツイート――@WSJ『ウォール・ストリート・ジャーナル』に寄稿しました。クレアモント政権の内幕について。

＃ウォータールー文書にはなにが書かれていたのか

さらに多くのコメント、中傷。嘘。

ジューンはアレックスのスマートフォンを取りあげ、ソファのクッションの下に突っ込む。彼は逆らわない。ヘンリーから電話があるとは思えない。

午後一時、ザハラがアレックスの寝室に飛び込んでくる。この十二時間で二回めだ。

「荷物をまとめて」ザハラは言う。「いまからロンドンへ行くわよ」

ジューンに手伝ってもらってバックパックにジーンズと靴一足、よれよれの『ハリー・ポッターとアズカバンの囚人』を詰め、なんとか清潔なシャツに着替えて、部屋を出る。ザハラが廊下で、自分の手荷物とアレックス用のアイロンをかけたスーツを持って、待っている。女王陛下に謁見するにあたり、これなら無難だと彼女が判断した紺色のスーツだ。

ザハラは口数が少なく、バッキンガム宮殿は内外との通信回線を遮断しているので、こちらとしては事前に約束を取りつけずに出かけていって面談を求めるしかない、と手短に説明する。ザハラは、シャーンがなかに入れてくれると確信しているらしく、そうでなければ力ずくで彼を押しのけるつもりのようだ。

アレックスのなかで堂々めぐりしている感情は奇妙なものだ。母は真実を公開することに同意した。それ自体が信じられないことだが、女王にもそれを期待するのは虫がよすぎる。すべてを否定しろと退場を命じられるかもしれない。そうなったら、ヘンリーを連れて逃げるのもありだと思う。

ヘンリーなら、これは全部フェイクニュースだと言ってなにごともなかったふりはしないはずだ。その点はほぼ確信している。ヘンリーを信頼しているし、信じきっている。

だが、本当ならもっと時間をかけたかった。

レジデンスには誰にも見られずに出入りできる秘密の通用口があり、アレックスはジューンと両親とそこで落ちあう。

「緊張してるでしょうけど」母が言う。「あなたならやれる」

「ぶちかましてこい」と父。

ジューンがハグしてくれる。アレックスはサングラスをかけて帽子をかぶり、運を天に任せて勢いよくドアから飛びだす。

キャッシュとエイミーは機内で待っている。この任務にみずから志願してくれたのか？　一瞬そんな疑問が頭をかすめるが、努めて感情を抑える。動揺してもなんの役にも立たない。通りすがりにキャッシュとこぶしを合わせる。エイミーは黄色い花の刺繍をしているデニムジャケットから顔を上げてうなずく。

　機体が上昇するなか、アレックスは抱えた膝にあごを載せて、考える。ものごとが急展開したため、ここへきてようやく、これまでの一部始終を振り返ることができる。どうやら自分は、人に知られるのはかまわないようだ、と思う。もともと誰と付き合っているかとか、なにに夢中かとかについては悪びれないほうだけれど、それとこれとはレベルが違う。だが、愚かな頭のどこかで、ついにヘンリーをわがものにしたことを喜んでいる。そう、だって王子だぞ。世界で一番結婚相手として望ましい男だろ？　イギリス英語、ギリシア神のような顔立ち、長い長い脚。全部ぼくのものだ。

　とはいえ、そんな思いは全体からすると、ごく一部にすぎない。残りは恐怖と怒り、侵害された感覚、屈辱、不安、パニックなどの塊だ。誰にでもわかる欠点――大口を叩くこと、気分が変わりやすいこと、衝動的なこと。それに対して今回のことは、まわりに人がいないときだけ眼鏡をかけるのに似ている。自分がそれをどれほど必要としているかを言ってまわる必要はない。

　自分の体についてなにを思われようが、性生活についてなにを書かれようが、かまわない。真偽すら気にならない。それより、自分自身の言葉を使って説明し、心から湧いてくるものがなにかを知ってもらいたい。

そして、ヘンリー。ああ、ヘンリー。あのメール――あの手紙――は、彼が本音を吐露できる唯一の場所だった。あそこにはすべてが吐きだされていた。ヘンリーがゲイであることも、ビーがリハビリ施設に行ったことも、ヘンリーがゲイであることを女王が公表させないでいることも。アレックスは長いあいだ良きカトリックではなかったけれど、告解が秘蹟《ひせき》であることは知っている。ふたりの秘密は安全に守られるはずだった。

くそったれ。

アレックスはじっとしていられない。『ハリー・ポッターとアズカバンの囚人』を四ページ読んだだけで、脇に投げだす。ツイッター上で自分の交遊関係に触れた解説を見つけ、ただちにアプリを終了させたあげく、座席の底を蹴りながらジェット機の通路を行ったり来たりする。

「いいかげん、座ったら？」彼が機内をうろつくのを二十分間眺めたあとで、ザハラが言う。「あなたのせいで胃潰瘍になりそう」

「あっちに着いたら、本当に入れてもらえると思う？」アレックスは尋ねる。「もし、入れてくれなかったらどうする？　衛兵とかが呼ばれて、ぼくたちの身柄を拘束するとかはない？　そういうことはありうる？　エイミーなら対抗できるかもしれないけど。対抗したら彼女は逮捕されるのかな？」

「面倒くさい人ね」ザハラは文句をつけ、スマートフォンを取りだすと番号を押しはじめる。

「誰にかけるんだ？」

　彼女はため息をつき、スマートフォンを耳にあてて呼び出し音を聞いている。「スリヴァスタヴァ」

「どうしてシャーンが電話に出ると思うんだい？」

「彼の私用の電話番号にかけてるからよ」

　アレックスはザハラをにらむ。「シャーン個人の番号を知ってたのに、いままで使わなかったのかよ？」

「シャーン」ザハラは語気強く言う。「そのまぬけな耳をかっぽじってよく聞くのよ。いま飛行機でそちらに向かってるところ。大統領の息子もいっしょよ。到着予定は六時間後。車を用意しておいて。女王陛下にお会いしたいし、その他、この件の揉み消しに必要な人物なら誰とでも会うからそのつもりで段取りして。わたしの言うとおりにしないと、この手であんたの睾丸《こうがん》をもぎ取ってイヤリングに変え、あんたの見下げ果てた人生を焼け野原にしてやるわよ」彼女が間を置いたのは、おそらく相手が承諾するのを聞いていたからだろう。シャーンとしては、彼女に従う以外になかったに違いない。「じゃあ、ヘンリーを電話に出して。そこにいないなんて言わせない。あんたが彼から目を離さないのはわかってるんだから」

そして彼女はアレックスの顔にスマートフォンを突きつける。

アレックスはおずおずとスマートフォンを受け取り、耳にあてる。がさごそと、わけのわからない音がする。

「もしもし」

ヘンリーの声だ。甘く上品な、少し震えて混乱した声がして、アレックスはほっとして言葉に詰まる。

「ぼくだよ」

電話を通して、ヘンリーが息を吐くのがわかる。「ああ。きみは大丈夫かい?」

笑おうとして泣きそうになり、自分でも驚く。「もちろん。ぼくは元気、元気だ。きみこそ大丈夫?」

「ぼくは……なんとかやっている」

アレックスはたじろぐ。「つらそうだね」

「フィリップはアン・ブーリンの花瓶を割るし、祖母は通信遮断を命じるし、母は誰とも口をきかないし」ヘンリーは言う。「でも、まあ、それはそれとして。いろいろ考えさせられた」

「だろうね」アレックスは言う。「もうすぐ、そっちに着く」

しばしの間があり、電話を通してヘンリーの息が震えているのがわかる。

「後悔はしていないんだ」ヘンリーが言う。「知られたことについて」

アレックスは心臓が喉元までせりあがる気がする。

「ヘンリー、ぼくは……」

「いっそのこと――」

「母さんと話したんだけど――」

「いまはまずいというのはわかっている――」

「できれば――」

「できたら――」

「ちょっと待って」アレックスは言う。「もしかして、ぼくたち、同じ話を持ちかけてる？」

「そうかもしれない。ひょっとするときみは、本当のことを話そうと言っているのか？」

「ああ」アレックスはこぶしが白くなるほど強くスマートフォンを握りしめていることに気づく。「そのとおり」

「ぼくも同じだ」

かろうじて息を吐く。「本当にそれでいいのか？」

ヘンリーは一瞬間を置いたが、声はおちついている。「こんなことがなかったら、みずから進んでそうしたかどうかはわからないけれど、もう知られてしまったことだし……嘘はつきたくない。今回のことで。きみのことで」

アレックスのまつげが濡れる。

「愛してる」

「ぼくも愛している」

「ぼくがそっちに着くまで、なんとかがんばって。どうするのが一番いいか、いっしょに考えよう」

「わかった」

「すぐだよ。すぐに着くから」

ヘンリーは湿った途切れがちの笑い声をたてる。「頼むから急いでくれ」

通話を切り、スマートフォンをザハラに返すと、彼女は無言で受け取ってバッグにしまう。

「ありがとう、ザハラ。ぼくは――」

ザハラは片手を上げ、目をつぶる。「ストップ」

「いや、マジで。なんとお礼を言えばいいか」

「同じことを何度も言わせないで。つぎは膝を撃ち抜くわよ」

彼女は手をおろし、器用にも、冷たくて温かい目でアレックスをにらむ。「あなたのことを応援してるわ」

「待って。ああ、いま気づいた。きみは……ぼくの味方なんだ」

「まさか」

「ザハラ、きみはぼくの意地悪な味方なんだ」

「違うと言ってるでしょ」ザハラは身の回りの品の山からブランケットを引っ張りだし、アレックスに背を向けてそれをかぶる。「これから六時間、話しかけないで。いいかげん眠らないと」

「わかったよ。だけど、あとひとつだけ」アレックスは言う。「訊いてもいい？」

ザハラは深いため息をつく。

「なんなの？」

「どうしてもっと早くシャーン個人の番号にかけなかったんだ？」

「どうしてって、彼はわたしの婚約者だからよ、ばかね。でも慎重さとはどういうものかを理解しているから、知られないようにしてたわけ」窓にもたれかかったまま、アレックスのほうを向きもせずに言う。「わたしたちは仕事上の連絡に私用の番号を使わないと決めていた。さあ、もういいでしょ。少しは寝かせて。この先、まだやることがあるの。わたしはここのところ、ブラックコーヒーとウェッツェル・プレッツェルと大量のビタミンB12しか口に入れてないのよ。ほら、もうあっちに行って」


ケンジントン宮殿の二階にある音楽室のドアをアレックスがノックすると、ドアを開けたのはヘンリーではなく、ビーだった。

「だから、来ないで――」ドアを開けるなり言い、ギターを振りかざすが、彼の顔を見るとすぐにそれをおろす。「ああ、アレックスだったの。ごめんなさい。フィリップだと思ったものだから」ビーは空いているほうの手でアレックスを驚くほどきつく抱きしめる。「来てくれて、こんなにうれしいことないわ。わたしが自分で呼びに行こうかと思っていたところよ」

彼女の抱擁から解放されてはじめて、その向こうにヘンリーの姿が見える。ブランデーのボトルを手に、長椅子にぐったりしている。

ヘンリーはアレックスに弱々しい笑みを投げかける。「ストームトルーパーにしては背が低いな」

アレックスの笑いは半泣きになり、それからどちらが先に動いたかわからないが、ふたりは部屋の真ん中で向かいあい、ヘンリーの腕がアレックスの首に絡みつき、アレックスは完全に包み込まれる。電話でのヘンリーの声が綱だとしたら、彼の体は引力だ。つねに北位を示すコンパスのような磁力でアレックスのうなじを引き寄せる。

「ごめん」ヘンリーの喉に押しあてたアレックスの口から哀れで正直な声が漏れる。

「ぼくのせいだ。ごめん。本当にすまない」

ヘンリーは抱擁を解き、彼の肩に手を置いて真顔で言う。「やめてくれ。ぼくはなにも後悔していない」

アレックスは驚いてまた笑い、ヘンリーの目の下に濃いくまができているのと、下唇が荒れているのに気づき、そのときはじめて、国とともあるよう運命づけられた男の顔をそこに見る。

「なんてやつだ」アレックスは言う。顔を上げて彼のあごの下にキスをし、ひげも剃らずに心もとない一日を過ごしたのを感じる。鼻先と頬をそこに押しあてると、ヘンリーの体から緊張が伝わってくる。「自分ですごさに気づいてる？」

ふたりは床に敷かれた紫と赤の豪華なペルシア絨毯《じゅうたん》の上におちつく。ヘンリーはアレックスの膝に頭を預け、ビーは円形のフロアクッションに座り、オートハープというのだとアレックスに教えながら、ふつうのハープよりも小さい奇妙な楽器をはじく。ビーが小型のティーテーブルを引き寄せ、クラッカーとソフトチーズの小さな塊をならべ、ブランデーのボトルを片付ける。

なんでも女王はたいそうご立腹だとか——ようやくヘンリーについて真実を突きつけられたのもあるけれど、それがタブロイド紙というみっともないものを通して明るみになったからだ。フィリップはニュースが出るとすぐにアンマー・ホールから車で駆けつけ、ヘンリーに近づこうとしてはビーに追い払われている。それというのもフィリップが〝ヘンリーの行動が与える影響についての激しい口論を引き起こす〟としか言わないのがわかっているからだ。キャサリンは三時間前に一度、やってきた。無表情な暗い顔で、あなたを愛している、もっと早くわたしに話してほしかった、とヘンリーに言ったそうだ。

「だから、言ったよ。『ありがとう、母さん。でも、ぼくの監禁をやめるようお祖母さまを説得しないのなら、そんな言葉は空《むな》しいだけだね』」とヘンリーの弁。アレックスは彼を見つめ、ショックを受け、少し感動する。ヘンリーは腕で顔をおおっている。「ひどい気分だ。ぼくは――どうしたものか。ここ数年、母が引きこもっているせいで、いつもぼくがその影響をかぶってきた」

ビーがため息をつく。「あの人、お尻を蹴飛ばしてあげないとだめなのかもしれない。父が亡くなってからずっと、なんでも人任せなのよ」

「それでも」ヘンリーは言う。「お祖母さまのやり方――それまで母のせいにはできない。それに、むかしはぼくたちを守ろうとがんばってくれていた。あまりひどいことは言えないよ」

「H」ビーがきつい口調で言う。「つらいだろうけど、あの人にはちゃんと言わないと」彼女はオートハープの小さなボタンを見つめる。「少なくとも、ひとり残った親なんだから」

ビーは片方の口角を上げる。ヘンリーの癖とそっくりだ。

「調子はどう？」アレックスは彼女に尋ねる。「その――いくつか記事を読んだんだけど……」最後までは言わない。十四時間前に〝パウダー王女〟がツイッターのトレンドのランキングで四位になっていた。

ビーは引きつった笑顔を作る。

「わたし？　正直に言うとほっとしているわ。いつも言ってきたことだけど、最初からみんなが本当のことを知っていれば楽なのよ。そうすれば人が憶測で言ったことを聞かなくてすむし、真実を隠すために嘘をついたり、言い訳したりしなくていいもの。もちろん、こんなふうになるのは望んでいなかった。でも、もう起こったことよ。少なくとも、なにか恥ずかしいことのようにふるまう必要はなくなったわ」

「その気持ちはわかる」ヘンリーが静かに言う。

話したり黙り込んだりを繰り返すうちに、暗いロンドンの夜が窓ガラスに押し寄せる。ビーグル犬のデヴィッドはヘンリーを守るように体をくっつけて丸くなり、ビーはボウイの曲を弾きはじめる。彼女が小声で「〝ぼく、ぼくは王になり、そしてきみ、きみは女王になる〟」と歌い、アレックスは噴きだしそうになる。まるでザハラから聞かされたハリケーンのときの過ごし方だ――身を寄せあって、土嚢《どのう》が持ちこたえてくれるのを祈る。

ヘンリーはいつしか眠りに落ち、アレックスはほっとする。だけど、眠っていても、ヘンリーの体のあらゆる部分が緊張しているようだ。

「ニュースが出てから一睡もしていなかったのよ」ビーが静かに打ち明ける。

アレックスはかすかにうなずき、彼女の顔を探るように見る。「訊いてもいい？」

「なんでもどうぞ」

「彼はぼくになにか隠してるような気がする」アレックスは小声で言う。「彼が賛成だと言うなら、言葉どおり信じるし、みんなに本当のことを話したいと思ってるのも確かだ。でも、まだなにかぼくに話してないことがある気がするし、それがなにかがわからないことにいらいらする」

ビーは手を止めて顔を上げる。「それはね」端的に言う。「父を恋しがっているのよ」

ああ。

アレックスはため息をつき、両手で頭を抱える。当然じゃないか。

「教えて」おずおずと切りだす。「どうすればいい？　ぼくにできることは？」

彼女はフロアクッションに座ったままオートハープを床に置き、セーターのなかに手を入れて、銀のコインがついたペンダントを取りだす。一定期間断酒した人に与えられるメダルだ。

「ちょっと偉そうなことを言っていい？」ビーがにやりとする。アレックスがかすかな半笑いで応じると、彼女は続ける。

「想像してもらえる？　人は誰しも、さまざまな感情をもって生まれてくる。人によって感情の幅や深さにはばらつきがあるけど、誰にとってもそれが土台、パイの底に敷く生地のようなものになって、経験する感情の最深の深さになる。そしてあるとき最悪の目に遭う。起こりうるなかでこれ以上ないくらい最悪の事態に。子どものころに見た悪夢のようなできごとだけど、大人になって賢くなってからなら平気だと考えるし、それまでにいろいろな感情を経験しているからこの一回の最悪の感情、起こりうるかぎりで最悪の感情もそれほど耐えがたいものだとは思わない。

でも、それが若いときに起きたとする。脳が完全に成長しきってない段階——まだほとんどなにも経験していないときに。最悪のことが、人生の最初のころに起こるできごとだったとする。そのできごとが起こると、感情の処理の仕方を知っている範囲の底まで落ち、底を突き破って亀裂を広げ、その下に空間を作る。そのときはまだ若くて、それが生涯に起きた最初の大きなできごとだから、ずっとそれを心に抱えることになる。それ以後、なにか大変なことが起こるたび、底で止まらなくなる——さらにその下まで落ちてしまう」

彼女は湿気たクラッカーが載ったままの小型のティーテーブル越しに手を伸ばし、

アレックスの手の甲に触れる。

「わかる？」ビーは尋ね、まっすぐ彼の目を見る。「ヘンリーと付き合うなら、そこを理解しておく必要があるわ。彼は誰よりも愛情深くて献身的な無私無欲の人よ。でも、途方もない悲しみと傷をもっていて、そこを完全に理解することはできないかもしれないけれど、彼のほかの部分を愛するようにそれを愛してくれないとうまくいかない。それがヘンリーだから。ヘンリー、その人なのだから。それと、ヘンリーはすべてをあなたに捧げる覚悟でいる。びっくりよ。千年たっても弟がそんなふうになるとは思っていなかったから」

アレックスは座ったまま、しばらくその言葉の意味について考えた末に言う。「ぼくはいままで……そんなのは考えたこともなかった」かすれた声で話す。「ただ、なにかあるのは感じてた。ヘンリーには……ぼくの知り得ない一面がある」息を継ぐ。「でも、要は崖から飛びおりるのがぼくの性に合ってるってことだ。これは選択の問題だ。彼を愛してる、なにもかもひっくるめて。そのなにもかもがあるからこそ、ぼくは彼を愛する」

ビーはやさしくほほ笑む。「じゃあ、なにも心配いらないわ」

午前四時ごろ、彼はヘンリーの背中に寄り添うようにベッドに入る。ヘンリーの背骨はうっすらと浮きでている。最悪のときを過ごし、また最悪のときを迎えたヘンリーは、まだ息をしている。手を伸ばし、ヘンリーの肩甲骨の出っ張った部分に触れる。彼の肺はシーツからむきだしになったそこで頑として空気を取り込むのをやめずにいる。百八十センチを超える青年が頑丈な肋骨と扱いにくい心を抱いて丸くなっている。

　アレックスは隙間を埋めるようにそっとヘンリーの背中に自分の胸を合わせる。

「それは愚かなことだ、ヘンリー」フィリップが言う。「おまえは世間をわかっていない」

　アレックスの耳のなかで音がしている。

　彼らはその日の朝、ヘンリーのキッチンでスコーンとビーのメモを前に座っている。ビーはキャサリンに会いに行くと書き置きしていた。そこへ突然、フィリップが飛び込んでくる。スーツはゆがみ、髪は乱れたままの姿で、ヘンリーにどなっている。よくも交信禁止令を破ったな、宮殿は監視されているのにここへアレックスを呼ぶとはなにごとだ、まだわたしたちに恥をかかせるのか、と。

　いまアレックスは、コーヒーのパーコレーターで彼の鼻をへし折ってやろうかと考えているところだ。

「ぼくは二十三だよ、フィリップ」ヘンリーは言う。声を荒らげないよう努めているのがわかる。「母さんはそれくらいの年齢で父さんと出会った」

「たしかにそうだが、おまえはそれが正しい判断だったと思っているのか？」フィリップはいやみたらしく言う。「母さんが結婚した相手は、子どもをほったらかして映画製作にうつつを抜かし、国家になにも捧げることなく、病気になってわたしたちを残して逝っただけの――」

「やめてくれ、フィリップ」ヘンリーが言う。「頼むから。父さんが王室の伝統に関して兄さんほど熱心じゃなかったからといって――」

「こんな事態を招いたおまえに伝統のなにがわかる」フィリップは断定する。「いますべきことはこれを葬り去って、世間が事実じゃなかったと信じてくれるのを願うことだけだ。それがおまえの義務だ、ヘンリー。最低限、それだけはしろ」

「悪かった」ヘンリーは悲しげに答えるが、一歩も引かない決意が伝わってくる。

「ありのままのぼくがそんなに恥ずべき人間で悪かったね」

「仮におまえがゲイでもかまわない」厚かましくも、ヘンリーからまだはっきり聞いていないかのような言いぐさだ。「だが、この男と――」アレックスに鋭い目を向け、この会話が行われている同じ部屋にようやく彼がいることを認めたかのようにふるまう。「よりによって注目の的になっている人物とその選択をするのは、どうかしている。わたしたち全員が破滅することを想像できないほど愚かで、うぶで、自分勝手な男だぞ」

「承知のうえだよ、フィリップ。もちろん」ヘンリーが言う。「すべてをぶち壊すことになるかもしれないのはわかっている。それだけが怖い。でも、本当にそうなるだろうか？　やってみなければわからないんじゃないか？」

「それがうぶだと言うんだ」とフィリップ。「これがわたしたちの人生だ、ヘンリー。おまえにだってわかっているはずだぞ。わたしはおまえに言い聞かせてきた。おまえの良き兄であろうと努めてきたが、おまえは聞く耳をもたなかった。いいかげん自分の立場をわきまえたらどうだ。大人になれ。立派に責任を果たすんだ。訂正しろ。たまには臆病じゃないところを見せろ」

　ヘンリーは頬を張られたかのように身をすくめる。アレックスはそのとき理解した――こうやって長い年月をかけて彼は壊されてきた。あからさまではないにしろ、つねに無言の圧をかけられてきた。〝自分の立場をわきまえろ〟

　するとヘンリーは、アレックスが大変好ましく思っていることをする。そう、決然とあごをそびやかす。「ぼくは臆病じゃない」ヘンリーは言う。「それに、訂正したくない」

フィリップは冷笑を浴びせる。「自分がなにを言っているか、わかっているのか。おまえはなにもわかっちゃいない」

「黙れ、フィリップ。ぼくは彼を愛している」ヘンリーが言う。

「ほう、そうか、彼を愛しているのか」いかにも見くだした口調に、アレックスはテーブルの下でこぶしを握る。「具体的にどうするつもりだ、ヘンリー。え？　この男と結婚するのか？　彼をケンブリッジ公爵夫人にするのか？　アメリカ合衆国大統領の息子がイギリスの王位継承順位で四番めの妃に？」

「王室を離れる！」ヘンリーは声を荒らげる。「もううんざりだ！」

「つまらないことを言うな！」フィリップが言い返す。

「むかし、ナチだからと王室離脱した大叔父がいたじゃないか。それにくらべたら、これなんかまともな理由だろう？」ヘンリーはいまやわめき散らし、椅子から立ちあがって、手を震わせながらフィリップを見おろしている。そのときアレックスはヘンリーのほうが背が高いことに気づく。「ぼくたちが守っているのはなんなんだ、フィリップ？　どんなレガシー？　それをいうなら、どんな一族だ？　殺人、強姦《ごうかん》、略奪、植民地化。それを博物館で美化するのはまだしも、ゲイは許せないって？　それはぼくたちの思う礼儀正しさじゃない。もううんざりだ。これまで長いあいだ、兄さんとお祖母さまとこの世の重荷にがんじがらめにされてきたけど、ぼくはやめる。どうなろうと、知ったことじゃない。兄さんは兄さんのレガシーと礼儀正しさを好きなだけ掲げて、それを自分のケツの穴に突っ込んだらいい。ぼくはおりる」

ヘンリーは深々と息を吐くと、きびすを返してキッチンを出ていく。

アレックスはそれから数秒、ぽかんと口を開けたまま、椅子に釘付けになっている。向かいには顔を赤くしたまま気分が悪そうなフィリップがいる。アレックスは唾を呑み込み、立ちあがってジャケットのボタンをかける。「なんの慰めにもならないかもしれませんが」彼はフィリップに言う。「ヘンリーはこれまで会った誰よりも勇敢です」

そしてアレックスも部屋を出る。

シャーンはこの三十六時間、寝ていないような顔をしている。おちつき払い、身だしなみも申し分ないが、セーターからタグが出ているし、彼の紅茶からははっきりとウイスキーのにおいが立ちのぼっている。ひそかにバッキンガム宮殿に向かうバンの後部座席でシャーンの隣に座ったザハラは、思い詰めたような顔で腕を組み、その左手の婚約指輪がロンドンのやわらかな朝の光を受けて煌めいている。

「それで、ええと」アレックスは口を開く。「ふたりは喧嘩してるのかな？」

　ザハラがアレックスを見る。「いいえ。どうしてそう思ったの？」

「ええと、ただ――」

「よかったですよ」シャーンがｉＰｈｏｎｅに文字を打ち込みながら言う。「付き合いはじめたときに私用と仕事用の電話についてルールを決めておいて。それでうまくいってきたんです」

「喧嘩が見たいんなら、彼があなたたちのことをずっと内緒にしていたのをわたしがはじめて知ったときを想像してみるといいわ」ザハラが言う。「どうしてわたしがこんな大きな石を指にはめてるかわかる？」

「たいていは、うまくいっていたんだ」シャーンが言いあらためる。

「そうね」ザハラは同意する。「それに、きのうの夜、やっちゃったし」

　シャーンは顔を上げずに彼女とハイタッチする。

　シャーンとザハラは協同してバッキンガム宮殿で女王と会う約束を取りつけたものの、パパラッチを避けるために複雑なルートを慎重にたどるよう指示された。アレックスには、今朝のロンドンがざわめいているのが感じられる。無数の声が彼とヘンリーのこと、そして今後どうなるかをつぶやいている。とはいえ、ヘンリーが隣にいて自分の手を握り、自分もヘンリーの手を握り返す。少なくとも、これだけでも大変な進歩だ。

会合が持たれる部屋の前では、ビーと同じ上向きの鼻と、ヘンリーと同じ青い目をした小柄な年配の女性が待っている。分厚い眼鏡、栗色のセーター、裾を折り返したジーンズという格好で、バッキンガム宮殿の廊下にはいかにも場違いだ。尻のポケットにはペーパーバックを突っ込んでいる。

ヘンリーの母親が振り返る。彼女がふたりを見るや、苦しげな表情を和らげるのをアレックスは見のがさない。

「元気だった？」キャサリンが言い、ヘンリーが近づく。

ヘンリーの口元はこわばっているが、それは怒っているからではなく、怖いからだ。アレックスにはそれがわかる。ヘンリーは差しだされた愛情を受け入れても大丈夫なのかと迷う一方で、喉から手が出るほどそれを求めている。彼は母を抱擁し、母のキスを頬に受ける。

「紹介するよ。こちらがアレックス」ヘンリーは言い、わざわざつけ加える。「ぼくの恋人だ」

キャサリンがアレックスを見る。アレックスはどんな態度に出られるかわからずに戸惑っていたけれど、彼女はそんなアレックスを抱き寄せ、頬にキスをする。

「ビーから、あなたが息子にしてくれたことを聞きました」キャサリンが真顔で言う。

「ありがとう」

キャサリンの後ろにいるビーは、疲れたようすながらも気を張っている。アレックスたちが宮殿に着く前にビーが母親にどんな〝深刻な話〞をしたのか、アレックスには想像することしかできない。一同が廊下で集まると、キャサリンとザハラの目が合う。アレックスはこれ以上頼もしいメンバーはいないと感じる。キャサリンも味方になってくれるのだろうか?

「お祖母さまにはなんと言うつもりなの?」ヘンリーは母に尋ねる。

キャサリンはため息をつき、眼鏡の縁に触れる。「さあ、あの人に感情で訴えても無駄でしょうから、政治的戦略で行こうかしら」

ヘンリーは目をしばたたく。「どういうこと?」

「つまり、わたしはここに喧嘩をしに来たということよ」彼女は率直に言う。「本当のことを話したいんでしょう?」

「ぼくは——そう、話したい」ヘンリーの目の奥に希望の光が灯《とも》る。「ぼくはそうしたい」

「だったら、やってみましょう」

一同は会合の間で、彫刻が施された長テーブルを囲んで席につき、張り詰めた沈黙のなかで女王の登場を待つ。フィリップは舌を噛み切らんばかりの顔をしているし、ヘンリーはしきりにネクタイをいじっている。

メアリー女王がすべるように現れる。青みがかった濃い灰色の上下を着て、ボブカットの白髪交じりの髪は顔の輪郭に合わせて一本の乱れもなく整えられている。アレックスは意外にも彼女が背が高いことに驚く。八十代なかばにしては背筋がまっすぐ伸びていて、あごにたるみもない。決して美人とは言えないが、鋭い青い目と角張った顔つき、口のまわりの不機嫌そうな深いしわには、明確な物語がある。

部屋の温度が急激に下がるなか、女王が上座につく。彼女はテーブルの中央からティーポットを取り、真新しいカップに注ぐ。女王が氷河が流れるごとくゆっくりとお茶を飲む準備をして彼らを待たせているあいだ、部屋のなかはしんとしている。ミルク——かすかに震える老齢の手で注がれる。角砂糖ひとつ——極小の銀のトングで慎重につまみあげられる。角砂糖をもうひとつ。

アレックスは咳払いをして、シャーンからにらまれる。ビーは唇をきつく引き結んでいる。

「今年、客人を迎えました」ついに女王が口を開く。ティースプーンを手に取り、ゆっくりとかき混ぜはじめる。「中国の国家元首です。申し訳ありませんけれど、名前は思いだせないわね。その方からとても興味深い話を聞きました。いまの時代、世界各国でいかにテクノロジーが進んでいるかに関するお話です。あり得ないできごとを本物のように見せるために写真を加工できることを知っていましたか？　簡単な……操作だそうですね。コンピュータで。どれほど信じがたい嘘でも本物に見せられる。人の目にはほとんど違いがわからない」

　みな押し黙ったまま、女王のティースプーンが円を描きながらティーカップの底をこする音だけが聞こえる。

「わたくしのように高齢だと、ものごとが空間に保存される仕組みは理解できませんが、聞くところによれば、嘘はいくらでも捏造できるし、流布させることもできるそうですね。現実に起きていない記録をでっちあげ、簡単に見つかる場所に置いておく……ということが可能だと。そのどこにも真実はないのに。ですから、きわめて明白な証拠があろうとも、信用できないものとして否定することが可能です」

陶磁器に銀があたる繊細な音とともに彼女はスプーンをソーサーに置き、ようやくヘンリーを見る。

「どうでしょうね、ヘンリー。あの見苦しい報道はそういうことだったとは思いませんか？」

ふたりのあいだのテーブルには提案が載っている。無視しつづけなさい。虚偽だというふりをしなさい。すべて揉み消しなさい。

ヘンリーが奥歯を嚙みしめる。

「あれは本物です」ヘンリーは言う。「すべて」

女王の顔にはさまざまな表情が浮かんでは消え、しまいにはパンプスの一方のかかとになにか見苦しいものでも見つけたかのように一瞬、眉をひそめる。

「わかりました。それならば」彼女はアレックスを見る。「アレグザンダー、あなたがわたくしの孫と交際しているのがわかっていたら、まずは正式な紹介を求めましたのに」

「お祖母さま――」

「ヘンリー、いいからあなたは黙っていなさい」

そこへキャサリンが口をはさむ。「お母さま――」

女王はしわだらけの手を上げて、娘を黙らせる。「ビアトリスにささやかな問題があったとき、新聞に恥をかかされるのはもう充分だと思いました。それに、ヘンリー、わたくしは何年も前に言ったはずですよ。もし逸脱した欲望をいだくようなら、適切な方法があるから、それを用いろと。王室の名誉を守るためにわたくしは大変な苦労をしてきました。なぜそれをあなたがないがしろにしようとするのか理解に苦しみます。しかもその修復にあたるわたくしの尽力を断ち切るかのごとく、この……坊《ボーイ》やとの面談を要求して――」

慇懃な口調のなかにそこだけ悪意が混じり、アレックスは自分の人種から性的指向までのすべてがそのひとことに凝縮されているのを感じ取る。

「今後の指示を待つようにと言われていた、その最中にです。これも本当に理解しがたいことです。あなたが理性をなくしていることには疑問の余地がありません。わたくしの立場は変わらない。当家におけるあなたの役割は、この血統を永続させ、わが国の卓越性を示す手本としての王室の体面を維持することです。その大義にそぐわないふるまいは、いっさい認めるわけにはいきません」

うつむいたヘンリーはうつろな目でテーブルの木目を眺め、アレックスは、向かいに座ったキャサリンからエネルギーが押し寄せるのをひしひしと感じる。激情に対する答えが彼の胸のなかで固まる。親の反対を押しきってジェームズ・ボンドと結婚した王女、国に奪われたものを取り戻そうと子どもたちに語ってきた王女が腹を決めようとしている。

「お母さま」キャサリンはおちついた声で話しだす。「少なくとも、ほかの選択肢について、話しあうことぐらいはするべきではありませんこと？」

　女王はゆっくりと顔を向ける。「ほかにどんな選択肢があるというんですか、キャサリン？」

「真実を伝えるために、言うべきことがあるんじゃないかしら。これをスキャンダルとして対処するのではなく、王室に対するプライバシー侵害として、あるいは恋する若者を吊《つる》しあげにしていいのかという問題として訴えかければ、王室の体面も充分に維持できるはずだわ」

「実際、そのとおりだものね」ビーが口をはさむ。

「王室側からの物語《ナラティヴ》としてまとめるの」キャサリンはきわめて正確に言葉を選んで言う。「そして、尊厳を取り戻す。アレックスを正式な求婚者と認めることで」

「そう。では、あなたの計画では、彼がそちらの道を選ぶのを許すということかしら？」

キャサリンが少し説得口調になる。「お母さま、彼にとってはそれが自分に正直に生きる唯一の道なんです」

女王は口をすぼめる。「ヘンリー」孫に向きなおる。「そんな無駄な手間をかけることなく、もっと楽に生きたいとは思わないんですか？　当家には資産がある。あなたに妻を見つけてその人に存分な見返りを与えるという手段も取れる。わかってほしいのだけど、わたくしはあなたのためを思って言っているんですよ。いまのあなたにはこれが大切なことに思えるでしょうけど、将来のことを考えなくてはね。わかっていますか？　今後何年も記者たちに追いまわされ、ことあるごとに責め立てられる日々が続くのですよ。人々がいままでと変わらず、熱烈にあなたを小児病院に迎え入れてくれると――」

「やめてくれ！」ヘンリーが叫び、一同の目がいっせいに注がれる。彼は自分の声にショックを受けて青ざめつつも、続ける。「もういい――脅せばぼくが永遠に言うことを聞くと思ったら、おおまちがいだ！」

アレックスはテーブルの下で手を伸ばし、ヘンリーとのあいだの空間をまさぐる。指先がヘンリーの手の甲に触れたとたん、ヘンリーがアレックスの手を握りしめる。

「困難な道なのはわかっている」ヘンリーは続ける。「ぼくだって……恐ろしくてたまらない。これが一年前なら、たぶんそれでかまわない、誰にも真実を知らせる必要はない、と答えていたでしょう。でも……ぼくは王室の一員であると同時にひとりの人間です。それはお祖母さまと同じです。お祖母さまたちの誰もが幸せになる権利があるように、ぼくにもその権利がある。生涯ずっとごまかして生きていかなければならないとしたら、ぼくは決して幸せになれない」

「おまえは幸せになるなと言われているわけじゃないんだ」フィリップが口を出す。「初恋は誰をも夢中にさせる——二十代になったばかりだというのに、一年に満たない性的体験をもとに決断を下して将来を棒に振るのは愚かだ」

ヘンリーはフィリップの顔をまっすぐ見る。「ぼくは母さんのおなかから出てきたときからずっと、隠しようもなくゲイ《メイポールゲイ》なんだ、フィリップ」

室内が静まり返るなか、アレックスは必死で笑いをこらえ、強く舌を噛む。

「そう」ようやく女王が言う。ティーカップを上品に宙に掲げたまま、カップ越しにヘンリーを見る。「たとえあなたにマスコミに鞭打たれる覚悟があろうとも、それであなたの生来の役割がなくなるわけではありませんよ。あなたには継承者をもうける義務があります」

アレックスは舌の噛み方が足りなかったらしく、ついうっかり発言してしまう。

「それはなんとかなります」

　これにはヘンリーもとっさにアレックスを見る。

「あなたに発言を許した覚えはありません」メアリー女王が言う。

「お母さま――」

「それだとまた別の問題が生じる。代理母とか卵子提供者とか」フィリップが割り込む。「王位継承権とか――」

「そんな些末なこと、いまはどうでもいいのよ、フィリップ」キャサリンがさえぎる。

「母さん、王室のレガシーを守るためには誰かが責任を負わなければならないんです」

「その言い方、とても不愉快だわ」

「仮定の話はもうけっこう。実際問題として、王室のイメージを損なうことはすべて論外です」女王はティーカップを置く。「この国は好ましくない性癖を持つ王子を受け入れないでしょう。悪いけれど、ヘンリー、国民にとってそれは邪悪なのです」

「邪悪だと思うのは国民、それともお母さま?」キャサリンが尋ねる。

「口がすぎます――」フィリップが言う。

「これはぼくの人生です――」ヘンリーがさえぎる。「ぼくたちには人々がどう反応するか、それを確かめる機会さえ与えられていません」

「キャサリン、わたくしはこの国を四十七年間、治めてきたんですよ。国民の心はよくわかっているつもりです。あなたがまだ幼いころから言い聞かせてきたように、夢物語に浸っていないで――」

「みんな、少し黙ってもらえないかしら？」ビーが立ちあがり、シャーンのタブレットを片手で振りかざす。「見て」

ビーがそれをメアリー女王とフィリップに見えるようにテーブルの上に無造作に置くと、残りの人たちもそれを見ようと立ちあがる。

そこにはＢＢＣのニュースが映しだされている。音声は消してあるものの、アレックスは画面の下に流れる文字を読む。〝ヘンリー王子とアメリカ合衆国大統領の息子を応援する声が世界じゅうから殺到〟画面に映しだされた映像に、室内は水を打ったように静かになる。レインボーカラーを身につけてニューヨークの〈ザ・ビークマン〉の外に集まった人たちが〝われらが愛する大統領の息子〟などと書かれたプラカードを掲げている。パリの橋の側面に取りつけられた横断幕には〝ヘンリーとアレックスはここにいた〟とある。メキシコシティの壁面に急いで描かれた絵のアレックスの顔は青と紫とピンクに塗られ、頭に王冠を載せている。ハイド・パークに集まった人々はレインボーカラーのイギリス国旗を持ち、〝ヘンリーに自由を〟と書いた厚紙に雑誌から切り取ったヘンリーの顔写真を貼っている。丸刈りの若い女性が〈デイリー・メール〉の窓に向かって、イギリスでは侮蔑のしるしとなる二本指を立てている。ホワイトハウス前に集まった十代の若者たちは手製のTシャツを着ている。それにはどれも曲がったへたな字で、アレックスのメールにあったあるフレーズが書かれていた。〝歴史だって?〟

アレックスは感極まる。顔を上げるとヘンリーと目が合う。彼は口を開け、涙を浮かべている。

キャサリン王女はテーブルから離れ、ゆっくりと部屋を横切って東側に面した背の高い窓に向かう。

「キャサリン、おやめなさい――」女王の制止も聞かず、キャサリンは重いカーテンを両手でつかみ、勢いよく開ける。

太陽の光と色が飛び込んできて、部屋にいた全員が息を呑む。バッキンガム宮殿前の通りのザ・マルに大勢の人々が集まり、横断幕やプラカード、アメリカ国旗、イギリス国旗、レインボーカラーのペナントを頭上にはためかせている。ロイヤル・ウエディングのときの群衆ほど大規模ではないけれど、大勢であることには変わりなく、舗道を埋めつくして門まで押し寄せている。裏口から宮殿に入るように指示されていたアレックスとヘンリーは、その光景を目にしていなかった。

ヘンリーがそろそろと窓に近づき、アレックスは彼が手を伸ばして窓ガラスに指先をあてるのを部屋の奥から見守る。

キャサリンは息子のほうを向き、ため息を漏らすような震え声で「ヘンリー」と声をかけ、三十センチは背が高い息子をどうにかして胸に抱きしめる。アレックスは目をそらす――すべてを許した仲だけれど、これは身内だけのことで、じろじろ見てはいけない気がする。

女王が小さく咳払いをする。

「これは……国全体の反応を示すものではあり得ませんよ」

「ひどいわ、お母さま」キャサリンがヘンリーを抱いていた腕をほどいて、反射的に息子を背後にかばう。

「キャサリン、あなたに見せたくなかったのは、まさにそれが理由です。ほかにどんな選択肢があろうとも、精神的に脆弱《ぜいじゃく》なあなたには真実を受け止められない。この国の大多数はいまも旧来のやり方を望んでいます」

キャサリンはあごを上げ、背筋を伸ばしてテーブルに戻る。王室の血筋ゆえの風格があるが、そこには放たれる寸前の矢のような緊張感をはらんでいる。「もちろんそうだわ、お母さま。ケンジントンの保守党連中もＥＵ離脱信者も旧来のやり方を変えることは望んでいない。でも、問題はそこではないわ。なにも変わらないと決めてかかっているんですか？　なにも変わるべきではないと？　わたしたちはいま、希望、愛、変革という本物のレガシーを手に入れるチャンスをつかんでいます。第二次世界大戦以来、わたしたちが掲げてきた気の抜けたたわごとや、つまらない骨折り仕事とは違うレガシーを――」

「そのような口のきき方は許されません」メアリー女王は老いて震える手をティースプーンに載せたまま冷たく言う。

「お母さま、わたしは六十歳よ」キャサリンが反論する。「この期におよんで、まだ慣例に従えとおっしゃるの？」

「敬意に欠けています。神聖な義務に対する敬意がひとかけらもない――」

「なんでしたら、わたしの懸念の一部を議会にもちかけてもよろしいのよ」キャサリンは身を乗りだし、声を低くしてメアリー女王に面と向かって言う。アレックスは彼女の目の光を見て、はじめて気づく――いままでヘンリーの目は父親譲りだと思っていた。「いいですか、思うに労働党は衛兵を廃止したがっているでしょうね。お母さまがたびたび約束を忘れることや、他国の名前を正しく言えないことも、伝えたほうがいいかしら。八十五という高齢でもあるし、お母さまにこれ以上公務を求めるのは酷だと考えるかもしれませんねえ」

　女王の手の震えは倍増したが、口元は冷ややかだ。部屋はしんとしている。

「あなたにそんな度胸があるかしら？」

「どうでしょう。試してごらんになりますか？」

　キャサリンがヘンリーに顔を向けると、アレックスは彼女が泣いているのに気づいて驚く。

「許して、ヘンリー」キャサリンは言う。「なにもしてあげられなくて、ごめんなさい。あなたたち子どもに、これまでずっとなにもしてあげられなかった。あなたが母親を必要としていたときに、わたしはそこにいなかった。怖くて怖くて、あなたを遠ざけるのが一番だと思うようになってしまった」

　ふたたび女王のほうを向く。

「この子たちをよくごらんになって、お母さま。この子たちはレガシーの道具ではありません。わたしの子です。わたしの命に賭けて誓います――お母さまがわたしに強いた思いをこの子たちにも強要するなら、わたしは必ずやお母さまを王位から引きずりおろします」

　つかの間、いたたまれない雰囲気が漂う。

と、フィリップが「わたしの考えでは――」と言いだし、とっさにビーがテーブルの中央にあったティーポットをつかんで、中身を兄の膝にぶちまける。

「あら、ごめんなさい、フィリップ！」ビーはわめき立てているフィリップの肩をつかんでドアのほうへ連れていく。「わたしって本当に不器用だわ。コカインの使いすぎで反射神経がだめになっちゃったのね！　さあ、早くどこかで拭かないと」

ビーはフィリップを引っ張って部屋を出る際、肩越しにヘンリーを見て親指を立て、そのあとドアを閉める。

　女王がアレックスとヘンリーを見る。アレックスは女王の目を見て、ああそうかと思う。彼女は自分たちふたりを恐れている。女王が全人生を懸けて守ってきた金ぴかの張りぼてを脅かしているから。

　しかもキャサリンは一歩も引かない。

「そう」メアリー女王は言う。「だとしたら、わたくしには選択の余地は残されていないようね」

「いいえ、お母さま。もちろん残されてるわ」キャサリンは言う。「いつでもお母さましだいよ。たとえばきょう、正しい選択をなさってもよろしいのではないかしら」

バッキンガム宮殿の廊下に出たふたりは、背後でドアが閉まったとたん、壁のタペストリーに寄りかかる。息を切らし、興奮し、笑い、頬を濡らしながら。ヘンリーがアレックスを抱き寄せ、キスをして「愛している、愛している、愛している」とささやく。もういい。誰に見られてもかまわない。

彼がそれを見たのは飛行場に戻る途中だ。レンガの建物の壁面を飾るそれは、灰色の通りでひときわ目立っている。

「待って！」アレックスは運転手に叫ぶ。「停めて、車を停めて！」

近くで見ると壮観だ。建物二階分の高さがある。どうやったらこんなものをこれほど速く仕上げられるのか、想像もつかない。それはアレックスとヘンリーを描いた壁画だ。向かい合わせのふたりが、明るく黄色い太陽の後光に包まれている。ハン・ソロとレイア姫のように。ヘンリーは純白の衣に身を包み、髪には星の光が煌めいている。アレックスは薄汚い密輸業者の格好で、腰から銃を下げている。互いの体に腕をまわす王族と反逆者。

彼はスマートフォンで写真を撮り、震える指でツイートする。〝確率なんかどうでもいい〟（ハン・ソロの有名な台詞）

アレックスは大西洋上空からジューンに電話する。

「頼みたいことがあるんだけど」

電話の向こうで姉がペン先を出すカチッという音がする。「いいわよ。それで？」

14

ジェザベル@Jezebel
必見：DCダイクス・オン・バイクス（レズビアンのバイク集団）がウェストボロ・バプティスト教会（セクシュアルマイノリティや異なる信仰、さまざまな人種を糾弾する集団）の抗議グループをペンシルヴェニア・アヴェニューに追い込んだ映像。すごそうでしょ。マジ最高だから。
bit.ly/2ySPeRj

二〇二〇年九月二九日、九：一五PM

はじめてアメリカ合衆国大統領の息子としてペンシルヴェニア・アヴェニューに車で乗りつけたとき、アレックスはあやうく低木の茂みに突っ込みそうになった。

朝から晩まで現実離れした一日だったけれど、そのことは鮮明に覚えている。リムジンの内装も、汗ばんだ手に革張りがまだ不慣れに感じたことも、まだうぶでそわそわして窓に寄りすぎていたせいで、群衆を眺めることができなかったことも。

　母のことも覚えている。長い髪を頭の後ろできりりと優雅に結いあげていた。母は市長としての初日も、議員としての初日も、議長としての初日も髪をおろしていたが、あの日はアップにしていた。ほかのことに気を取られたくないからだと母は言った。アレックスの目には、アップにした母はタフに映った。いざとなったら激論を闘わすことも辞さずというような、靴のなかにかみそりを忍ばせているような。向かいに座ってスピーチ原稿に目を通し、襟には二十四金のアメリカ国旗を輝かせている母があまりに誇らしくて、吐きそうになったほどだ。

　どこかの時点で移動があった――エレンとレオは北側の入り口へ案内され、アレックスとジューンは別の側へ連れていかれた。とくに記憶に残っているものが、いくつかある。Xウイング（『スター・ウォーズ』に登場する戦闘機）を模したあつらえの純銀製カフリンクス。生まれてはじめて間近に見たホワイトハウスの、西側の漆喰壁にあった小さな引っかき傷。ほどけた自分の靴紐。結ぼうとしてかがんだとき、緊張のせいでバランスを失った。ジャケットの背中をジューンがつかんでくれなかったら、七十五台のカメラの前でトゲだらけのバラの茂みに顔から突っ込んでいた。

　あのときだ、二度と緊張しないと決心したのは。アメリカ合衆国大統領の息子、アレックス・クレアモント＝ディアスとして、新進の政界の星、アレックス・クレアモント＝ディアスとして。

いまのアレックス・クレアモント＝ディアスは、国際的な政界セックス・スキャンダルの中心にして、イギリスの王子の恋人。こうしてまたペンシルヴェニア・アヴェニューをリムジンで走り、通りにはまた群衆がいる。そしていまにも吐きそうな感覚までよみがえってくる。

車のドアが開くとジューンがいる。明るい黄色のTシャツの胸には〝歴史だって？〟とプリントされている。

「気に入った？」ジューンが言う。「通りの先で男の人が売ってたの。名刺をもらったわ。〈ヴォーグ〉のつぎのコラムで取りあげるつもり」

アレックスはジューンに飛びついて、姉の足が地面から浮くまで抱きしめ、悲鳴をあげたジューンがアレックスの髪を引っ張る。ふたりは横にぐらついて茂みに倒れ込む。どうしたってこうなる運命らしい。

母は会議の十種競技中だったので、ふたりはこっそりトルーマン・バルコニーに上がると、ホットチョコレートとドーナツをおともに、近況を報告しあう。ペズは大西洋の両側で情報の橋渡しを試みたようだが、あまり成果はなかったらしい。ジューンは飛行機での電話のことを聞いてまず泣き、ヘンリーがフィリップに立ち向かったことを聞いてまた泣き、バッキンガム宮殿の外に人々が集まっていた話を聞いて三度《みたび》泣く。そしてアレックスが見ている前でヘンリー宛に百ほどもハートの絵文字を送り、ヘンリーからは短い動画が返ってくる。動画のなかではヘンリーとキャサリンがシャンパンを飲み、ビーがエレキギターで『ゴッド・セイヴ・ザ・クイーン』を弾いている。

「じつはね」ジューンが言う。「この二日間、誰もノーラを見てないの」

アレックスは姉を見つめる。「どういうこと？」

「だから、わたしが電話をしても、ザハラが電話をしても、マイクと彼女の両親が電話をしても、ノーラは出ないの。アパートメントの守衛によると、ずっと外出はしてないから、〝元気だけど忙しい〟みたい。それでいきなり訪ねてみたんだけど、わたしを通さないようにってドアマンに命じてたのよ」

「それは……心配だな。それに、ちょっとひどい」

「でしょ」

アレックスは向きを変えて手すりに近づく。いまのこの状況だと、ノーラの常人離れしたアプローチに頼りたいし、純粋に、親友としてそばにいてもらいたい。もっとも必要としているときに――自分だけでなくジューンも――いてくれないことに、裏切られた思いがする。ノーラには、身近でひどく悪いことが起きると、わざと複雑な計算に没頭するようなところがある。

「そうそう」ジューンが言う。「これ、頼まれてたやつ」

　姉がジーンズのポケットに手を突っ込んで、折りたたまれた紙を取りだす。

　アレックスは最初の数行に目を走らせる。

「これって――」アレックスは言う。「もしかして」

「気に入った？」ジューンは少しおちつかないようすだ。「とらえようとしてみたの、その、あんたがどういう人間かを。歴史における立ち位置とか、自分の役割をあんたがどう受け止めてるかとか――」

　言葉が途切れたのは、アレックスがまた彼女を抱きしめて宙に浮かせたからだ。アレックスは涙ぐんでいる。「完璧だよ、ジューン」

「おーい、大統領の子」不意に響いた声にアレックスがジューンをおろすと、大統領執務室のバルコニーにつながる出入り口にエイミーの姿がある。「マダム・プレジデントがお呼びよ」意識をそらし、イヤホンに耳を澄ます。「ドーナッツを持って執務室に来なさいって」

「なんでいつもわかるんだろ?」ジューンがぼやきながら、ドーナッツの載った皿を手にする。

「ブルーボネットとバラクーダを確保、移動中」エイミーがイヤホンに触れて、言う。

「あんなふざけたコードネームを自分で選ぶなんて、あんたってほんと、信じられない」ジューンが言う。アレックスは出入り口に向かう姉に足を引っかけて転ばせる。

ドーナッツは二時間前になくなった。

ひとつはソファの上で。手持ち無沙汰のジューンは、ケッズの靴紐を結んだりほどいたりをくり返している。ふたつめは壁際で。ザハラは自分のスマートフォンで立てつづけにメールを打っている。三つめは大統領専用のレゾリュート・デスクで。エレンは確率予測に埋もれている。四つめはもうひとつのソファの上で。アレックスは数えている。

大統領執務室のドアががばっと開き、ノーラが倒れ込むように入ってくる。

漂白剤の染みができた〝ホラーランを議会へ七二年〟のスウェットシャツを着て、歓喜に満ちたまぶしそうな表情を浮かべている。まるで十年ぶりに核シェルターから出てきた人のようだ。ノーラはエレンのデスクに駆け寄ろうとして、エイブラハム・

リンカーンの胸像に激突しかける。

　アレックスはすでに立ちあがっている。

「いったいどこにいたんだよ？」

　ノーラはデスクに分厚いフォルダーをどさりと置き、体を半分アレックスとジューンのほうに向け、肩で息をしながら言う。「怒ってるのは知ってるし、怒るのも当然だと思う。でも――」両手でデスクにつかまって、あごでフォルダーを示す。「――この二日間、アパートメントにこもってこれにかかりきりだったの。なんだかわかったら、怒りなんて消えるはず」

　アレックスの母はうろたえて目をしばたたく。「ノーラ、悪いけど、わたしたちはいま――」

「エレン」ノーラはどなったも同然の声を出す。部屋が静まり返り、それに気づいてノーラが凍りつく。「あの、ごめんなさい。だけど頼むからこれを読んで」

　アレックスの見守るなか、母はため息をついてペンをおろし、フォルダーを引き寄せる。ノーラはデスクに突っ伏して気絶しそうだ。向かいのソファにかけたジューンを見ると、こちらもわけがわからないという表情――。

「ちょっと……なんてこと」怒りと戸惑いが相なかばする声でエレンが言う。「これは——？」

「そう」ノーラが言う。

「じゃあ——」

「そういうこと」

エレンが片手で口をおおう。「どこから転がり込んできたの？　いえ、言いなおさせて——どこからあなたのところに転がり込んできたの？」

「わかった、説明する」ノーラはデスクから身を引いて一歩下がる。なんのことだかアレックスには見当もつかないが、とてつもなく重大なことであるのはまちがいない。いまのノーラは額に両手を押しあてて、行ったり来たりしている。「リークがあった日、匿名のメールを受け取ってね。見るからに別アカウントだけど、追跡できないようにしてあって、それでも追跡を試みたら、向こうからとんでもなく膨大なダンプファイルのリンクが送られてきた。自分たちはハッカーで、リチャーズ陣営の個人的なメールサーバーの中身をまるごと手に入れたって」

アレックスは呆然とする。「はあ？」

ノーラは見つめ返す。「そうだよね」

腕組みをしてエレンのデスクの後ろに立っていたザハラが話に割って入る。「その件を適切な筋に報告しなかった理由は？」

「最初は本物かどうかわからなかったから。本物だとわかったあとは、わたし以外の誰かの手に負えると思えなかったから。向こうの言い分は、アレックスの状況に個人的にコミットしてるわたしになら、自分たちには時間がなくて見つけられないものを最速で見つけだせるだろうからって」

「見つけられないものって？」アレックスにはまだピンとこない自分が信じられない。

「証拠よ」ノーラの声は震えている。「リチャーズがあなたをはめたっていう証拠」

ジューンが小声で悪態をつくのが遠くから聞こえる。姉がソファを立ち、部屋の奥へ歩いていく。アレックスは膝から力が抜けて、ふたたびソファに腰を落とす。

「たしかに……もしかしたら共和党全国委員会《RNC》がなんらかの形で関与しているかもしれないとは思っていたけれど」母が言う。デスクの奥から出てきて、糊《のり》のきいた灰色のワンピース姿でアレックスの前の床に膝をつき、フォルダーを胸に抱き寄せる。

「人を雇って調べさせてたの。だけどまさか……すべてがリチャーズ陣営のしわざだったなんて」

母は部屋の中央まで行って、フォルダーをコーヒーテーブルの上で広げる。

「中身は――何十万通というメールだけだった」ノーラが言うのを聞きながら、アレックスもラグに膝まずき、ページに目を凝らしはじめる。「その三分の一はダミーアカウントからのものだったけど、コードを書いて、数を三千にまで絞った。そこからは手作業。どれもこれも、アレックスとヘンリーに関するものだった」

アレックスが最初に気づいたのは自分の顔だ。写真、望遠レンズで撮影したのだろう、かろうじて識別できる程度のピンぼけ写真だ。場所がわからなかったけれど、そのうち端に映る優雅な象牙色のカーテンに気づく。ヘンリーの寝室だ。

写真の上に目をやると、二者間のメールに添付されていたのがわかる。〝だめだ。これじゃまったく鮮明さが足りないとニルセンが言っている。われわれは未確認生物の目撃情報みたいな写真に金は払わないとＰに伝えろ〟ニルセン――リチャーズ陣営の選挙対策本部長だ。

「リチャーズがあなたのことを暴露したのよ、アレックス」ノーラが言う。「ことはあなたが選挙活動を離れてすぐにはじまった。リチャーズはある会社と契約し、その会社はハッカー集団を雇って、ハッカーたちが〈ザ・ビークマン〉の監視カメラ映像を失敬した」

隣では早くも母が蛍光ペンのキャップを歯ではさみ、鮮やかな黄色の線をページに引きまくっている。右手でも動きがあり、見ればそちらではザハラが紙の束を引き寄せて、赤ペンで襲いかかっている。

「まあ――銀行の口座番号みたいなものは見つけられなかったけど、よく見ると、支払明細書と請求書と依頼書はある」ノーラが続ける。「なにもかもね。すべて裏口経由で、仲介業者を通じて偽名を使ってる――だけどどれもデジタルペーパーが残るから、連邦政府による捜査には耐えられるはずで、そうなれば財務担当者に召喚状を出せると思う。要するに、リチャーズは会社に金を払い、その会社はフォトグラファーを雇ってアレックスに張りつかせつつ、ハッカーを雇ってここのサーバーに不法侵入させた。リチャーズはさらに第三者を雇ってすべてを買い取らせ、それを〈デイリー・メール〉に転売させた。つまり、大統領選に勝利するため、民間業者を使って大統領の家族を監視したりホワイトハウスのセキュリティに侵入したりして、セックス・スキャンダルを引き起こさせたっていうこと。そんなことは絶対に許せな――」

「ノーラ、悪いけど――」ソファのひとつに戻っていたジューンが不意に口をはさむ。「ひと息つかせて」

「ごめん」ノーラはどさりと腰をおろす。「これをやるのにレッドブルを九本飲んで、バランスを取り戻すために大麻グミを食べたから、いまは危険飛行してるみたいな感じなの」

アレックスは目を閉じる。

目の前にはあまりにも多くのものがあって、この場で受け止めることなど不可能だし、とにかく猛烈に腹が立ってもいる。だが、それだけではない。これで片がつけられる。外に出られる。この執務室を出てヘンリーに電話をかけて、こう言える――もう安全だ。最悪のときは過ぎた、と。

目を開けて立ちあがり、コーヒーテーブルの上の紙の束を見おろす。

「これからどうするの？」ジューンが尋ねる。

「そのままリークするのはどう？」アレックスは言う。「ウィキリークスに――」

「あんな連中になにかくれてやってたまるもんですか」エレンが顔も上げずに即座にさえぎる。「あなたにあんなことをしたのよ。本当にひどい話。このくそったれを仕留めてやる。息の根を止めてやらないと」ようやく蛍光ペンを置く。「リークするならマスコミね」

「リチャーズ陣営の誰かがこのメールの信憑性《しんぴょうせい》を保証してくれないかぎり、大手マスコミは報じないわ」ジューンが指摘する。「それには何カ月もかかる」

「ノーラ」エレンは鋼のような目でノーラを見据える。「これをあなたに送ってきた人物を特定するために、できることはないの？」

「やってみたけど」ノーラが言う。「ありとあらゆる手を使ってわからないようにしてあって」シャツの内側に手を入れて、スマートフォンを取りだす。「届いたメールを見せるわ」

画面をいくつかスワイプしてテーブルに置く。ノーラが言ったとおりで、最下段の署名はでたらめな数字と文字の羅列だ――２０２１　ＳＣＢ．ＢＡＣ　ＣＨＺ　ＧＲＯＮ　Ａ１．

２０２１　ＳＣＢ．

アレックスの目が最後の行で止まる。スマートフォンを手に取って、じっと見る。

「嘘だろ」

文字の羅列から目が離せない。２０２１　ＳＣＢ．

２０２１、サウス・コロラド・ブルヴァード。

夏にデンヴァーで働いた選挙事務局の近くにあったファストフード店〈ファイブ・ガイズ〉の住所だ。少なくとも週に一度は買いに行かされていたので、いまでも注文を覚えている。ベーコンチーズバーガー、グリルドオニオン、Ａ１ソース。懐かしの〈ファイブ・ガイズ〉。気がつけばアレックスは笑いだしている。

アレックスに宛てた、アレックスだけにわかる暗号――〝信用できるのはおまえだけだ〟
「ハッカーじゃない」アレックスは言う。「送ってきたのはラファエル・ルナだ。これが証拠になる」母を見て、言いきる。「母さんがラファエルを守れるなら、彼が裏付けをしてくれるよ」

イントロ音楽：十五秒
デスティニーズ・チャイルドの一九九九年のシングル曲『ビルズ・ビルズ・ビルズ』
ナレーション：こちらは〈レンジ・オーディオ〉ポッドキャスト。『ビルズ・ビルズ・ビルズ』をお送りしよう。ホストを務めるのは、ニューヨーク大学の憲法学教授、オリヴァー・ウェストブルックだ。
イントロ終了
ウェストブルック：やあ、みんな。オリヴァー・ウェストブルックだ。きょうも人一倍、忍耐強くて、才能豊かで慈悲深い、愛すべきプロデューサーのスフィアとともにお送りするよ。彼女がいなければ、ぼくは途方に暮れてなすすべもなく、よろしくない思考の海を漂っては、自分の小便を飲んでいることだろう。さあ、挨拶をどうぞ、スフィア。

スフィア・ジャーワー（〈レンジ・オーディオ〉プロデューサー）：どうも。ボランティアは大歓迎よ。

ウェストブルック：ポッドキャスト『ビルズ・ビルズ・ビルズ』では、毎週、噛み砕いてわかりやすくお伝えしようとしている。なにが議会で起きているのか、ぼくらはなぜそれを気にするべきなのか、ぼくらになにができるのか。

さて。じつは、数日前にはまったく別の内容で番組の準備をしていたんだが、そっちを取りあげる意味がわからなくなった。

まずは、今朝〈ワシントン・ポスト〉が報じたニュースをおさらいしよう。匿名のリークメールがあり、それがリチャーズ陣営の匿名の情報源によって裏付けされた。言ってしまえばジェフリー・リチャーズが——あるいは少なくとも陣営のスタッフ上層部が——アレックス・クレアモント＝ディアスをストーキングしたりハッキングしたりして、その結果を〈デイリー・メール〉で暴露するという、悪魔のような計画を実行に移していたことが明らかになった。彼を引きずりおろそうとしたわけだ。そして——ええと、どうだったっけ、スフィア？　四十分？——この録音をはじめる四十分前に、ラファエル・ルナ上院議員がリチャーズ陣営を離れるとツイートした。

とまあ、そういうわけだ。ワーオ。

リーク元が誰なのかは論じるまでもないだろう。まちがいなくルナだ。ぼくの見解としては——そもそもリチャーズのもとにいたくなかったのかもしれないし、すでに考えなおしていたのかもしれない。もしかしたら、まさに今回のようなことをするために潜入したのかもしれない——スフィア、こんなことを言っても許されるのかな？

ジャーワー：だめと言われてやめたことがある？

ウェストブルック：たしかに。とにかく、ぼくが〈キャスパーマットレス〉からがっぽりスポンサー料をもらっているのはワシントンを分析するポッドキャストを放送するためなんだから、きょうもやってみよう。この数日でアレックス・クレアモント＝ディアスに――ヘンリー王子にもだね――起きたことはおぞましいし、それについては語ることすら下劣だと感じる。だがぼくの意見では、きょうのニュースから三つのことが読み取れる。

一、アメリカ合衆国大統領の息子は実際にはなにも悪いことをしていない。

二、ジェフリー・リチャーズは現職大統領に対して陰謀を企《たくら》み、実行した。彼が選挙に負けたらすぐに連邦政府による捜査の手が入ることを心から楽しみにしている。

三、二〇二〇年の大統領選挙において、ラファエル・ルナは陰の功労者ってことになるかもしれない。

スピーチが必要だ。

声明ではなく、スピーチが。

「あなたが書いたの？」母が言い、折りたたまれた紙を掲げる。バルコニーでジューンがアレックスに渡したものだ。「大統領報道官が起草した声明なんかうっちゃって一から書きなおせ、とアレックスがあなたに言ったの？」ジューンは唇を噛んでうなずく。「これ——よく書けてるわ、ジューン。なんであなたがスピーチのすべてを書いてないのかしら？」

ウエストウイングにある記者会見室では人間味がないということで、報道陣には地階の外交官応接室《ディプロマティック・レセプション・ルーム》に集まってもらった。そこはかつてフランクリン・ルーズヴェルトが国民向けのラジオ演説であるいわゆる〝炉辺談話〟を放送した部屋で、アレックスはそこに入っていって、真実を知ってもアメリカが自分を嫌わないことを祈りながらスピーチを行うのだ。

テレビ中継のためにロンドンからヘンリーが呼ばれた。アレックスの右肩のあたりに堂々と立ち、政治家の配偶者の象徴になってもらうのだ。アレックスの脳みそは絶え間なくそのことを考える。その光景が絶えず頭に浮かんでくる。これから一時間後、全国の無数のテレビが自分の顔を、声を、ジューンの文章を、傍らのヘンリーを同時《サイマル》放送する。誰もが知るところになる。いまだって誰もが知っているけれど、正しい形ではまだ知らないことを。

一時間後にはアメリカじゅうの人々が、大統領の息子とその恋人をテレビの画面で目にする。

大西洋の向こうでは、イギリスじゅうの人々がパブでビールを飲みながら、家族と夕食をとりながら、静かな夜を過ごしながら、末っ子の王子を、もっとも美しい王子を、プリンス・チャーミングを目にする。

時は来た。二〇二〇年十月二日、全世界が目撃し、歴史は記憶する。

アレックスは南の芝生に立ち、ジャクリーン・ケネディ・ガーデンのリンデンバウムを眺める。はじめてキスをした場所だ。マリーンワンがエンジン音と風切り音の騒音のなかで着陸し、全身をバーバリーに包んだヘンリーが降りてくる。風に乱れた姿はドラマティックで、あたかも戦争で疲弊した国々を立てなおすために女たちの前に颯爽と現れた英雄のようだ。アレックスは思わず笑い声をあげる。

「なに？」アレックスの表情に気づいたヘンリーが、騒音に負けじと大声で言う。

「ぼくの人生は壮大なジョークで、きみは実在の人物じゃない」アレックスは声を張りあげる。

「なんだって？」ヘンリーがまた大声で言う。

「だから、きみは最高にすてきだってこと！」

階段の踊り場でいちゃついていると、ザハラがやってきて、カメラの前に出る準備をするためにヘンリーを連れていく。ふたりはほどなくディプロマティック・レセプション・ルームへと引き立てられ、その時が来る。

ついに。

この長い長い一年のあいだに、内から外までヘンリーを知り、自分自身を知り、まだ学ばなくてはならないことが山ほどあるのだということを知った。いまこそ出ていって演壇に立ち、すべては真実だと自信を持って宣言しよう。

自分の感情は怖くない。それを口にするのも怖くない。怖いのは、そのあとになにが起きるかだけだ。

ヘンリーが指先二本でそっとアレックスの手のひらに触れる。

「残り五分でぼくたちの人生は終わるね」そう言って、暗く小さな笑いを漏らす。

アレックスも手を伸ばし、親指をヘンリーの鎖骨のくぼみに押しあてて、ネクタイの結び目の下にすべり込ませる。紫色のシルクのネクタイ。アレックスは呼吸を数える。

「きみに――」アレックスは言う。「きみにつかまったら最後だ」

ヘンリーの唇がゆっくりと笑みを浮かべ、アレックスはそこにキスをする。

アメリカ合衆国大統領の息子、アレグザンダー・クレアモント＝ディアスの声明。
ホワイトハウスにて、二〇二〇年十月二日。

おはようございます。

わたしはいまも、これまでも、つねにアメリカ合衆国の子です。

わたしはアメリカに育てられました。育ったのはテキサスの牧場と丘ですが、車の運転を習得する前に三十四の州を訪れました。五年生で胃腸風邪にかかったとき、母が学校に送った欠席届は、バイデン副大統領からの休暇に関する通知の裏に書かれていました。すみません、サー。わたしたちは急いでいたし、母の手元にあった紙はそれだけだったのです。

わたしがはじめてみなさんに語りかけたのは、十八歳のときです。フィラデルフィアで行われた民主党全国大会で、大統領指名者として母を紹介しました。みなさんは喝采を送り、若くて希望に満ちていたわたしにアメリカンドリームを重ねて見てくれました。ふたつの言語を話して育ち、異なるルーツの美しく忍耐強い家族をもつ少年でも、ホワイトハウスに居を構えることができるのだと。

あなたはわたしの襟に星条旗をピンで留めて、「きみを応援しているよ」と言ったのです。きょう、こうしてみなさんの前に立ち、願うのはただ、みなさんを失望させないことです。

何年か前、ある王子に出会いました。そのときは気づきませんでしたが、彼も彼の国に育てられた人でした。

ヘンリーとわたしが今年のはじめから交際しているのは、事実です。みなさんの多くがお読みになったとおり、この関係が双方の家族や国や未来にもたらす意味と、わたしたちが日々闘ってきたのも、事実です。また彼とわたしが、自分たちの裁量でこの関係を公表できるようになるまでの時間を稼ぐため、睡眠を犠牲にしてまで妥協をしたのも、事実です。

自由を希求するには、あまりにむずかしい状況だったからです。

ですが、ありていではありますけれども、愛は不屈です。それもまた事実なのです。アメリカはずっとそう信じてきました。だからこそわたしは恥じることなく、きょうここに、歴代の大統領が立ってきた場所に立ち、彼を愛しているとお伝えすることにしました。ジャックがジャッキーを、リンドンがレディ・バードを愛したのと同じように。レガシーを担う人はみな、それを誰と分かちあうかという選択をします。アメリカ国民が心のなかに、記憶に、歴史書に刻む人物をです。そしてアメリカよ、彼がわたしの選択した人です。

多くのアメリカ人がそうであるように、わたしもそのことを声に出して言うのを恐れていました。結果を恐れたからです。だが、あなたに言いたい。わたしにはあなたの気持ちがわかる。わたしもあなたたちのひとりだ。わたしがこのホワイトハウスに居場所をもつかぎり、あなたも居場所をもつのです。わたしはアメリカ合衆国大統領の息子であり、バイセクシュアルです。歴史はわたしたちを記憶するでしょう。

　アメリカ国民にひとつだけお願いすることが許されるとしたら、これです。どうかわたしの行動とは関係なく、十一月の投票を行ってください。今年みなさんが下す決断は、わたしのどんな言動よりもはるかに重要であり、今後数年のこの国の命運を決するものです。大統領であるわたしの母は戦士です。アメリカ国民全員がさらに四年間の成長と進歩と繁栄を享受するべきだという考え方の擁護者です。どうかわたしの行動のせいで尻込みしないでください。メディア関係者にはすでに、わたしとヘンリーには注目しないようお願いしました。そうではなく、選挙に、政策に、この選挙で危機にさらされている多くのアメリカ人の命と暮らしに、注目してくださいと。

　最後に、わたしはいまもアメリカが育てた子であることを、アメリカが覚えていてくれるよう、願っています。この血はいまもテキサス州ロメタや、カリフォルニア州サンディエゴや、メキシコシティとともにあります。フィラデルフィアの壇上で聞いたみなさんの声はいまも耳に残っています。毎朝、みなさんの故郷の町のことを考え、アイダホ州とオレゴン州とサウスカロライナ州の党大会で出会ったご家族のことを思って、目を覚まします。当時のみなさんにとってのわたし、そしていまのみなさんにとってのわたし以外のなにかになりたいと願ったことはありません。わたしは大統領の息子です。行動においても、言葉においても。そして一月にまた大統領就任式の日がめぐってきたときも、そうであることを願います。

スピーチ直後の二十四時間のことはろくに覚えていないけれど、一生忘れられそうにない光景がいくつか残っている。

ひとつめ——つぎの日の朝、ナショナル・モールに集まった新たな群衆。これまでで最大の数だ。アレックスは安全のためにレジデンスに留《とど》まりつつも、ヘンリーとジューンとノーラと親三人の全員で、二階のリビングルームでゆったりＣＮＮのライブ映像を眺める。放送のなかほどで、声援を送る群衆の先頭にいるエイミーが映る。ジューンの黄色い〝歴史だって?〟Ｔシャツを着て、トランスジェンダー・プライド・フラッグのピンバッジをつけて。その隣ではキャッシュがエイミーの妻を肩にかつぎ、その女性がはおっているのはエイミーが機内で刺繍していたデニムジャケットで、ようやくアレックスにもわかったが、その刺繍はパンセクシュアル・プライド・フラッグの色だ。アレックスはつい大きな歓声をあげ、その拍子にジョージ・ブッシュお気に入りのラグにコーヒーをこぼす。

ふたつめ――CNNが映した、ジェフリー・リチャーズ上院議員のまぬけなサム・ザ・イーグル（『マペットショー』に出てくる愛国心の強いキャラクター）顔。リチャーズは、われらが父祖の建てた家の聖なる敷地で息子が耽っている行為を知っても、クレアモント大統領は伝統的な家族の価値について、偏った考え方をしないでいられるだろうかと深い懸念を示した。続く衛星放送でオスカー・ディアス上院議員は、クレアモント大統領が第一義に置くべき価値はアメリカ合衆国憲法にあり、ホワイトハウスを建てたのは奴隷であってわれらが父祖ではないと反論した。

三つめ――書類から顔を上げて、執務室の入り口に立つアレックスを見たときの、ラファエル・ルナの表情。

「ほんとにスタッフを雇ってる？」アレックスは言う。「ぼくがずかずか入ってきても、誰ひとり、止めようともしなかったよ」

ルナは読書用の眼鏡をかけ、何週間もひげを剃っていないように見える。なにかを察したようなほほ笑み。

アレックスがメールの暗号を解読したあと、母は直接ルナに電話をかけて、なにも訊かずにこう言った。リチャーズを引きずりおろすのを手伝ってくれるなら、いっさい罪に問われないようにする、と。アレックスはルナが父とも連絡を取っていたことを知っている。だからルナはアレックスの両親がともに根にもっていないことを知っている。だとしても、ふたりが話をするのはこれが最初だ。

「雇った人たち全員に、おまえはフリーパスだと初日に言い渡してある」ルナが言う。「そこのところが理解できないようなら、おまえは自分という人間がわかってない」

アレックスはにやりとしてポケットに手を突っ込み、〈スキットルズ〉の袋を取りだすと、下手投げでデスクに放る。

ルナが袋を見おろす。

最近はデスクの隣に置かれている椅子を、アレックスは引いて、座る。

ルナに感謝を伝える機会はここまでなく、どこからはじめたらいいかわからない。

それが最初にするべきこととも思えない。アレックスが見ていると、ルナは袋を破いてキャンディを書類の上にざっと出す。

中空には質問がぶらさがっていて、どちらにもそれは見えている。アレックスは質問したくない。ルナを取り戻したばかりなのに、彼の答えのせいでまた失うのが怖いから。それでも知らなくてはならない。

「知ってたのか？」ついに尋ねる。「騒動が起きる前から、彼の企みがわかってた？」

ルナは眼鏡を外して、吸い取り紙の上にそっと置く。

「アレックス、おれは……おまえの信頼を完全に損なったのはわかってるから、そう訊かれても責めはしない」ルナは身を乗りだして両肘をつき、じっとアレックスの目を見る。「だがこれだけは知っておいてもらいたい。おまえを故意にあんな目に遭わせるようなことは絶対にしない。なにがあっても。おれも実際に起きるまで知らなかった。おまえと同じだ」

アレックスは長々と息を吐きだす。

「そうか」姿勢を元に戻したルナの顔には、以前より深いしわが刻まれている。「それで、なにがあったんだ？」

ルナがため息をつく。喉の奥から漏れる、疲れたかすれ声だ。その声で、アレックスは父が湖で言ったことを思いだす。ルナのどれくらいが、まだ隠されたままなのだろう？

「まず」ルナが言う。「おれがリチャーズのインターンだったことは知ってるな？」

アレックスは目をぱちくりさせる。「ええ？」

ルナがおかしくもなさそうに小さく笑う。「聞いてるわけがないか。リチャーズは恐ろしく念入りに証拠を揉み消した。だが、そうだ、二〇〇〇年、おれは十九だった。リチャーズがユタ州の法務長官をしてた時代だ。おれが教わってた教授のひとりが助けを求めてきた」

　ルナの説明によると、当時も下級スタッフのあいだでは噂されていたらしい。たいていは女性のインターンだが、ときに美しい男子――ルナのような男子にも手を出していると。リチャーズは約束したという、きみに指導と人脈を与えよう、もし〝仕事のあとに一杯だけ付き合ってくれるなら〟と。〝ノー〟と言わせない雰囲気を漂わせて。

「当時のおれにはなにもなかった」ルナが言う。「金も家族もコネも経験も。そこで思った――おまえにとって、これが足がかりを作る唯一の方法だ。たぶん向こうもそう思ってる、と」

　ルナは言葉を切って息を吸い込む。アレックスの胃がよじれる。

「迎えの車が来て、ホテルで落ちあい、酒で酔わされた。向こうは――おれを――」顔をしかめて語尾を濁す。「とにかくおれは逃げた。その夜、家に着いたとき、部屋を貸してくれてた男がおれの顔をひと目見て、タバコを差しだした。余談だが、タバコを吸いはじめたのはそのときだ」

ルナはデスクの上の〈スキットルズ〉を見おろし、オレンジから赤をよりわけていたが、やがて顔を上げ、アレックスに苦い笑みを投げかける。

「つぎの日、なにごともなかったように仕事に戻った。休憩室で彼と雑談もした。たいしたことじゃないと思い込みたかったのさ。それこそ、自分のなかでもっともいやなところさ。だからつぎにメールが来たときは、やつの執務室に乗り込んで、ちょっかいを出したら新聞社にばらすと言った。するとやつは、ファイルを取りだした。

やつはそれを〝保険契約〟と呼んだ。おれのそれまでのあれこれを知ってたんだ。実の両親から家を追いだされたこと。シアトルの若者向けシェルターで保護されたこと。不法移民の家族がいること。やつとのことをひとことでも漏らしたら、政界でのキャリアを築けなくなることはもちろん、人生をつぶしてやると脅された。おれの家族の人生を。だから黙るしかなかった」

ふたたびアレックスの目を見たルナの目は、氷のように冷たく鋭い。どこかで窓がばたんと閉じる。

「だが忘れたことはなかった。上院の議場で会うと、向こうは貸しがあるような目でおれを見た。やろうと思えばできるのに、おれを破滅させなかったからだ。そんな男だ。大統領の座を勝ち取るためならどんなに汚い手だろうと使うことはわかってたし、忌まわしい捕食者をこの国でもっとも権力のある人物にさせるわけにはいかない。おれのこの手で止められるなら、なんとしても阻止したかった」

ルナがこちらを見る。降りかかった雪を落とすように小さく肩を揺すり、椅子をまわして〈スキットルズ〉をいくつかつまむと、口のなかに放り込む。さりげなさを装おっているけれど、両手がおちつきなく動いている。

ルナによると、心を決めたのは夏、テレビでリチャーズが青年議会プログラムについて語っているのを見たときだという。接触する機会が増えれば、虐待の証拠を見つけてリークできると考えた。ルナ自身はリチャーズがやりたいと思うには年を取りすぎているとしても、騙すことはできる。エレンの勝利を確信していないルナが、権力と引き換えにヒスパニック系と中道派の票を取りまとめると信じ込ませる。

「おれはあの陣営で働いている自分に嫌悪感を覚えながらも、絶えず証拠を探しつづけた。もう少しで見つかりそうだった。その作業に必死に没頭してたせいで……おまえの噂がささやかれてることに気づかなかった。おれはなにも知らなかった。すべてが表沙汰になったとき……わかったんだ。ただ、証明できなかった。それでもサーバーにはアクセスできた。おれ自身は詳しくなくても、無政府主義者《アナーキスト》だった十代のころに、ダンプファイルを作成する方法を知ってる連中と付き合ってた。おい、そんな目で見るな。そこまで年寄りじゃないぞ」

　アレックスが笑うと、ルナも笑う。ほっと緊張がほどけて、室内に空気が戻ったようだ。

「とにかく、あいつの正体を暴くにはおまえとおまえの母親に託すのが一番手っ取り早いし、ノーラならやってくれるとわかってた。そして……おまえなら理解してくれると」

　ルナが言葉を切って〈スキットルズ〉を舐めはじめたので、アレックスは意を決して尋ねる。

「父さんは知ってたの？」

「おれが三重スパイだってことをか？　いや、誰にも言わなかった。おれのスタッフの半分が辞めたのは、彼らも知らなかったからだ。妹もこの数カ月、口をきいてくれてない」

「じゃなくて、リチャーズがあなたにしたことについて」

「アレックス、おまえの父親は、おれがおまえ以外でこの話をした唯一の存命の人物だ」ルナが言う。「彼はただひとり、おれを助けることを自分の責任として引き受けてくれた。それについてはどれだけ感謝しても感謝しきれない。だがリチャーズにされたことを公表するべきだと言われて……おれにはできなかった。そこまでしてキャリアを危険にさらしたくないとおれは言ったんだが、白状すると、二十年前にゲイのメキシコ人少年に起きたことがあいつの土台を揺るがすとは思えなかった。信じてくれる人がいるとは思えなかったんだ」

「ぼくは信じる」アレックスは即座に言う。「でも、本当のことをぼくに話してくれてたらと思う。ぼくじゃなくても、誰かに」

「おまえは止めようとしただろう」ルナが言う。「みんなもそうだ」

「そりゃそうだよ……ラファエル、その計画はどうかしてる」

「わかってる。このダメージを修復できるかどうかわからないが、本当のところ、それはどうでもいい。おれはすべきことをした。なんとしてもリチャーズを勝たせるわけにはいかない。おれの人生は闘いの連続だ。だから闘った」

　アレックスはじっくり考える。わかる気がする――自分が抱えてきた思いとそっくりだ。ロンドンでヘンリーと会ったあと、封印してきたことに思いを馳《は》せる――未開封のまま寝室のデスクにしまってある法学大学院進学適性試験《LSAT》の結果。このままにしていいのか？

「それはそうと、悪かったな」ルナが言う。「おまえにあんなことを言って」どんなことか説明される必要はない。「おれは……腐ってた」

「気にしてないよ」本心だ。執務室に入ってくる前から許していたが、それでも謝罪の言葉はうれしい。「ぼくも悪かった。だけどこんなことがあってもまだ小僧呼ばわりするなら、尻を蹴飛ばすからね」

ルナは愉快そうに笑う。「なに、おまえは初のどでかいセックス・スキャンダルを引き起こしたんだ。もうキッズテーブルには座っていない」

アレックスはうなずき、椅子の上で伸びをして頭の後ろで両手を組む。「だけどリチャーズのこと、やってられないな。いまあなたがあいつの悪事を公表しても、ストレートの人たちはいつだって、同性愛嫌悪の連中にはそれを表立って表明しないでほしいと思っている。それなら自分たちは無関係でいられるから。まるで百人のうち九十九人は、むかしながらの悪意に満ちた差別主義者じゃないみたいに」

「ああ、とくに今回の場合、あいつがホテルに連れ込んだ男のインターンは、おそらくおれひとりだ。捕食者ってのはどいつも変わらない――セクシュアリティの問題じゃなくて、力の問題なのさ」

「今後、あなたからなにか発言するつもりはないのか？」アレックスは尋ねる。「いまの時点で」

「それについてはさんざん考えた」ルナが身を乗りだす。「おれがリーク元だということは、ほとんどの人が感づいてる。となると、遅かれ早かれ、誰かが出訴期限内の申し立てをたずさえておれを訪ねてくるだろう。そうしたらおれたちは議会の調査に訴えることができる。大がかりな調査だ。そのときこそ変化が起きる」

「おれたちって言ったね」アレックスは言う。

「そうだな」ルナが言う。「おれと、法律に通じた誰かと」

「それってヒント？」

「提案だよ」ルナが言う。「だが、おまえの人生に口出しするつもりはない。おれはおれで生活を立てなおさないとな。ほら」ルナが袖をめくる。「なんと、ニコチンパッチだぞ」

「驚いた」アレックスは言う。「本気でやめるつもり？」

「おれは変わったんだ。もう過去の悪魔にはとらわれない」ルナは重々しく宣言しつつ、マスターベーションの手つきをしてみせる。

「ひどいな。ほんと、誇らしいよ」

「やあ《オラ》」執務室の入り口から声がする。

父だ。Tシャツにジーンズ姿で、片手にビールの六缶パックを下げている。

「オスカー」ルナがにやりとする。「いま、どうやっておれが自分の評判を地に落として、政治生命を絶ったか、話してたところだ」

「そうか」父は空いている椅子をデスクに引き寄せ、ふたりにビールを手渡す。「ろくでなしども《ロス・バスタルドス》ならではの話題だ」

アレックスは缶を開ける。「別の話をしてもいいよ。ぼくが母さんの選挙をむずかしくさせたこととか。なにしろぼくは、ホワイトハウスの専用メールサーバーの脆弱性を露呈させた、バイセクシュアルの問題児だからね」

「そんなふうに思ってるのか？」父が言う。「ありえんな。今回の選挙がメールサーバーにかかってるとは思えない」

アレックスは片方の眉を吊りあげる。「本当に？」

「そうだな、もしリチャーズに疑惑の種をまく時間がもっとあればわからなかった。あるいは二〇一六年だったら。あるいはここが、まだ国の最高位に女性が選ばれていないアメリカだったら。あるいはいまおれが、ゲイだと公表している男をアメリカ史上初の上院議員に押しあげた愚か者どもと同じ部屋にいなければ」アレックスは歓声をあげ、ルナはうなずいてビールを掲げる。「だが実際はちがう。二期めの障害にならないと言ったら嘘になる。だが、彼女ならなんとかするさ」

「さすが」ルナがビールを飲みながら言う。「どんな質問にも答えられる」

「いいか」父が言う。「みんなが大騒ぎしても、この陣営の誰かが冷静さを保たなくちゃならない。なんの心配もいらない。おれはそう信じてる」

「ぼくはどうなるんだ?」アレックスは言う。「世界じゅうの新聞の超人気者になっても、政治の世界に進めるかな?」

「起きてしまったことだ」オスカーは肩をすくめる。「そういうこともある。時機を待て。もう一回やってみろ」

アレックスは笑い声をあげる。けれど、胸のなかに手を伸ばして、奥深くにあるなにかを拾う。クレアモントではなくディアスとして形作られたなにか——いいも悪いもなく、ただ純粋に違うなにかを。


アメリカ滞在中のヘンリーは、ホワイトハウス内に専用の部屋をあてがわれる。女王から許されたのはふた晩で、イギリスに帰国したらダメージコントロールの旅に出る予定だ。あらためて、キャサリンが立ちなおってくれたことがありがたい。アレックスが思うに、女王だけならこうも寛大な処置にはならなかっただろう。

こんな経緯があったので、ヘンリーに与えられた部屋——慣例としてロイヤルゲストに使われていた部屋――がクイーンズベッドルームと呼ばれていることが少々おかしく思える。

「これは……攻撃的なまでにピンクだね」ヘンリーが眠たげにささやく。

　実際、攻撃的なまでにピンク色の部屋だ。ピンク色の壁に、バラ模様のラグと寝具。リビングスペースにある椅子から長椅子、果ては四柱式ベッドの天蓋まで、すべてがピンク色ときている。

　ヘンリーがアレックスの部屋ではなくこの部屋で眠ることに同意したのは、〝きみのお母さんに対する敬意から〟だそうだ。まるで、アレックスの生育にかかわった全員が、ふたりがベッドをともにしたときのあれこれを詳細に読んでいないかのような言いぐさではないか。一方、こだわりのないアレックスは、廊下のすぐ先のイーストベッドルームからこっそりその部屋に忍び込み、ヘンリーが半分しか本気ではない不平をこぼすのを楽しむ。

　ぬくぬくと半裸で目覚めたふたりは、レースのカーテンの下から入り込む秋の最初の冷気に対抗して、しっかり上掛けにくるまっている。アレックスは小声でハミングしながら、ブランケットの下でヘンリーの体に体を押しつける。背中をヘンリーの胸に、尻を――。

「うーん、おはよう」ヘンリーがくぐもった声で言い、体が密着していることに反応して腰をぐいと動かす。ヘンリーには見えなくても、アレックスの顔に笑みが浮かぶ。

「おはよう」アレックスは言い、尻を少し動かす。

「いま何時？」

「七時三十二分」

「二時間後には飛行機のなかだ」

アレックスが喉の奥で小さな音をたてて寝返りを打つと、目の前にヘンリーの顔がある。やわらかな表情で、目はなかば閉じている。「本当にいっしょに行かなくていいのか？」

ヘンリーが枕に載せたままうなずいたので、頬が枕に押しつぶされる。かわいい。

「世界じゅうの人が読んだメールのなかで、女王と自分の家族をこきおろしたのはきみじゃない。きみがまたイギリスに来る前に、ぼくが自分でけりをつけないとね」

「立派だ」アレックスは言う。「でも、またすぐ会えるんだよね？」

ヘンリーの口角が上がって笑みになる。「もちろん。きみは王室の一員への求愛者として写真を撮らなければならないし、クリスマスカードに署名もしなければならないし……そうだ、もしかしたらマーサみたいに一連のスキンケア商品を――」

「やめろ」アレックスはうめき、ヘンリーの脇腹をこづく。「おもしろがりすぎだ」

「存分におもしろがっている」ヘンリーが言う。「だが正直なところ……怖いけれど悪くない気もする。自分の裁量でできるのは。いままでこういう経験はあまりなかった。いや、一度もだ」

「そうか」アレックスは言う。「きみが誇らしいよ」

「うぇ」抑揚のないアメリカ英語のアクセントでヘンリーが言って笑うので、アレックスは軽く肘鉄砲を食らわす。

　するとヘンリーに引き寄せられて、キスされる。ピンク色のシーツの上のブロンド、長いまつげに長い脚に青い目、マットレスにアレックスの手首を押さえつける優美な手。まるでヘンリーについて愛しているすべてがこの一瞬に、笑い声に、彼のわななきに、自信に満ちた背筋のうねりに、台風の目のように静かで豪華にしつらえられた空間でくり広げられる幸せで自由なセックスに凝縮されたかのようだ。

　きょう、ヘンリーはロンドンに帰る。きょう、アレックスは遊説の旅に戻る。ふたりはこれから現実の世界でどうやっていくかを考えなくてはならない。衆人環視のなかで、どうやって愛しあっていくのかを。望むところさ、とアレックスは思う。

15

およそ四週間後

「そこのところを直させてちょうだい」

「母さん」

「悪いわね、なにか気にさわった？」鼻眼鏡でヘンリーの豊かな髪をセットしなおしながら、キャサリンが言う。「公式のポートレートで髪が突っ立っていなかったら、わたしに感謝なさい」

アレックスも感心せずにはいられない。王室フォトグラファーはすべてにわたって恐ろしく辛抱強い。彼らは三つの候補地――王立のケンジントン・ガーデン、バッキンガム宮殿の息苦しい図書室、ハンプトン・コート宮殿の中庭――をまわったあげく、それをすべて却下して、封鎖したハイド・パークのベンチに決めたのだ。

（その前に、「そのへんのルンペンみたいに？」とメアリー女王から言われ、キャサ

リン王女が「お母さまは黙ってらして」と応じるひと幕があった）
アレックスは公式にヘンリーへの〝求愛者〟となったため、公式ポートレートにはしかるべき需要がある。アレックスは、バッキンガム宮殿のギフトショップにならぶチョコレートバーやサンダルに印刷された自分の顔をなるべく考えないようにしている。少なくともその隣にはヘンリーがいるのだから。
　数理心理学のなかには、ポートレートについて熱心に論じられている分野がある。ホワイトハウスのスタイリストは、アレックスにふだんから着ていそうな服装――茶色の革のローファーと、おちついた黄褐色のスリムフィットチノパン、襟ぐりのゆったりしたラルフローレンのシャンブレーシャツ――をさせるけれど、いまそれで表現されようとしているのは、自信に満ちていてちゃめっけのあるアメリカ人だ。ヘンリーはバーバリーのボタンダウンシャツの裾をダークジーンズのなかに入れ込み、〈ハロッズ〉の得意客が手に入れようと何時間も小競り合いをしそうな紺色のカーディガンを着ている。彼らが求めているのは、完璧で威厳のあるイギリスの知性と、学究的人物であると同時に博愛主義者としての輝かしい未来のあるその恋人の写真だ。そのために、ベンチに座るアレックスの横に本を積みあげるという演出までした。
　アレックスがヘンリーを見ると、彼は母親に身繕いされながら、うめき声を漏らして目をぐるりとまわす。このイメージアップ戦略が、厄介で複雑な実際のヘンリーにどこまで近づけるのかと思うと、にやついてしまう。どんなPRにも負けない結果が得られそうだ。

笑顔でならんでベンチに座った姿勢だけで、百枚ほどのポートレートを撮る。そのあいだもアレックスは、幾度となくいま自分がここにいることが信じられないという思いに襲われる。ここ、ハイド・パークのど真ん中で、神も人目もはばかることなく、自分の膝に置かれたヘンリーの手に手を重ねてカメラに向かっているとは。

「去年のいまごろのアレックスに見せてやりたいよ」アレックスはヘンリーの耳に頬を寄せて言う。

「そうだな、『ああ、ぼくはヘンリーに恋をしてるのか？　どうりで彼にばかなことばっかりやってるわけだ』と言うだろうね」ヘンリーが混ぜっ返す。

「なんだよ！」アレックスは口を尖らせる。ヘンリーは自分の冗談とアレックスの反応にくすくす笑い、アレックスの肩に腕をまわす。アレックスも気分がほぐれて、いっしょに笑う。腹の底から存分に。きょう一日の厳粛な空気もこれで終わりだ。ようやくフォトグラファーからオーケーが出て、ふたりは解放される。

きょうは忙しい一日だったのよ、とキャサリンが言う。アフタヌーンティーの前に、ロンドンのより中心部に近い住居に移ることを検討する会議があったのだとか。キャサリンが積極的に公務を担うようになっているからだ。キャサリンの瞳に煌めくものがアレックスには見える。そろそろ王位を継ぐつもりなのだろう。ヘンリーにはまだなにも言わないにしろ、今後の展開には興味がある。キャサリンはふたりにキスをすると、ヘンリーの警護官を残して立ち去る。

　ケンジントンまではロングウォーターを抜ければ歩いてもすぐだ。ふたりは〈オランジェリー〉でビーに会う。十人ほどのイベント計画チームがステージの設営に奔走している。ビーはポニーテールにレインブーツというでたちで、芝地にならべた椅子のあいだを歩きまわりながら、〝カレン・スキンク〟なるものについて電話でてきぱきと指示を出している。いわく、どうしてわたしはカレン・スキンクを頼んだのかしら。カレン・スキンクを頼んだのが事実だとしても、なぜ二十リットルも必要だと思ったんだか、困っちゃうわ、と。

「なんなの？　カレン・スキンクって」彼女が電話を切ったところで、アレックスは尋ねる。

「燻製《くんせい》タラのチャウダーよ。はじめての王室主催の犬品評会は楽しめた、アレックス？」

「悪くなかったよ」アレックスは薄ら笑いを浮かべる。

「いまの母さんは手に負えない」ヘンリーが言う。「今朝なんかぼくの原稿に手を入れてあげる、なんて言いだした。五年も親らしいことをしていなかったから、その埋めあわせのつもりらしい。もちろん母さんのことは大好きだし、その努力にも感謝しているけど、ほどほどにしてもらわないと」

「がんばってるのよ、H」ビーが言う。「長らくベンチにいたんだから。しばらくはウォーミングアップだと思ってあげて」

「わかってる」ため息混じりながら、ヘンリーの目には愛情がある。「こっちはどんな感じ？」

「まあまあね」ビーはスマートフォンを空中で振る。「ただの処女航海だもの。この基金は物議をかもすわ。評価されるかどうかはこれからだから、プレッシャーは感じない。ヘンリー財団とビアトリス基金の二本立てにして、ストレスの半分はあなたに受けもってもらうつもりだったから、そのことでは少しあなたに遺恨が残ってるけど。依存症からの回復を支援する資金集めのもろもろで、お酒に走りそう」ビーはアレックスの腕を叩く。「これはあなたに捧げる酔っ払いの冗談よ、アレックス」

ビーもヘンリーも、母親のキャサリン王女と同じくらい忙しい十月を過ごした。最初の週は決めることが山積みだった。メールの流出によるビーに関する暴露を放置するのか（ノー）、ヘンリーはやはり兵役を強制されるのか（何日か検討した結果、ノー）、そして重要なのは、こうしたことをポジティブにとらえなおすにはどうしたらいいかだった。その解決策はビーとヘンリーが共同で見いだした。ふたりそれぞれの名を冠した対になる慈善事業を立ちあげるのだ――ビーはイギリス国内を対象とした依存症者の回復プログラムを支援するチャリティ基金を、ヘンリーはＬＧＢＴＱ＋の権利を擁護する財団を。

　彼らの右側で照明機材が大急ぎでステージに上げられている。そこでビーは今夜、ライブバンドを入れて、チケット一枚八千ポンドのコンサートを開催することになっている。著名人も招待して行われるこのコンサートが、ビーが単独で開催するはじめての資金集めのイベントになる。

「ここに残ってショーを観られればよかったんだけど」アレックスは言う。

　ビーはにっこりする。「残念だけど、ヘンリーは今週ずっとペザおばさんと書類に署名するのが忙しくて楽譜を覚える時間がなかったのよ。そうでなかったら、ピアニストを首にできたんだけど」

「書類？」アレックスは眉根を寄せる。

ヘンリーはビーに黙っていろという視線を投げる。「ビー——」

「若者向けのシェルターのよ」

「ビアトリス」ヘンリーが叱責口調になる。「内緒にしていたんだぞ」

「あら」ビーは言うと、さも忙しそうにスマートフォンに向かう。「そうなんだ」

アレックスはヘンリーを見る。「どういうこと？」

ヘンリーはため息をつく。「ああ、もう少しあとで発表するつもりだったんだ——もちろん、きみにも話してね——きみの大切な時間を邪魔したくないから、大統領選が終わったあとにと思っていた。でも……」ヘンリーは両手をポケットに突っ込む。誇らしさを感じているのに、そう見せたくないときにするしぐさだ。「母とぼくは、財団の活動を国内に限定する必要はないという点で意見が一致した。世界じゅうにするべきことがあるし、とくにぼくとしては住むところのないクィアな若者に手を差し伸べたかった。それで、ペズがオコンジョ財団の若者向けシェルターをすべて正式に譲渡してくれた」ヘンリーは軽くかかとを上下させ、見るからに満面の笑みを抑えている。「きみの目の前にいるのは、世界各地でまもなく開かれる四つのシェルターの後援者だ。そこには権利を奪われたクィアな若者が集まってくる」

「なんだよ、こいつ！」アレックスは叫ぶなりヘンリーに飛びつき、両腕を首にまわす。「すばらしいよ。むかつくほどきみを愛してる。やったな」アレックスはいきなり後ずさりをして、身構える。「ちょっと待って。てことは、ブルックリンにあるシェルターも？　そうだよね？」

「ああ、そうだ」

「きみは財団に直接関与したいって言ってなかったっけ？」アレックスの心拍数は跳ねあがる。「開設直後はみずから監督したほうがいいと考えてなかったっけ？」

「アレックス」ヘンリーが告げる。「ぼくがニューヨークに引っ越すのは無理だ」

ビーが顔を上げる。「どうして？」

「ぼくは王子なんだよ――」ヘンリーは姉のほうを見ると、〈オランジェリー〉とケンジントンを指し示して、最後に言う。「ここの！」

ビーは動じることなく肩をすくめる。「だから？　永続的にここに住む必要はないのよ。あなた、ギャップイヤーにはヤクに話しかけながらモンゴルでひと月過ごしたじゃない、H。前例がないわけじゃないわ」

ヘンリーは二、三度口をもごもご動かし、いまだ納得できない表情でアレックスを見る。「だとしても、そうしょっちゅうは会えないだろう？」ヘンリーが理由を述べる。「きみが政界で急速に力をつけて、つねにワシントンDCで働いていたら？」

アレックスとしても認めないわけにはいかない。問題はそこだ。いろいろあったこの一年、ようやく開いた封筒から出てきたのは、悠々と合格点に達していた法学大学院進学適性試験《LSAT》の結果だ。帰宅すればそれがデスクの上で待っていて、日ごとかつての決意が薄らいでいく。

そんなことを言おうとアレックスは口を開きかける。

「やあ、みんな」背後から上品な声がして、三人がそろって振り返ると、堅苦しいほど整った身なりをしたフィリップが芝地をこちらに歩いてくる。

アレックスは隣にいるヘンリーの体に動揺が走り、さっと背筋を伸ばして体を硬直させるのを感じる。フィリップは二週間前にケンジントン宮殿を訪れて、父親亡きあとの自分の言動——きつい言葉や傲慢な態度、厳しい監視——を詫《わ》びた。もともと神経質で気弱な性格だった彼は、将来の国王という立場と女王にあやつられるプレッシャーから、人に厳しい独善的な人間になってしまったらしい。「兄は祖母と不仲になった」アレックスはヘンリーから電話で聞いていた。「ぼくが兄の言葉を信じられるようになった唯一の理由だ」

だとしても洗い流せない血がある。アレックスはフィリップのまぬけ面を見るたびに殴りつけたくなるが、フィリップは自分ではなくヘンリーの家族なのだから、そこは一線を引くようにしている。

「フィリップ」ビーが冷ややかにいう。「どういう風の吹きまわし？」

「バッキンガム宮殿で会議があってね」フィリップが言い、その意味がふたりのあいだで宙づりになる。女王と会議があったのだ。「手伝えることがあったらと思って寄った」フィリップは自分のぴかぴかのドレスシューズの隣にあるビーのウェリントンブーツを見おろす。「おまえがこんなところにいる必要はないだろうに——力仕事を買ってでるスタッフは大勢いる」

「わかってる」ビーはプリンセス然と、傲慢に言い放つ。「自分でやりたいの」

「そうか」とフィリップ。「それで、その、なにか手伝えることはないか？」

「とくにこれといってないわ、フィリップ」

「そうか」フィリップは咳払いする。「ヘンリー、アレックス。ポートレートはよく撮れたかな？」

　ヘンリーが目をぱちくりさせる。フィリップから質問されたことにびっくりしているのだ。アレックスには、自分の口を閉じておくだけの如才なさがある。

「ああ」とヘンリー。「まあね、よかったよ。ちょっとぎこちなくはあったけど。気が遠くなるほど同じところに座っていなければならなかったから」

「ああ、それで思いだした。マーサとわたしがはじめて撮ったときは、学友のひとりの悪ふざけでわたしの尻が漆《うるし》にかぶれて、ひどくただれていてね。バッキンガム宮殿のど真ん中でズボンを引きはがしたい衝動を抑えるのに必死で、いい写真かどうかなど二の次だった。彼女に殺されるんじゃないかと思ったよ。きみたちの写真がよく撮れていることを祈る」フィリップは臆したように含み笑いを漏らす。三人と仲良くなりたがっているのは明らかだ。アレックスは鼻をこする。

「それじゃ、なにはともあれ幸運を祈っているよ、ビー」

フィリップはポケットに両手を突っ込んだまま歩み去り、あとの三人はその姿が遠ざかって、高い生け垣の向こうへ消えるまで見送る。

ビーがため息をつく。「兄さんにわたしのカレン・スキンクを担当させてみるべきだと思う？」

「いや、まだ早いよ」ヘンリーが言う。「あと半年は待ったほうがいい。まだそこまで信用できない」

青か灰色か？　灰色か青か？

同程度に無味乾燥な二着のブレザーを前にして、アレックスは過去に例を見ないほど悩んでいる。

「ばかみたい」ノーラが言う。「どっちもいけてないんだけど」

「そんなこと言わないで、助けてくれよ。どっちがいい？」アレックスはそれぞれの手にハンガーを持ち、腰かけたドレッサーの上から向けるノーラの視線の厳しさに気づかないふりをする。勝っても負けても、あしたの投票日の夜の写真は、一生ついてまわる。

「アレックス、言っとくけど、どっちも最悪。もっとぞくぞくするのにして。それじゃまるで白鳥の歌（最後を飾るもの。白鳥は死に瀕して歌うとする伝説から）よ」

「わかったけど、頼むから——」

「そうよ、そのとおり、わかった。予測どおりなら、わたしたちはいける」ノーラは床に飛びおりる。「で、あなたはなにが言いたいわけ？　あなたのキャリアにおけるこの特別なときに、なぜどちらに賭けるかで必死になってるかってこと？　最新流行の服で冒険するわけでもないのに」

「いや」アレックスは両手でハンガーを振る。「青と灰色、どっち？」

「わかった、それなら」ノーラはアレックスの言葉を無視する。「言ってあげる。あなたは緊張してるの」

アレックスは天を仰ぐ。「当たり前だろ、ノーラ。これは大統領選挙で、その大統領がぼくを産んだんだから」

「そうじゃない」

ノーラは意味ありげにアレックスを見る。〝あなたのパニックぶりは、すでに全データを使って分析ずみよ〟とでも言いたげな顔だ。アレックスはため息をつく。

「ああ」とアレックス。「わかった、そうだよ。テキサスに帰るのが不安なんだ」

アレックスは両方のブレザーをベッドに投げだす。くそっ。

「前から感じてたんだ。テキサスがぼくを息子と認めているのは、いわば条件付きだ」アレックスは首の後ろをさすりながら、行きつ戻りつする。「メキシコの血が半分流れてて、両親ともに民主党員。ぼくを好きじゃなくて、自分たちの代弁者にはさせたくないという人たちが大勢いる。そこに加えて、これだよ。ストレートじゃなく、男の恋人がいて、ヨーロッパの王子とセックス・スキャンダルを引き起こした。これ以上の悪条件は考えられない」

アレックスはテキサスを愛している――信じてもいる。けれども、テキサスがまだ自分を愛してくれているかどうかはわからない。

アレックスは部屋の反対側まで行く。それを見ているノーラは、首を傾ける。

「それで……カミングアウト後、初の里帰りに派手すぎる服を着るのが怖いわけね。テキサスの繊細なヘテロセクシュアルたちに配慮して」

「そんなとこ」

いまのノーラは、アレックスのことをとても複雑な問題の塊のような目で見ている。

「テキサスの世論調査の結果は見たの？　九月からあとの」

アレックスは唾を呑む。

「いや、あの、その」片手で顔をこする。「考えただけで……ストレスになるっていうか。見なきゃって思ってるんだけど、挫《くじ》けてやめた」

ノーラの表情が和らぐ。けれど近づかずに、距離を保っている。「アレックス、わたしに訊けばよかったのに。そう……悪くないのよ」

アレックスは唇を噛む。「悪くない？」

「アレックス、テキサスの支持基盤は九月以降もわたしたちに対する見方を変えてない。むしろ、好感度は上がってる。浮動層の大半は、テキサスの子を追いまわしたリチャーズに腹を立ててる。だから、あなたはほんとに大丈夫なのよ」

そうだったのか。

アレックスは声を震わせて息をつき、片手で髪をかきあげる。後ずさりをしながらドアから離れる。心のなかで闘うか逃げるかの二者択一を迫られて、無意識のうちにドアに近づいていたのだ。

「わかったよ」

ベッドにどさりと腰かける。

ノーラが隣にそっと腰をおろす。彼女の目には、人の心を読むときの鋭さが現れている。

「いい？　知ってのとおり、わたしは相手を気遣いながら情に訴えるコミュニケーションを取るのが得意じゃないの。でも、ジューンがいないからには、わたしが思いきってやってみるしかないわね」ノーラは続ける。「テキサスにかぎったことじゃないと思うんだよね。あなたは最近とんでもないトラウマを負うできごとを経験したせいで、思ったとおりに行動したりしゃべったりするのを怖がってる。これ以上自分に関心を集めたくないから」

アレックスは笑いだしたくなる。

ノーラはものごとの本質にずばりと切り込めるという意味で、ときにヘンリーに似ている。ただしヘンリーは心で対処し、ノーラは事実で対処する。アレックスを巣穴から引っ張りだすには、彼女のかみそりのような鋭さが役に立つことがある。

「ああ、まあ、そうだね。たしかにそうかもしれない」アレックスは認める。「政界で身を立てたいならイメージの回復に着手する必要があるけど、ぼくのなかには……疑問がある。なぜいまそうしなきゃいけないのかな、と思ってしまう。変だろ？　これまではなりたい自分の将来像にしがみついてた。目標を掲げて――卒業とか、選挙活動とか、ホワイトハウスのスタッフとか、議員とか――そうと決めたら、まっしぐら。ぼくはそれができる人間になるはずだった……それを求める人間に。でもいまのこのぼくは、ぼくがなった人間は……そういう人間じゃない」

　ノーラは肩で肩をそっと突く。「だけどそういう自分が好きなんだよね？」

　アレックスは考える。いままでの自分と違うのは確かだ。たぶん少し暗い。以前より神経過敏で、だからこそより正直だ。頭はより鋭く、心はより熱狂を求めている。必ずしも仕事と結婚したいとは思わないけれど、以前よりも闘う理由を持っている。

「ああ」アレックスはようやく口にする。力強く。「ああ、そうだね」

「いいね」ノーラが言い、アレックスが横を見ると、彼女は満面に笑みを浮かべている。「わたしもよ。あなたはアレックス。この厄介なもろもろのなかで、なるべくしてそうなったの」ノーラがアレックスの顔を両手ではさんで押しつぶし、アレックスはうめきつつも振り払わない。「それで、どうする？　緊急対策案を提案する？　わたしに予測してもらいたいことはある？」

「というか、あぁ」アレックスはノーラに顔をはさまれたまま、くぐもった声で言う。

「もう話したっけ、その……この夏、こっそり法学大学院進学適性試験《LSAT》を受けたんだ」

「ええっ！　そっか……ロースクールね」ノーラは何カ月か前に〝やられたかったたってこと〟と言ったときと同じ言い方で、彼が知らず知らずのうちにずっと目指していたものをあっさり口にする。ノーラはアレックスの顔から手を離すと、こんどは肩を揺すって、急にはしゃぎだす。「いいよ、アレックス、ちょっと待って——そうよ！　わたしは修士課程に出願しようと思ってたとこなの。これでいっしょに勉強できるわ！」

「そうなのか？」アレックスは言う。「ぼくにやれると思う？」

「アレックス。ええ、アレックス」ノーラはいまやベッドで脚を折り曲げてその上に座り、上下にはずんでいる。「アレックス、これってとてつもないことよ、いい——聞いて。あなたはロースクール、わたしは大学院、ジューンはスピーチライター兼作家として、この世代のレベッカ・トレイスター（アメリカの作家、ジャーナリスト。一九七五年生まれ）やロクサーヌ・ゲイ（アメリカの作家、教授、編集者、社会評論家。一九七四年生まれ）となり、わたしは地球を救うデータサイエンティストになって、あなたは——」

「公民権運動を専門に扱う凄腕《すごうで》弁護士になって、差別的法律の是正や市民権を剥奪された人たちのために闘い、キャプテン・アメリカ並みの輝かしいキャリアを築いて――」

「あなたとヘンリーは世界じゅうから愛されるパワーカップルになる――」

「そしてぼくがいまのラファエル・ルナの年齢になるころには――」

「上院議員に立候補してもらいたいと人々から乞い願われるようになる」ノーラはいっきに言い終える。「そう、そんな感じ。当初思ってたより時間はかかるけど」

「そうだね」アレックスは唾を呑む。「いい感じだ」

ようやくここまで来た。この数カ月、アレックスはこの特別な夢を手放そうかどうか迷ってきた。怖かったのだ。けれどこの安堵感《あんどかん》の強さときたら、背中から山がひとつなくなったように体が軽い。

そのことに向きあってまばたきし、ジューンの言葉を思いだして、笑いだしてしまう。〝あんたはたまにお尻に火がついたみたいになる。とくに理由もないのにね〟

ノーラはしかめっ面になり、ジューン流を踏襲して分析する。「あなたは……情熱的なのよ、極端に。もしジューンがここにいたら、その性質を最大限生かす道を探るには、時間をかけたほうがいいと言うはず。いまはわたしがここにいるから言うけど、あなたは張りきるのが得意。政策を考えること、人々を導いて勇気づけることも。それに恐ろしく頭が切れるから、たいていの人はパンチをお見舞いしたくなる。どれも右肩上がりに上達する一方のスキルだから、あなたなら楽勝よ」

ノーラがジャンプして立ちあがり、アレックスのクローゼットに飛び込む。なかからハンガーをスライドさせる音がする。「一番大事なのは」ノーラの声が続ける。「あなたがアイコンになったこと。それってものすごいことだよ」

クローゼットから出てきたノーラの手にはハンガーがある。一度も外に着ていったことがないジャケット、あまりの非常識な値段に、ノーラがあの夜オンラインで買えとうながしたジャケットだ。ニューヨークのホテルで『ザ・ホワイトハウス』を観ながら酔っ払い、タブロイド紙にふたりがセックスをしていると思わせた夜のことだ。なんとグッチのボマージャケットで、色はミッドナイトブルー、ウエストバンドと袖口に赤と白と青のストライプが入っている。

「大変だとは思うけど――」ノーラがそのジャケットをアレックスの胸に押しつける。「あなたはみんなに希望を与える。だから表に戻って、アレックスにならないとね」

アレックスはジャケットを受け取り、袖を通して鏡で確認する。完璧だ。

その瞬間、外の廊下から悲鳴にも似た甲高い叫び声が聞こえてきて、アレックスとノーラはドアに走る。

ジューンだ。片手にスマートフォンを持ってアレックスの部屋に転がり込んでくる。ぴょんぴょん跳ねているので、肩で髪まではずんでいる。新聞販売所から直行してきたのは一目瞭然で、もう一方の腕にはタブロイド紙を抱えている。ジューンはそれを無造作に床に落とした。

「本の契約を取ったわ！」ジューンは甲高い声で言い、ふたりの目の前でスマートフォンを振る。「メールをチェックしてたの。そしたら――回顧録よ――なんと契約が取れちゃった！」

アレックスとノーラも叫び、ジューンを引き入れる。三人で肩を組んで輪になり、笑いと歓声の渦に呑まれる。足を踏んだり踏まれたりしているけれど、気にならない。最後には靴を脱ぎ捨ててベッドに飛びのり、ノーラがＦａｃｅＴｉｍｅでビーを呼びだす。ビーは部屋のひとつでヘンリーとペズを見つけ、みんないっしょになって喜んでくれる。前にキャッシュから、〝仲間〟と言われたけれど、そういう一体感がある。マスコミからもあだ名をつけられた。〝ザ・スーパーシックス〟アレックスもまんざらではない。

数時間後ノーラとジューンは、アレックスのベッドのヘッドボードに体を預けて寝てしまう。ジューンの頭はノーラの膝に、ノーラの指はジューンの髪に絡まり、アレックスは続きの部屋のバスルームに忍び足で歯を磨きに行く。戻ってくるときになにかを踏んで足をすべらせ、足元を見おろして、思わずもう一度見てしまう。ジューンが見終わった雑誌の山のなかにあった〈ハロー！ＵＳ〉で、表紙を飾るのは撮影会のときに撮られた自分とヘンリーの一枚だ。

　アレックスはかがんでそれを拾いあげる。ポーズを取った写真ではない――撮られたことも気づかなかった一枚、公表されるとはよもや思わなかった一枚。もっとフォトグラファーを褒めるべきだった。ヘンリーが冗談を飛ばした一瞬をとらえたその一枚は、偽りのない、ありのままの姿を写しだしている。ヘンリーがアレックスの肩に腕をまわし、アレックスは手を伸ばして肩にあるヘンリーの手を取ろうとしている。

　アレックスに向けるヘンリーのまなざしは愛情深く、あふれる思いを隠そうともしていない。それを写真という第三者の目を通して突きつけられると、思わず目をそむけたくなる。太陽をじかに見るようなものだ。ヘンリーのことを前に北極星と呼んだけれど、彼の明るさはそんなものではない。

　アレックスはいま一度ブルックリンのことを考えてみる。ヘンリーはそこに若者向けのシェルターを作ろうとしている。たしか母さんの知り合いが、ニューヨーク大学のロースクールにいたよな？

歯磨きを終えて、ベッドにもぐり込む。あした勝ち負けが決まる。一年前――いや半年前――は、今夜は眠れないだろうと思っていた。でもいまの自分は新しい種類のアイコンになった。王族である恋人との親しい間柄が雑誌の表紙に載っても笑い飛ばせる人間、この先の年月を喜んで受け入れ、自分に時間を与えられる人間に。いまの自分は新しいことに挑戦しようとしている。

アレックスは枕をジューンの膝にもたせかけ、ノーラの脚に自分の足をかけて、眠りに落ちる。

アレックスは唇を嚙む。ブーツのかかとでリノリウムの床をこする。投票画面をにらむ。

アメリカ合衆国大統領および副大統領
どちらかに投票してください

アレックスは機械につながったタッチペンを取りあげ、奥歯を嚙みしめながら選ぶ。

エレン・クレアモントとマイケル・ホラーラン。

投票機が小さな音をたてて、問題がないことを知らせる。静かにうなる機械を前にしたアレックスは、有権者のひとりだ。多数のひとり、得票数のひとつであり、その一票の価値はほかの票となんら変わりない。ボタンを一回押す。

投票日の夜を地元で過ごすのは賭けだ。とくに規則はないものの、現職大統領はワシントンで政治集会を開くことができないとされ、地元での開催が慣例になっているとはいえ。

二〇一六年の勝利はほろ苦かった。オースティンは青が圧倒的に強く、エレンはトラヴィス郡の票の七十六パーセントを獲得したが、どんなに花火が上がり、通りでシャンパンのコルクが抜かれても州全体では負けたため、地元で勝利演説ができないという事実は変わらなかった。それでも、〝ロメタの穴馬〟はふたたび地元に戻ることを望んだ。

昨年は進展があった。アレックスがバインダーにおさめたリチャーズ陣営に関する勝利判決が数件、若い有権者に向けた有権者登録促進運動、ヒューストンでの集会。世論調査にも変化があった。アレックスはタブロイド紙による一連の悪夢から逃げたくて、テキサスの選挙キャンペーンの組織委員とともに時間外の委員会に没頭し、選挙当日にテキサスじゅうを網羅するシャトルバスサービスの運用計画をスカイプで話しあった。二〇二〇年、テキサスは例年になく激戦州になる。

前回の選挙当日の夜は、オースティンのスカイラインを背景にしたジルカー・パークの広大な芝地で迎えた。すべてをよく覚えている。

当時のアレックスは十八歳、はじめてのオーダースーツを着ていた。家族とともに近くのホテルに缶詰めになって結果を見守るなか、集まってくる人の数は増え、群衆から二百七十人と声があがると、腕を広げて廊下を走ったことを覚えている。この瞬間は自分のためにある、と思った。なぜなら母の、そして家族の瞬間だから。けれどその一方で、まったく自分の瞬間ではないことにも気づいていた。振り返ったとき、ザハラのマスカラが頬に流れ落ちていたからだ。

ジルカー・パークの丘の斜面にしつらえられたステージの脇に立ち、女たちの目、目、目を見た。一九六五年の投票権法成立のため議会へデモ行進したかもしれない年齢の女たちや、白人男性の大統領を知らない少女たち。その全員がはじめての女性大統領を見ていた。振り向けば右側にはジューン、左側にはノーラがいた。アレックスはそのふたりを先に前に押しだして、たっぷり三十秒間女たちの視線を浴びさせてから、自分がスポットライトに入ったことを覚えている。

　パーマー・イベントセンターの裏手でブーツの底が枯れた芝生を踏むと、なんだかリムジンの後部座席よりもっと高いところからおりてきたように感じる。

「まだ早いけど」ノーラはスマートフォンの画面を親指でスワイプしながらアレックスに続いて車から降りる。胸が大きくV字型に開いた黒のジャンプスーツにしゃれたハイヒールを合わせている。「ほんと、いままでの出口調査の結果じゃまだ早いんだけど、イリノイは確実にものにできそう」

「すごい、予想どおりだ」アレックスは言う。「ここまで順調だね」

「わたしはそこまで言えない」ノーラが釘を刺す。「ペンシルヴェニアの状況がどうも気に食わない」

「ねえ」ジューンが声をかける。自前の衣装は慎重に選んだ〈J・クルー〉の既製品で、親しみを感じてもらえそうな白いレースのワンピースだ。髪は三つ編みにしている。「どう、はじまる前に一杯飲まない？　モヒートがあるって聞いたんだけど」

「いいね」ノーラは言いながらも、眉をひそめてスマートフォンの画面を凝視している。

おまぬけ殿下💩
二〇二〇年一一月三日、六：三七ＰＭ

おまぬけ殿下💩
パイロットが視界に問題があるとか。ルート変更して別のところに着陸しなければならないかもしれない

おまぬけ殿下💩
ダラスに着陸する？　そこは遠いのか？？　アメリカの地理にはうとい

おまぬけ殿下💩
シャーンに教わったが、とても遠いようだね。もうすぐ着陸だ。視界が戻ったらまた離陸を試みる

おまぬけ殿下💩
残念だ、とても残念だ。そっちはどんな感じだろう？

アレックス
思うようには行ってない
一刻も早く来て
神経がすり減ってる

オリヴァー・ウェストブルック @BillsBillsBills
大統領一家のひとりに対してかような行動を起こしたにもかかわらず、共和党支持者はリチャーズを支持している。今週には性犯罪の噂まで入ってきた。明朝プロテスタントの神の審判を受けることになる。
二〇二〇年一一月三日、七：三二ＰＭ

５３８ポリティクス @538politics
われわれの予想では、ミシガン、オハイオ、ペンシルヴェニア、ウィスコンシンの各州すべてで七十パーセントかそれ以上の可能性で青になると見ているが、最新の投票結果によるとまだ接戦だ。そう、わたしたちも混乱している。

二〇二〇年一一月三日、八：〇四ＰＭ

ニューヨーク・タイムズ @nytimes

#二〇二〇年大統領選選挙速報：クレアモント大統領に対する激戦ラウンドの判定は、リチャーズ上院議員が選挙人百七十八人を獲得。クレアモントが百十三人で追う。

二〇二〇年一一月三日、九：一五ＰＭ

　彼らはＶＩＰ専用に仕切られた、せまいほうの展示ホールにいる——選挙スタッフ、友人、家族、議員たち。イベントセンターの反対側には〝クレアモント二〇二〇年〟と書かれたサインボードを掲げ、〝歴史だって？〟と書かれたＴシャツを着た支持者たちが、建物から突きでたひさしの下からあふれて、丘のほうまで広がっている。勝利が決まればこのまま大騒ぎになる。

　アレックスは緊張をゆるめるように心がける。大統領選挙がどのように推移するかはわかっている。子どものころの彼にとっては、スーパーボウルのようなものだった。リビングルームのテレビの前に陣取って、夜が更けるにつれて手にしたマジックマーカーで各州を赤と青に塗り分けていった。この日ばかりは就寝時間を過ぎても起きていることを許され、十歳のとき、オバマがマケインに勝つのを見た。いまは父の横顔を見ながら、あの夜の勝利の図式を思いだそうとしている。

当時は見ていて奇術のように感じた。いまは自分の問題として直面している。

しかもこちらは負けている。

横のドアからレオが入ってきても意外ではない。ジューンが椅子を立って、アレックスとレオと部屋の静かな一隅に寄り集まったのも、同じ本能によるものだろう。レオは片手にスマートフォンを持っている。

「お母さんが話したがっているよ」レオに言われてアレックスが手を伸ばすと、レオが片手で制する。「いや、アレックス、きみじゃない。ジューンだ」

ジューンが目をぱちくりする。「そうなの？」彼女は前に出て、耳にかかっていた髪を後ろに押しやる。「母さん？」

「ジューン」母の声が小さなスピーカーから漏れてくる。電話の向こうはアリーナにある会議室のひとつで、母はその統括センターで主要スタッフとともに待機している。

「ジューン、あのね、あなたにこちらに来てもらいたいんだけど」

「わかったわ、母さん」ジューンの声は穏やかでおちついている。「どうかしたの?」

「ちょっとね。スピーチ原稿を書きなおすのを手伝ってもらえないかと思って。だから、その――」かなりの沈黙が広がる。「万が一、敗北宣言をすることになったときに備えて」

ジューンの顔から一瞬、表情が消えたかと思うと、いきなり激怒の表情になる。「だめ」ジューンはレオの二の腕をつかみ、直接送話口に話しかける。「そんなこと絶対にしない。母さんは負けないから。わかった? 負けてないのよ。あと四年がんばるの、わたしたちみんなで。敗北宣言なんて書いてたまるもんですか」

電話の向こうにまた沈黙が広がる。アレックスには階上にある臨時の統括センターにいる母の姿が目に浮かぶ。眼鏡をかけ、ハイヒールはまだスーツケースに入れたまま、スクリーンを見つめ、望みをかけ、挑戦し、祈っている。大統領である母さん。

「わかった」母の声は冷静だ。「いいわ。アレックス、あなた、準備して支援者にスピーチできる?」

「ああ、大丈夫だよ、母さん」アレックスは咳払いをし、二度めは母と同じ力強い声で言う。「もちろんさ」

三度めの沈黙のあと。「ふたりとも、愛してるわ。大好きよ」

レオが立ち去り、入れ替わりにザハラが入ってくる。細身の赤いワンピースにいつものコーヒーが入った保温カップを持った姿は、この夜アレックスが目にしたなかで一番の慰めだ。指輪の煌めきが目に入ると、アレックスはシャーンを思いだし、ヘンリーがいまここにいてくれたらと思わずにいられない。

「顔を作って」ザハラはアレックスの襟を直すと、彼とジューンを従えて中央の展示ホールを抜け、ステージエリアの裏手に入る。「満面の笑み、元気、そして自信を忘れないこと」

アレックスは頼りなげにジューンのほうを向く。「ぼく、なにを言ったらいい？」

「短くていいの。わたしが書いてあげてる暇はないんだから」ジューンは言い聞かせる。「あんたはリーダーよ。先頭に立って。あんたならできる」

そうきたか。

自信。アレックスはいま一度、ジャケットの袖口を見る。赤、白、青。アレックスになれと言って、ノーラはこの服を渡してくれた。そう、アレックスに。

アレックスとは――アメリカ国内に住むたくさんの子どもたちに、きみたちはひとりではないんだと呼びかける存在。〝ＡＰＵＳＨ〟（早期履修プログラムとして高校生に提供される大学初級レベルのアメリカ史のコースおよび試験）の文字の入ったスタジャン。ホワイトハウスのゆるんだ秘密の窓枠。手に入れたいという思いが強すぎてなにかを台無しにすることもあるけれど、また立ちあがって挑戦する人。王子のことではない、たぶんもっと大きななにか。

「ザハラ、テキサスの結果はまだ？」アレックスは尋ねる。

「ええ、まだ接戦よ」

「まだ？」

ザハラの笑みは思わせぶりだ。「まだよ」

舞台に出るとスポットライトで目がくらみそうになる。でも、アレックスにはわかっている。心の深い部分で理解している。テキサスの勝敗はまだ決まっていない。

「お集まりのみなさん」アレックスは声をあげる。握りしめたマイクはびくともしない。「合衆国大統領の息子、アレックスです」故郷の群衆は熱狂し、アレックスはにこやかに笑う。本気になって挑む。これから言うことを口にするときは、まず自分がそれを信じなければならない。

「おかしいんですよ、わかりますか？　いまCNNのアンダーソン・クーパーはテキサスは接戦だと言ってます。接戦ですよ。みなさんはご存じないと思いますが、わたしはじつは歴史おたくなんです。なのでこんな話をしたいと思います。前回テキサスが接戦だったのは一九七六年、そのときは青になりました。ウォーターゲート事件の余波でジミー・カーターが当選したときです。彼はここテキサスでなんとか一般投票の五十一パーセントを獲得しました。わたしたちがジェラルド・フォードを破る手助けをしたわけです。

　いまわたしはこの場に立って、そのことを考えています……誠実で勤勉で正直なひとりの南部民主党員が堕落と悪意と憎しみに対峙《たいじ》している。そして正直な人たちがたくさんいるひとつの大きな州が、嘘をつかれることに心底うんざりしている」

　聴衆は完全にわれを忘れて盛りあがり、アレックスは笑いだしそうになりながらマイクに向かい、拍手喝采やホールの床を踏み鳴らすブーツの音に負けじと声を張りあげる。「さて、わたしには聞いたことのある話に聞こえます。テキサスのみなさんはどう思いますか？　セ・レペティラ・ラ・イストリア？　今夜、その歴史を再現しますか？」

　どよめきが、そうだ、と告げている。アレックスはともに叫び声をあげながら、歓声に包まれてステージをおりる。みんなの声に心臓を包み込まれ、その夜、引いていた血の気が戻ってくる。バックステージに下がったとたん、背中に触れる手がある。誰かの体がもつ懐かしい重みが自分の空間に戻ったのが、触れられる前からわかる。

清潔で嗅ぎ慣れたにおいがふたりのあいだに漂う。

「すばらしかった」ヘンリーは笑みを浮かべている。声だけでなく、やっと生身の彼に会える。紺色のスーツを着込み、よく見ると、ネクタイには小さな黄色いバラの模様がちりばめられている。

「そのネクタイ――」

「ああ、そうだ」ヘンリーは言う。「テキサスの黄色いバラ、だろう？　特別なものらしいから。幸運をもたらしてくれることを願って」

たちまちアレックスは彼に惚れなおす。手にネクタイをひと巻きすると、ヘンリーを引き寄せ、終わりがないかのようなキスをする。記憶によると、唇を重ねたまま笑い、やがて離れたのだけれど。

自分のことを語らせてもらえるなら、去年のうちにこうできるよう賢くありたかった。そうしたらヘンリーを凍えるリンデンバウムの下に追いやることはなかったし、ヘンリーが自分にとって人生で一番大切なキスをしてくれているときにただ突っ立っていることもなかっただろう。きっと両手でヘンリーの顔を包み込み、深く激しくキスを返しながら、「欲しいものは手に入れていい。きみはそうしていい人なんだ」と言っていたはずだ。

いまアレックスは身を引いて言う。「遅いぞ、殿下」

ヘンリーが笑う。「いや、どうやら、票の追いあげには間にあったようだ」

ヘンリーは最新の開票速報のことを言っている。アレックスがステージに上がっているあいだに好転したらしい。VIP待機室ではみんなが椅子から立ち、得票数を分析するアンダーソン・クーパーとウォルフ・ブリッツァーを大画面で観ている。ヴァージニア：クレアモント。コロラド：クレアモント。ミシガン：クレアモント。ペンシルヴェニア：クレアモント。西海岸はまだ行方が見えないものの、これで差がかなり縮まった。

シャーーンも来ている。部屋の隅でザハラと身を寄せあい、ルナやエイミーやキャッシュといっしょにいる。アレックスはヘンリーの手を取り、その輪のなかに入る。

張り詰めた空気のなか、魔法がゆっくりと訪れる――ヘンリーのネクタイが声のするほうに軽やかに動き、垂木にかけられた網のあいだから紙吹雪が少しこぼれ落ち、それがノーラの髪に止まる――そして、すべてがいっきに起こる。

十時三十分、大きな動きがある。そう、リチャーズがアイオワを奪い、ユタとモンタナを確実にしたのはしかたがないとして、カリフォルニアの選挙人五十五人とともに西海岸がこちら側に流れ込んでくる。「頼もしいやつらだ」オスカーは歓声があがると得意げに言う。誰も驚いておらず、オスカーとルナは両手を打ちあわせて喜ぶ。西海岸のろくでなし《ウエストサイド・バスタードス》ども。

真夜中にはこちらが優勢になっていて、まだ森は抜けていないけれど、浮わついた雰囲気になる。飲み物がふるまわれ、声が大きくなる。ついたての向こう側の群衆は興奮している。サウンドシステムから響くグロリア・エステファンの感情を込めた歌声にも悲痛さは感じず、場に見あったものと感じる。部屋の向こうでは、ジューンといっしょにいるヘンリーが彼女の髪を指さし、振り返ったジューンは、さっきの大騒ぎで乱れた三つ編みをヘンリーに直させる。

アレックスは大好きな恋人と姉に見とれていたので、行く手に人がいることに気づかずに頭から突っ込み、ぶつかられたふたりは酒をこぼして、ビュッフェテーブルの巨大な勝利ケーキに倒れ込みそうになる。

「ああ、申し訳ない」アレックスは言いながら、すぐにナプキンの束に手を伸ばす。

「またきみが高価なケーキをひっくり返したら」そう言ったのは、ウイスキーのように温かくてひどく懐かしい南部訛り。「きみのお母さんはまちがいなく、きみを勘当する」

振り向くとリアムだ。記憶にある彼とほとんど変わらない——長身で、肩幅が広くて、やさしそうな顔つきで、髪はぼさぼさ。

こんなに独特の気取り屋がいたのにいままで気づかなかったとは、よっぽど舞いあがっていたのだろう。

「なんだ、来てくれてたのか！」

「もちろんさ」リアムがにっこりする。その隣には魅力的な男性が立ち、やはりにっこりしている。「というか、もし来なかったら、シークレットサービスにアパートメントから引きずりだされてたんじゃないか？」

アレックスは笑う。「おい、大統領の家族になっても、ぼくはそこまで変わってないぞ。相も変わらない精力的なパーティの盛りあげ役さ」

「そうじゃなかったらがっかりだ」

ふたりそろって笑う。よりによって今夜、彼に再会できるとは。気持ちを一新できることを含め、もろもろがはじまる前のむかしの自分を知る、家族以外の人物の隣に立つことには意味がある。

アレックスがカミングアウトしてから一週間後、リアムからメールが来た。〝一、当時のぼくたちがもう少し賢ければ、なにかにつけて助けあえたのに。二、いちおう知らせておくけど、右翼サイトの記者がきのうぼくを訪ねてきて、そいつからきみとの関係を尋ねられた。くたばれと言ってやったけど、知らせておいたほうがいいと思ってね〟

それで、当然のことながら、リアムは個人的な招待状を受け取った。

「あのさ」アレックスは話しはじめる。「きみにお礼を言いたかった――」

「いいんだ」リアムがさえぎる。「まじめな話。いいかな？　ぼくたちはなんのわだかまりもない。これからも」リアムは片手で振り払うようなしぐさをして、そばにいる魅力的な黒い目の男性をそっとつつく。「ところで、こちらはスペンサー、ぼくの恋人だ」

「アレックスだ」アレックスは自己紹介する。スペンサーの握手は力強い。「会えてうれしいよ」

「光栄だ」スペンサーは大まじめに言う。「そのむかし、きみのお母さんが議員に立候補したとき、ぼくの母は票集めをした。だから付き合いは長いんだ。大統領選でぼくがはじめて投票したのがきみのお母さんだった」

「いいから、スペンサー、おちつけよ」リアムは片腕をスペンサーの肩にまわす。アレックスは誇らしさに貫かれる。スペンサーの母親がクレアモントのボランティアをしていたのなら、彼らは記憶にあるリアムよりずっと偏見がないはずだ。「アレックスは四年生のとき、水族館からの帰りにバスでお漏らししたんだぞ。だからそんなに大物じゃない」

「むかしのことをもちだしやがって、くそったれ」アレックスはふくれっ面をする。

「あれはアダム・ビジャヌエバだ、ぼくじゃない！」

「そうだな、わかってるよ」リアムが言う。

アレックスが反論しようと口を開きかけたとき、誰かに名前を呼ばれる――〈バズフィード〉の写真撮影だかインタビューだかだ。「悪い、行かなくちゃ。だけど、リアム、話したいことがくそみたいに溜まってる。今週末、時間はあるか？　会おうよ。ぼくは週末ずっと街にいるから」

アレックスは後ろ向きに歩きだし、リアムは目をぐるりとまわしてみせる。迷惑そうでいて、その実、楽しそうだし、〝そのためにきみと立ち話をしたんじゃない〟というような顔でもないので、そのままにする。インタビューは途中で切られて、すぐに終わる。頭上のスクリーンに大写しにされたアンダーソン・クーパーの顔は、『ハンガー・ゲーム』で人の死を知らせる立派な大砲を思わせて、フロリダの結果を告げようとしている。

「お願い、裏庭の射撃練習場の人たち（フロリダ州の人たちのこと）」アレックスが合流すると、ザハラが隣でつぶやく。

「彼女、裏庭の射撃練習場って言ったのか？」ヘンリーが身を寄せてアレックスの耳にささやく。「そんなものを個人が所有できるのかい？」

「アメリカについて学ばなきゃならんことが山のようにあるな、息子《ミホ》よ」オスカーがやさしく声をかける。

　スクリーンが赤く光る――リチャーズ――いっせいにあがったうめき声で、部屋がきしむ。

「ノーラ、数字はどうなの？」ジューンがいきなり尋ねる。目が少し血走っている。

「わたしは文系だから、わかりやすくね」

「わかった」ノーラは言う。「現時点では、こちらが二百七十人以上を獲得するか、リチャーズが二百七十人獲得できない状況にもち込むか――」

「それはいいの」ジューンが我慢できずにさえぎる。「選挙人団がどう作用するかは知ってるから――」

「あなたが訊くから！」

「子ども扱いしないで！」

「腹が立つことがあると、すぐかっかするんだから」

「いまは選挙のことに集中しないか？」アレックスは割って入る。

「わかった」ノーラは両手を振る。「そうね、現在のわたしたちは、テキサス単独か、ネヴァダとアラスカの両方を獲得すれば、二百七十人を超える。リチャーズはこの三州すべてを獲得しなきゃならない」

「すると、いまぼくたちはテキサスを取る必要がある？」

「向こうがネヴァダを取るまでは大丈夫よ。現時点でそれはないでしょ」

ノーラがそう話した矢先にアンダーソン・クーパーがスクリーンに戻ってきて、速報を伝える。この先、アンダーソン・クーパーの幻覚を見るというストレスに悩まされるようになったらどうしよう、とアレックスは一瞬思う。ネヴァダ：リチャーズ。

「ちょっと、やめてよ、嘘でしょ！」

「となると――」

「テキサスを制した候補者が」アレックスが言う。「大統領の座を射止める」

重苦しい沈黙をはさんで、ジューンが口を開く。「世論調査の人たちが食べ残した冷たいピザをやけ食いしてくる。いい考えだと思わない？　ああ、楽しみ」彼女はそう言って消える。

十二時三十分。誰ひとり予測していなかった展開になる。

　歴史上、テキサスが勝敗を決するのにこれほど時間がかかったことはない。これがほかの州なら、リチャーズはいまごろ敗北宣言をしている。

　ルナは部屋をうろついている。アレックスの父親のスーツは汗まみれ。ジューンはこれから一週間ピザ臭いだろう。ザハラは電話口で誰かのボイスメールに叫んでいる。電話を切ってから説明したところによると、評判のいい託児所に子どもを預けられなかった妹が、同意のうえで、仕事中のザハラをストレスのはけ口にしたのだという。極度の緊張で上の控え室にいられなくなったエレンがおりてきて、腹ぺこの雌ライオンのようにうろうろしている。

　ジューンが彼らのほうに突進してきたのはそのときだ。アレックスも見たことがある若い女性の腕をつかんで――ジューンの大学時代のルームメイトだ、とアレックスの脳が答えを出す。彼女は選挙ボランティアのシャツを着て、晴れ晴れとした笑みを浮かべている。

「みんな――」息を切らしたジューンが口を開く。「モリーがいま――ちょうど来て――もう、あなたから言っちゃって！」

　モリーが神に恵まれし口を開く。「わたしたちはこちらの陣営が勝ったと思います」

　ノーラがスマートフォンを取り落とす。エレンがそれをまたいで、モリーの片腕をつかむ。「思うだけ？　それとも知ってるの？」

「つまりその、かなり確実に――」

「どのくらい？」

「ハリス郡の残り一万票を数えたばかりなのですが――」

「まあ――」

「待って、見て――」

結果を映しだすスクリーンが見えている。得票数が発表される。アンダーソン・クーパー、なんてハンサムな男。

テキサスは五秒ほど灰色のままだったが、そのあと見るも美しい青に、まぎれもないリンドン・B・ジョンソン湖の青に染まった。

選挙人三十八人がクレアモント陣営に加わり、総数三百一人を獲得。そして大統領の座をつかむ。

「あと四年よ！」アレックスの母が人目もはばからず叫ぶ声は、ここ数年聞いた母のどんな金切り声よりも大きい。

低いざわめきのようにはじまった歓声が、やがてとどろきとなり、最後には嵐のような喝采となって、ついたての向こうから押し寄せる。さらにはアリーナの周囲に広がる丘からも、街の中心部からも、農村部からも。おそらく、眠い目をこすっているロンドンの少なからぬ支持者たちからも。

　隣で涙に濡れた目をしたヘンリーが、両手でアレックスの顔を無造作につかむ。そして映画のラストシーンのようにキスをすると、アレックスを家族のほうに押しやる。

　天井から下げられた網にはさみが入り、風船が舞いおりてくる。アレックスはよろめいて誰かの体や父親の胸に押しつけられたり、有頂天でハグされたり、泣きじゃくるジューンやなぜかもっと泣いているレオにぶつかったりする。ノーラはいずれも誇らしげに満面の笑みを浮かべる両親にはさまれて声をかぎりに叫び、ルナはマフィアが百ドル札をばらまくように、クレアモントの選挙キャンペーンのパンフレットをまいている。見るとキャッシュに至っては容赦なく会場の椅子に立って踊り、その重量制限を確かめている。エイミーはスマートフォンでぐるりと周囲を撮影して、ＦａｃｅＴｉｍｅで妻に動画を送っているようだ。ザハラとシャーンは、高く積みあがった〝クレアモント／ホラーラン二〇二〇年〟の広告看板の物陰で、いちゃつくのに忙しい。ＷＡＳＰのハンターはスタッフのひとりを肩車。リアムとスペンサーはビールを掲げて乾杯し、百人ほどの選挙スタッフとボランティアは驚きと喜びに泣き叫んでいる。勝った。みごとに勝ったのだ。〝ロメタの穴馬〟と長く待ち望んできた青のテキサスが。

人混みに押されて、アレックスはヘンリーの胸に戻る。本当にいろいろなことがあった。すべてのメールとメッセージ、行ったり来たりの数カ月、秘密の逢瀬、切なさを噛みしめた夜。〝よりによって最悪のときに不倶戴天の敵と思いがけなく恋をしてしまった〟末に、彼らは結ばれた。アレックスがそうなると言ったとおり――約束したとおりに。ヘンリーの笑顔は屈託なく明るく輝き、アレックスはこの完全なる瞬間のすべてを抱えようとして、心臓が壊れそうになる。肋骨の内側で、千年分の歴史がふくれあがっている。

「伝えなければならないことがある」ヘンリーが緊張の面持ちで言い、アレックスは身構える。「ブラウンストーンの家を買ったよ。ブルックリンに」

アレックスの口があんぐり開く。「まさか！」

「そのまさかだ」

一秒よりもっと短い一瞬に、そこでの生活がありありと目に浮かぶ。二期めになれば、勝たなければならない選挙はない。講義がぎっしり詰まったスケジュール、ブルックリンの霞《かす》んだ朝の光のなかで隣の枕からヘンリーの笑みがこぼれる。その光景がアレックスの胸の泉にしたたり落ち、希望がふくらむように広がっていく。みんなが泣いていてくれて、助かった。

「いいですか、みなさん」ザハラの声が、激しい血流や愛情やアドレナリンや耳のなかの騒音をものともせずに響く。彼女のマスカラは流れ落ち、あごにまで口紅がついている。ザハラの隣には母がいて、指を片耳に突っ込みながらスマートフォンで話している。リチャーズからの敗北を受け入れる電話だ。「あと十五分で勝利宣言です。さあ、位置について!」

　アレックスは群れをなす人々のあいだを斜めに移動している自分に気づく。ステージに近い、緞帳《どんちょう》の裏の小さな囲いにたどり着く。ついで母がステージに上がり、レオ、マイクとその妻、ノーラとその両親、ジューンと父が続く。アレックスは大股で彼らのあとを追い、スポットライトの白い輝きに向かって手を振り、喧騒のなかで適当ななにかを叫ぶ。あまりに興奮しているので、最初はヘンリーが隣にいないことに気づかず、振り返ると、彼が緞帳の裏のステージの袖でためらっている。ヘンリーはいつだってスポットライトがあたっている人の邪魔になるまいとする。

　もうそんな遠慮はいらない。家族なんだから。彼もこのすべての一部だ。新聞の見出し、油絵、アメリカ議会図書館の蔵書にもふたりの名前がならんで刻まれる。彼もみんなのひとりだ、永遠に。

「来て！」アレックスは手招きする。ヘンリーはとっさにうろたえた顔をするが、すぐに姿勢を正すと、スーツのジャケットのボタンをはめ、ステージに進みでる。引き寄せられるようにアレックスの隣に立ち、笑顔を輝かせる。アレックスは片腕をヘンリーに、もう一方をジューンにまわす。ノーラがジューンの反対側に割り込む。

そしてエレン・クレアモント大統領が登壇する。

抜粋：エレン・クレアモント大統領勝利演説
テキサス州オースティンにて、二〇二〇年一一月三日

四年前の二〇一六年、わたしたちは国家的な危機に瀕していました。そこには憎しみと攻撃的な言辞と偏見に遭ってたじろぐわたしたちを見ていたであろう人たちがいました。その人たちは、わが国の魂の内側でくすぶる分断の熾火《おきび》を燃えあがらせたがっていました。けれど、みなさんはその人たちの目をまっすぐに見て言ったのです。いいえ、もうたくさんです、と。

そしてみなさんは、ひとりの女性とテキサスの地を踏みしめる家族に投票しました。それからの四年間を導く人物として、希望と変化というレガシーを継承する大

統領として。そして今夜、みなさんはふたたび成し遂げました。みなさんはわたしを選んでくださった。そのことに心から、本当に心からの感謝を申しあげます。

　そしてわたしの家族にも、ありがとうを。わたしの家族とは、移民の子孫、期待や非難をものともせずに愛に生きた人たち、正しいことから目をそむけないと決意した女性たちであり、アメリカの未来のために闘ってきた歴史の撚《よ》りあわせです。わたしの家族、あなたの大統領一家。わたしたちは最善を尽くします。これからの四年間はもちろんのこと、そのあとも、みなさんから誇りに思っていただけるように。


二度めの紙吹雪が舞うなか、アレックスはヘンリーの手を取る。「ついてきて」

みんなは祝ったり、インタビューを受けたりするのに忙しく、ふたりが裏口からこっそり出たことに気づかない。アレックスはリアムとスペンサーにビール半ダースと引き換えに自転車を借りる。ヘンリーはなにも尋ねず、アレックスもなんの説明もせずにスタンドを蹴りあげ、夜の街を走りだす。

　オースティンの雰囲気が違って感じる。けれど、まだ現実にはなにも変わっていない。オースティン——それは、そのへんに置き忘れられた学園祭のコサージュに使われているドライフラワー、放課後、子どもたちに勉強を教えたレクリエーションセンターの色褪《いろあ》せたレンガ塀、バートン・クリーク・グリーンベルトの余水路で見知らぬ人にたかられたビール、ウチワサボテン、〈ヒップスター・コールド・ブルー〉のコーヒー、生まれてからずっと、彼を地上に引き戻してくれる、奇妙にして唯一の定数、心のなかのフック。

もしかしたら、自分が変わっただけなのかもしれない。

ふたりは橋を渡り、ダウンタウンに入る。ラヴァカ郡を縦横無尽に走る灰色の道路。バーからあふれた人たちがアレックスの母の名を叫び、胸にアレックスの顔が印刷された服を身につけて、テキサスの旗やアメリカの旗やメキシコの旗、レインボーフラッグを振っている。街角には音楽がこだまし、テキサス州議会議事堂の正面階段に誰かが設置したラウドスピーカーから、スターシップの『愛はとまらない』が聞こえる。上を見ると、厚い雲を背景に花火が上がる。

アレックスはペダルから足を離して、テキサス州議会議事堂のイタリアルネサンス様式の正面前を滑走する。子どものころ、母が毎日仕事に通っていた建物。ワシントンDCの連邦議会議事堂よりも高い。こうしてみると、結局、なんだってこちらのほうが大きい。

二十分ほどでペンバートンハイツに到着する。アレックスはイギリスの王子を連れてオールド・ウェスト・オースティンの高い縁石のある住宅地まで自転車を走らせ、庭のどこに自転車を転がすかやってみせる。スポークがまだ回転して芝生に影を落とす。ウェストーヴァーの古い家で、ひびの入った正面階段を踏む高価な革製の靴底の音は、自分のブーツの音と同じくらい親しみがある。わが家へ帰った感覚。

アレックスは少し下がってヘンリーがすべてを目にするのを見守る。バターイエローの羽目板、大きな出窓、歩道の手形。この家に足を踏み入れるのは、二十歳のとき以来だ。家族ぐるみの友人に有償で管理を頼み、パイプに布を巻いたり水を流してもらったりしている。手放すのは耐えられない。鍵をかけて密閉されていただけで、家のなかはなにも変わっていない。

ここに花火はない。音楽も、紙吹雪も。テレビのスイッチすら切られた、寝静まった単一家族用の住宅がならんでいる。その一軒がアレックスの育った家、雑誌に載ったヘンリーのスナップ写真を見てなにかを感じた、すべてがはじまった家。

「ねえ」アレックスは呼びかける。振り向いたヘンリーの瞳が街灯の明かりを受けて銀色に輝いている。「ぼくたちは勝ったんだ」

ヘンリーはアレックスの手を取り、片方の口角をゆるやかに持ちあげる。「ああ、勝った」

アレックスはドレスシャツのなかに手を突っ込み、指で鎖を探りあててゆっくりと引きあげる。あの指輪と鍵を。

そして冬空のもと、勝利の余韻に浸りながら、ドアの鍵をまわす。

謝辞

この本の着想を得たのは二〇一六年の頭のころ、インターステーツ10の出口車線を走っていたときのことです。その後の展開はわかっていませんでした。つまり、その時点で二〇一六年がどんな年になるか読めていなかったのです。そして結果は、なんたること！　十一月以降の数カ月は、この本の執筆をあきらめていました。おもしろ半分のパラレルワールドになるはずだったものが、現実の逃げ場としてトラウマを癒やし、なおかつ実効性のある選択肢のひとつとして現実味をもたなければならなくなったのですから。そこで描かれるのは、完璧な世界ではありません。信憑性がある程度にはちゃめちゃで、でも、多少ましな、多少希望をいだける世界。自分にそれを作りだす力があるかどうかわかりませんでしたが、わたしはあることを祈りました。

そして、わたしがしたかったこと――この本を読み終わった時点で、愛する読者のみなさんが必要とされていたよろこびや希望の煌《きら》めきを感じてくださること――が実現できていることを願っています。

たくさんの方々の協力なしくて、その仕事は成し遂げられませんでした。わたしの守護天使であるエージェントのサラ・メギボウ、この調子っぱずれなバスを運転してくれてありがとう。この本を書くという経験に飛び込んだときのわたしは、わたしの半分もこの本を気遣ってくれる人に出会えたら御の字だと思っていたのに、あなたははじめて話をした瞬間からわたしに負けていませんでした。この本の一番の理解者として、つねに背後からわたしを支えてくれたことにお礼を申し上げます。わたしの編集者にしてテキサス出身のヴィッキー・ラメは、この本のために闘い、この本が社会になにをもたらすかをつねに考えてくれました。この本にすべてを捧げ、つねにリングのコーナーで水のボトルを持って待っていてくれました。あなたとセント・マーティンズ・グリフィン社のチームのおかげで、文字どおり、夢が現実のものとなりました。ありがとうございます。

　ほかにも感謝すべき方々が大勢います。エリザベス・フリーバーグには、お返しできないほどたくさんのことを教わりました。彼女がいなければ、作家としてのわたしはいまの半分の能力しかなかったでしょう。レナ・バースキーはこの小説全体を産みださせて、最初にわたしと同じくらい登場人物たちを好きになってくれた人です。サーシャ・スミスは文学におけるわたしの道案内であり、誰よりもわたしを信じてくれました。彼女がいなければ、わたしは遭難したまま、溺死していたはずです。わたしの夢のベータ版を読んでくれたシャニッカ・アンダーソンは、そのときまだ四万字も長すぎたこの小説を好きになってくれました。ローレン・ヘフカーはわたしがまだこの小説の筋書きのもつれをほどいていたときに、〈タコベル〉でそれに付きあってくれました。わたしがなにを考えているかなど、聞きたくもなかったでしょうに。シーズン・ヴァイニングはわたしにワインを飲ませながら、あなたの夢は無謀じゃないと励ましてくれました。リア・ロメロはわたしの一番のファンにして、政治的なアイディアの源であり、わたしはつねに彼女に読んでもらうことを念頭に置いて書いてきました。ティファニー・マルティネスは丁寧にこの本を読んで好きになり、その気持ちを率直に伝えてくれました。そのすべてを知っているCJSRは、それと引き替えにこの本のせいで何度も徹夜するはめになりました。わたしの新しい家族であるFoCoのメンバーたちにも感謝します。

そして家族へ。この数年、わたしは望んでも得られないほどたくさんのことを家族からしてもらいました。わたしが本を書くと言ったとき、あなたたちは先の見とおしのないまま署名をし、それにもかかわらず、一丸となってわたしを応援してくれました。ありのままのわたしを愛してくれて、ありがとう。変わった子のまま、わたしを育ててくれて、ありがとう。お父さん、わたしのなかに作家としての才能があるのを小さいころから認めてくれて、ありがとう。そのおかげで、自分でもその才能を信じることができました。あなたはつねに変わらず、雲の向こうまで広がって、宇宙のように大きな存在です。わたしにとってこの本はいままでで最高の仕事です。

この本を書くにあたっては山のような調べ物がありました。その情報源にも感謝いたします。WhiteHouseMuseum.org、Royal Collection Trustのサイト、リクター・ノートンの“My Dear Boy”、ヴィクトリア&アルバート博物館のきわめて有益なサイト等々。またわたしをスランプから抜けださせて第一稿の十一万字を書かせてくれたノルウェー、ミツキの“Texas Reznikoff”にも。

たまたまこの本を手に取ってくださったすべての方々へ、ほんの数ページでもいいので、この本のなかにここぞという箇所が見つかりますように。あなたは愛されています。わたしはあなた方のためにこの本を書きました。闘いつづけ、歴史を作りましょう。そしてお互いに助けあいましょう。

愛を込めて。

訳者あとがき

ケイシー・マクイストンの処女作*Red, White & Royal Blue*の全訳をお届けします。このLGBTQ＋ロマンスは、二〇一九年に本国アメリカで発売されるや、たちまち大評判となりました。大統領の息子とイギリス王子という、同性同士の恋愛を描いた現代版のおとぎ話として、ＢＬファンのみならずロマンス読者に幅広く受け入れられたこと、また大統領選という素材を軸にして現代アメリカの性的、人種的な多様性を丁寧に描いた点が評価されてのことでしょう。二〇一九年のgoodreadsベスト・ロマンス賞の受賞作でもあります。

まだ本書をお読みでない方に内容を少しご紹介しましょう。

主人公は、アレックス・クレアモント＝ディアス、二十一歳、アメリカ初の女性大統領の息子です。両親は離婚、実の父親はやはり国会議員。勉強も運動もできてハンサムなアレックスは、国じゅうの人気者（すごい設定ですね）にして大変な自信家ですが、将来政治家になるため、コーヒーをがぶ飲みしながら必死に勉学に励む努力家でもあります。そんな彼ですが、数年前、リオのオリンピックで会っていやな思いをさせられて以来、イギリスのヘンリー王子を目の敵にしています。少し年上でブロンドに青い瞳のヘンリー王子は、やはり女性に大人気。できることなら会いたくないけれど、ヘンリー王子の兄のロイヤル・ウエディングとあっては、参列しないわけにはいきません。ところがしぶしぶ出かけたその会場で、ヘンリー王子と小競り合いになり、あげくウエディングケーキを倒すという大失態を演じます。このままでは国際問題になって、母親の二期めの大統領選にも影響が出るかも！　そこでまわりの大人たちが出した解決策は、ふたりに親友を演じさせること。こうしてアレックスとヘンリーは本人たちの思いとは裏腹にともに時間を過ごすことになり、しだいに相手への理解を深め、やがて……。

　本作は全編がほぼアレックス視点の現在形で描かれています。随所にメールやスマートフォンのアプリを通じたやりとり、新聞記事、ＳＮＳの投稿などをはさみこんでふたりの関係の変化を追いながら、アレックスがときに深く内省しつつ、ヘンリー王子や周囲の人たちとのやりとりを通じて一歩ずつ前に進んでいくようすが描かれています。とくに自分のセクシュアリティに悩む場面には、自分がストレートである理由をひとつずつ挙げる彼の姿にそのとまどいの深さが表れていて、読み応えがあります。相手を好きになり、好きになった自分を知り、思いが通じて舞いあがり、恋に翻弄され、障害があって破局寸前になり、それを乗り越えてまた愛を確認する。読むものの心を揺さぶる起伏のある物語は、まさにロマンスの王道であり、相手との関係のなかで自分を理解して、さらには新しい自分を形作っていくという、成長の物語でもあります。いまさらながらですが、恋愛には人を成長させるという側面があり、ロマンス小説が成長の物語でもあることがよくわかります。

またこの作品の魅力のひとつに、魅力的な脇役の存在を挙げることができます。母親のためジャーナリストになる夢を棚上げして、脱線しがちな弟を助けている姉のジューン、統計おたくのノーラ、息子の性教育にパワーポイントを持ちだす〝大統領母さん〟ことエレン・クレアモント大統領、別れた妻の大統領選を応援する父親のオスカー・ディアス議員。親鳥のようにアレックスたち若者を見守るシークレットサービスのキャッシュ、やはりシークレットサービスにして刺繍が趣味で奥さんがいるエイミー、同性愛であることを公表していて、アレックスがお手本とするラファエル・

ルナ議員、選挙戦を手伝うＷＡＳＰのハンター。ヘンリー王子のまわりにも、ナイジェリア出身にして大富豪の親友であるペズや、ハンサムなインド系の侍従シャーン、杓子定規な長兄、〝パウダー王女〟とあだ名をつけられた姉、もとボンド俳優の父親、その父の死後、引きこもった母親、祖母にして厳格なイギリス女王など、癖の強い人物がそろっています。

そうした多彩な面々によって性別や肌の色、人種、国籍、セクシュアリティ、社会的な立場の違いが表され、それぞれが個性を存分に発揮することで、この小説全体で標榜される多様性が生き生きと表現されています。それとは少し外れますが、地方と中央の違いについては、考えさせられました。アレックスの家族は〝後進的〟とされるテキサス出身です。地方がとかく保守的とされるのは、アメリカでも日本でも同じです。そのテキサスがどう過去を乗り越えていくか。弱者をただの弱者として描かず、よりよい世界を実現するための力を求めて闘う者たちの物語になっている点に、アメリカという国のもつ底力を感じます。

中身のぎっちり詰まったこの物語を書いたケイシー・マクイストンは、一九九〇年生まれ、ルイジアナ州南部育ち、バイセクシュアルを自認しています。この作品を書く前は雑誌の世界で働いていたそうです。すでに次作*One Last Stop*に取りかかっているそうで、来年出版される予定。こんどは地下鉄のなかで恋に落ちる女性ふたりのロマンスで、タイムトラベル物でもあるとか。楽しみです。

楽しみといえば、映画化も決まっています。英語版の発売前に決まっていたというのですから、本国の盛りあがりぶりが伝わってくるというもの。パラマウントやワーナー・ブラザーズに競り勝ったのは、米アマゾン・スタジオ。ホワイトハウスやケンジントン宮殿が舞台になるだけに、煌びやかな映画になりそうですね。

なお、〝プリンス・オブ・ウェールズ〟の呼称についてひとこと。本来、王位継承権のある人物に対する呼称であり、ヘンリー王子にはあてはまりませんが、本国アメリカやイギリスのＡｍａｚｏｎのレビューを見たところ、気にしている読者はごく少数であったため、二見書房の編集部とも相談のうえ、原作のとおりといたしました。

この本の日本での発売日前日にあたる二〇二一年一月二十日、ワシントンＤＣでジョー・バイデン氏の第四十六代合衆国大統領就任式が行われます。副大統領に就任するのは、今後アメリカ初の女性大統領になるのではないかとされるカマラ・ハリス氏です。世界じゅうで貧富の差が広がっているとされるなか、〝分断ではなく結束〟を呼びかける新大統領のかじ取りに注目が集まります。そして若い作家が〝あなた方のために書いた〟とするこの希望に満ちたロマンティックなおとぎ話が、少しでもみなさんの日常の力になることを願っています。

二〇二〇年　年の瀬

ザ・ミステリ・コレクション

赤《あか》と白《しろ》とロイヤルブルー

2021年 2月20日　初版発行
2023年 12月31日　7版発行

著者　ケイシー・マクイストン
訳者　林《はやし》　啓恵《ひろえ》

発行所　株式会社 二見書房
東京都千代田区神田三崎町2-18-11
電話 03(3515)2311 [営業]
03(3515)2313 [編集]
振替 00170-4-2639

印刷　株式会社 堀内印刷所
製本　株式会社 村上製本所

ISBN978-4-576-21006-3
https://www.futami.co.jp/

＊の作品は電子書籍もあります。

秘めた情事が終わるとき
コリーン・フーヴァー
相山夏奏［訳］

無名作家ローウェンのもとに、ベストセラー作家ヴェリティの共著者として執筆してほしいとの依頼が舞い込むが…。愛と憎しみが交錯するジェットコースター・ロマンス！

世界の終わり、愛のはじまり
コリーン・フーヴァー
相山夏奏［訳］

リリーはセックスから始まる情熱的な恋に落ち結婚するが彼は実は心に闇を抱えていて…。NYタイムズベストラー作家が贈る、ホットでドラマチックな愛と再生の物語

時のかなたの恋人
ジュード・デヴロー
久賀美緒［訳］

イギリス旅行中、十六世紀から来た騎士ニコラスと恋に落ちたダグラス。時を超えて愛し合う恋人たちを描く、タイムトラベル・ロマンス永遠の名作、待望の新訳!!

霧の町から来た恋人
ジェイン・アン・クレンツ
久賀美緒［訳］

ともに探偵事務所を経営する友人のオリヴィアが何者かに連れ去られ、カタリーナはちょうどある殺人事件で彼女の力を借りにきたスレーターとともに行方を捜すが…

口づけは復讐の香り
L・J・シェン
藤堂知春［訳］

シカゴ・マフィアの一人娘フランチェスカは社交界デビューの仮面舞踏会で初めて会った男ウルフにキスを奪われ、婚約することになる。彼にはある企みがあり…

愛は闇のかなたに ＊
L・J・シェン
水野涼子［訳］

父の恩人の遺言で政略結婚をしたスパロウ。十も年上で裏社会にさえ顔がきくという男との結婚など青天の霹靂だったが、いつしか夫を愛してしまい…。全米ベストセラー！

あなたとめぐり逢う予感
ジュリー・ジェームズ
村岡 栞［訳］

殺人事件の容疑者を目撃したことから、FBI捜査官のジャックと再会したキャメロン。因縁ある相手だが、ボディガードとして彼がキャメロンの自宅に寝泊まりすることに…

袋小路

キャサリン・コールター

林　啓恵［訳］

全米震撼の連続誘拐殺人を解決した直後、サビッチのもとに妹の自殺未遂の報せが入る。『迷路』の名コンビが夫婦となって大活躍！ 絶賛FBIシリーズ第二弾!!

死角

キャサリン・コールター

林　啓恵［訳］

あどけない少年に射拘…寄る魔された驚くべき真相とは？ 謎めく事I捜査官S&Sコンビも真相究明に事件の裏に隠

追憶

キャサリン・コールター

林　啓恵［訳］

首都ワシントンを震撼させた最高裁判所判事夫婦FB殺人者の魔手はサビッチたちの身辺にも！ 夫捜査官サビッチ&シャーロックが難事件に挑

失踪

キャサリン・コールター

林　啓恵［訳］

FBI女性捜査官ルースは休暇中に洞窟で突然倒れ記憶を失ってしまう。一方、サビッチ行きつけの店の芸人が何者かに誘拐され、サビッチを名指しした脅迫電話が…！

幻影

キャサリン・コールター

林　啓恵［訳］

有名霊媒師の夫を殺されたジュリア。何者かに命を狙われFBI捜査官チェイニーに救われる。犯人捜しに協力する同僚のサビッチは驚愕の情報を入手していた…！

眩暈

キャサリン・コールター

林　啓恵［訳］

操縦していた航空機が爆発、山中で不時着したFBI捜査官ジャック。レイチエルという女性に介抱され命を取り留めるが、彼女はある秘密を抱え、何者かに命を狙われる身で…

残響

キャサリン・コールター

林　啓恵［訳］

ジョアンナはカルト教団を運営する亡夫の親族と距離を置き、娘と静かに暮らしていた。が、娘の〝能力〟に気づいた教団は娘の誘拐を目論む。母娘は逃げ出すが……

*の作品は電子書籍もあります。

幻惑
キャサリン・コールター
林 啓恵［訳］

大手製薬会社の陰謀をつかんだ女性探偵エリンはFBI捜査官のボウイと出会い、サビッチ夫妻とも協力して真相に迫る。次第にボウイと惹かれあうエリンだが……

閃光
キャサリン・コールター
林 啓恵［訳］

若い女性を狙った連続絞殺事件が発生し、ルーシーとクープの若手捜査官が事件解決に奔走する。DNA鑑定の結果犯人は連続殺人鬼テッド・バンディの子供だと判明し!?

代償
キャサリン・コールター
林 啓恵［訳］

サビッチに謎のメッセージが届き、友人の連邦判事ラムジーが狙撃された。連邦保安官助手イブはFBI捜査官ハリーと組んで捜査にあたり、互いに好意を抱いていくが…

錯綜
キャサリン・コールター
林 啓恵［訳］

捜査官の妹が何者かに襲われ、バスルームには大量の血が!? 一方、リンカーン記念堂で全裸の凍死体が発見された。早速サビッチとシャーロックが捜査に乗り出すが…

謀略
キャサリン・コールター
林 啓恵［訳］

婚約者の死で一時帰国を余儀なくされた駐英大使のナタリーは何者かに命を狙われ、若きFBI捜査官デイビスに助けを求める。一方あのサイコパスが施設から脱走

誘発
キャサリン・コールター
林 啓恵［訳］

空港で自爆テロをしようとした男をシャーロッ[illegible]さえたころ、サビッチはある殺人事件の捜[illegible]が、なぜか犯人には犯行時の[illegible]

背信
キャサリン・コールター
守口弥生［訳］

ハリウッドで若い女優の連続殺人事件が発生。一方、ワシントンDCでは名だたる富豪が毒殺されそうになる。人も羨む世界の裏にある人間の闇を描くシリーズ最新作

略奪

キャサリン・コールター&J・T・エリソン

水川玲［訳］〔新FBIシリーズ〕

元スパイのロンドン警視庁警部とFBIの女性捜査官。謎の殺人事件と〝呪われた宝石〟がふたりの運命を結びつけて――夫婦捜査官S&Sも活躍する新シリーズ第一弾！

激情

キャサリン・コールター&J・T・エリソン

水川玲［訳］〔新FBIシリーズ〕

平凡な古書店店主が殺害され、彼がある秘密結社のメンバーだと発覚する。その陰にうごめく世にも恐ろしい企みに英国貴族の捜査官が挑む新FBIシリーズ第二弾！

迷走

キャサリン・コールター&J・T・エリソン

水川玲［訳］〔新FBIシリーズ〕

テロ組織による爆破事件が起こり、大統領も命を狙われる。人を殺さないのがモットーの組織に何が？英国貴族のFBI捜査官が伝説の暗殺者に挑む！第三弾！

鼓動

キャサリン・コールター&J・T・エリソン

水川玲［訳］〔新FBIシリーズ〕

「聖櫃」に執着する一族の双子と、強力な破壊装置を操るその祖父――邪悪な一族の陰謀に対抗するため、FBIと天才的泥棒がタッグを組んで立ち向かう！

いつわりは華やかに *

J・T・エリソン

水川玲［訳］

失踪した夫そっくりの男性と出会ったオーブリー。いったい彼は何者なのか？RITA賞ノミネート作家が描くハラハラドキドキのジェットコースター・サスペンス！

悲しみにさよならを

シャロン・サラ

氷川由子［訳］

10年前に兄を殺した犯人を探そうと決心したとたんローガンは命を狙われる。彼女に恋するウェイドと捜索を進めると、驚く事実が明らかになり…。本格サスペンス！

そして彼女は消えた

リサ・ジュエル

氷川由子［訳］

15歳の娘エリーが図書館に向かったまま失踪した。10年後、エリーの骨が見つかり…。平凡で幸せな人生の裏でじわじわ起きていた恐怖を描く戦慄のサイコスリラー！

＊の作品は電子書籍もあります。

危険な夜の果てに

リサ・マリー・ライス
鈴木美朋［訳］〔ゴースト・オプス・シリーズ〕

医師のキャサリンは、治療の鍵を握るのがマックという国からも追われる危険な男だと知る。ついに彼を見つけ、会ったとたん……。新シリーズ一作目！

夢見る夜の危険な香り

リサ・マリー・ライス
鈴木美朋［訳］〔ゴースト・オプス・シリーズ〕

久々に再会したニックとエル。エルの参加しているプロジェクトのメンバーが次々と誘拐され、ニックは〈ゴースト・オプス〉のメンバーとともに救おうとするが――

明けない夜の危険な抱擁

リサ・マリー・ライス
鈴木美朋［訳］〔ゴースト・オプス・シリーズ〕

ソフィは研究所からあるウィルスのサンプルとワクチンを持ち出し、親友のエルに助けを求めた。〈ゴースト・オプス〉からジョンが助けに駆けつけるが…シリーズ完結！

いつわりの夜をあなたと

カイリー・スコット
門呉茉莉［訳］

ベティはハンサムだが退屈な婚約者トムと別れようと決心したとたん、何者かに誘拐され…⁉ ２０１７年アウディ賞受賞作家が贈る映画のような洒落たロマンス！

気絶するほどキスをして ＊

リンゼイ・サンズ
水野涼子［訳］

国際秘密機関で変わった武器ばかり製作するジェーン。そんな彼女がスパイに変身して人捜しをすることに。素人スパイのジェーンが恋と仕事に奮闘するラブコメ！

愛という名の罪

ジョージア・ケイツ
風早柊佐［訳］

母の復讐を誓ったブルー。敵とのベッドインは予期していたが、想像もしなかったのは彼に夢中になってしまうこと……愛と憎しみの交錯するエロティック・ロマンス

かつて愛した人

ロビン・ペリーニ
水野涼子［訳］

故郷へ戻ったセインの姉が何者かに誘拐された。彼はかつての恋人でＦＢＩのプロファイラー、ライリーに捜査を依頼する。捜査を進めるなか、二人の恋は再燃し……

黒き戦士の恋人
J・R・ウォード
安原和見〔訳〕　〔ブラック・ダガー・シリーズ〕

NY郊外の地方新聞社に勤める女性記者ベスは、謎の男ラスに出生の秘密を告げられ、運命が一変する！　読み出したら止まらない全米ナンバーワンのパラノーマル・ロマンス

永遠なる時の恋人
J・R・ウォード
安原和見〔訳〕　〔ブラック・ダガー・シリーズ〕

レイジは人間の女性メアリをひと目見て恋の虜に。戦士としての忠誠か愛しき者への献身か、心は引き裂かれる。困難を乗り越えてふたりは結ばれるのか？　好評第二弾

運命を告げる恋人
J・R・ウォード
安原和見〔訳〕　〔ブラック・ダガー・シリーズ〕

貴族の娘ベラが宿敵〝レッサー〟に誘拐されて六週間。だれもが彼女の生存を絶望視するなか、ザディストだけは彼女を捜しつづけていた…。怒濤の展開の第三弾！

闇を照らす恋人
J・R・ウォード
安原和見〔訳〕　〔ブラック・ダガー・シリーズ〕

元刑事のブッチがヴァンパイア世界に足を踏み入れて九カ月。美しきマリッサに想いを寄せるも梨の礫。贅沢だが無為な日々に焦りを感じていたところ…待望の第四弾

情熱の炎に抱かれて
J・R・ウォード
安原和見〔訳〕　〔ブラック・ダガー・シリーズ〕

深夜のパトロール中に心臓を撃たれ、重傷を負ったヴィシャス。命を救った外科医ジェインに一目惚れすると、彼女を強引に館に連れ帰ってしまうが…急展開の第五弾

漆黒に包まれる恋人
J・R・ウォード
安原和見〔訳〕　〔ブラック・ダガー・シリーズ〕

自己嫌悪から薬物に溺れ、〈兄弟団〉からも外されてしまったフュアリー。〝巫女〟であるコーミアが手を差し伸べるが…。シリーズ第六弾にして最大の問題作登場!!

灼熱の瞬間《とき》 ＊
J・R・ウォード
久賀美緒〔訳〕

仕事中の事故で片腕を失った女性消防士アン。その判断をした同僚ダニーとは事故の前に一度だけ関係を持っていて…。数奇な運命に翻弄されるこの恋の行方は？